Mijn ex, mijn stalker

Kate Brennan

Mijn ex, mijn stalker

Vertaald door Carla Benink

ARENA

Oorspronkelijke titel: *In His Sights*
© Oorspronkelijke uitgave: 2008 by Kate Brennan
© Nederlandse uitgave: Arena Amsterdam, 2009
© Vertaling uit het Engels: Carla Benink
Omslagontwerp: Esther van Gameren, Utrecht
Foto omslag: B. Bird/zefa/Corbis
Typografie en zetwerk: CeevanWee, Amsterdam
ISBN 978-90-8990-050-0
NUR 302

Een handjevol mensen heeft dit verhaal met me mee beleefd. Terwijl een heleboel mensen in mijn leven negeerden wat ik doormaakte of schouderophalend vonden dat ik overdreven reageerde op het feit dat ik werd gestalkt – dat dat een restje liefde was of dat ik het allemaal verzon – was er ook een aantal familieleden en vrienden dat inzag dat een man krankzinnig kan worden van woede. Zij steunden me en deden alles wat ze konden om me te behoeden voor lichamelijk en geestelijk gevaar. En toen ik besloot dat ik met mijn verhaal wellicht andere vrouwen zou kunnen helpen om zichzelf tegen dat soort gevaar te beschermen, moedigden ze me aan de risico's af te wegen en het op te schrijven.

Als ik hun namen zou noemen, zou dat te gevaarlijk zijn voor degenen van hen die nog leven omdat sommige stalkers, zoals ook de mijne, te ziek en te arrogant zijn om bang te zijn. Daarom doe ik het zo:

Jullie weten wie jullie zijn.

Ik dank jullie uit de grond van mijn hart.

Ik zal het nooit vergeten.

I'll be watching you.
The Police

Proloog

Zelden kies je zelf de omstandigheden die je leven betekenis geven. Als 'gestalkt worden' op mijn lijst van keuzes zou staan, zou ik dat niet aanvinken. Maar toen me dat overkwam, kon ik twee dingen doen: het feit onder ogen zien of mijn ogen ervoor sluiten. Het ligt in mijn aard om problemen – zorgen, verdriet, twijfel, boosheid of wat dan ook – onder ogen te zien. Ik heb altijd geloofd in de kracht achter pijn en verdriet, dus sta ik mezelf niet toe ervoor weg te lopen.

Je zwakheden erkennen, verantwoordelijk zijn voor je keuzes, van je fouten leren – ik heb respect voor mensen die dat doen en zo wil ik zelf ook zijn. Toen een ex-minnaar me ging stalken, moest ik me dus afvragen hoe het kwam dat ik van zo'n soort man was gaan houden. Mijn stalker had mij uitgekozen, maar ik had hem ook uitgekozen. Ik had met hem samengewoond en toen ik hem verliet, dacht ik dat ik me hem voortaan alleen nog maar vaag zou herinneren, zoals je je een film herinnert die vreselijk is tegengevallen.

Ik dacht dat ik die situatie alleen maar achter me hoefde te laten en de inventaris van mijn leven opmaken: alles op een rijtje zetten, nadenken over de redenen waarom ik hem had gekozen, mijn zwakheden en gebreken analyseren en dan pas, nadat ik dat had gedaan, de toekomst tegemoet gaan, wijzer en zelfbewuster dan toen ik hem ontmoette. Zo had ik het in het verleden ook gedaan.

Maar deze keer ging het anders. Al heb je je geestelijk en lichamelijk nog zo ver van iemand verwijderd, je kunt niet aan hem ontsnappen als hij niet ophoudt je duidelijk te maken dat hij je leven kan ontwrichten wanneer hij wil. Paul is geen man die accepteert dat iemand hem verlaat. Zijn drang om mij zijn wil op te leggen verdween niet toen ik probeerde daaraan te ontkomen. Het stalken duurt al veel langer dan de tijd die we samen hebben doorgebracht. Dus bij elke keus die ik maak, bij elk keerpunt in mijn leven, moet ik rekening houden met het simpele feit dat mijn achtervolger nog leeft. Daarom zul je niet weten hoe ik echt heet. Maar wel zul je mijn geest leren kennen, want die zal ik als een afgekloven bot voor je neerleggen.

Als je wordt gestalkt, beland je in de drek van andermans leven. Dat gevoel had ik al toen ik met hem samenleefde en het verbaasde me dat ik, nadat ik hem had verlaten, daar niet van was bevrijd. Hoe kon ik weten dat ik, door die man te verlaten, een nieuwe betekenis zou geven aan het idee van een leven na de dood? Wat er verder ook gebeurt, mijn leven zal altijd bestaan uit drie delen: voor hem, met hem en na hem. Niet de bakens die ik zou willen, maar zo is het nu eenmaal. Zo werden ze neergezet toen ik hem verliet.

De periode vóór hem bestaat uit eenenveertig jaar, de periode met hem uit bijna drie jaar en die na hem duurt nu al bijna dertien jaar. Ik had er ruim twee jaar voor nodig om in te zien dat ik door hem te verlaten niet van hem af was, en dat de manier waarop hij me bleef lastigvallen 'stalken' kon worden genoemd.

In de loop der jaren hebben diverse therapeuten me verteld dat zij, terwijl ze hun geld verdienen met het behandelen van mensen in geestelijke nood, zich net als ik op de charmes van deze man hebben verkeken. Die verklaring schenkt me maar weinig troost, want ik blijf mezelf afvragen hoe ik kon houden van iemand die in staat is om zo lang te haten. Hoe kon ik zijn perverse gedrag tolereren? En hoe is het me gelukt toch bij hem weg te gaan? Hoe blijf ik voortaan veilig? En wat nog belangrijker is: hoe krijg ik het voor elkaar mijn verstand erbij te houden terwijl ik nooit zal weten of hij ermee is gestopt?

De antwoorden zijn ingewikkeld, maar de waarheid is eenvoudig: alles drijft mee op de stroom van mijn verleden.

Het leven met de man die me ging achtervolgen deed me inzien dat ik door wat ik vroeger thuis had meegemaakt zo verdraagzaam was geworden dat ik geen idee had wanneer wreedheid pervers kon worden genoemd. En toen ik dat eindelijk wist, was ik er zo van overtuigd dat zieke mensen konden genezen en dat ik alles kon verdragen dat ik geen idee had wanneer ik de hoop moest opgeven. Ik wist niet wanneer ik moest ophouden altijd maar sterk, geduldig en vriendelijk te zijn.

Sommige vrouwen worden opgevoed met de overtuiging dat mannen, als ze niet aan hun beperkingen worden overgelaten en zij zich over hen ontfermen, betere mensen kunnen worden. We moeten geloven in de kracht van verlossing. Het kostte me tijd, te veel tijd, voordat ik besefte dat je, als je iemand uitkiest die je nodig heeft, die gebrekkiger is dan jijzelf, kiest voor de gemakkelijkste manier om niet meer scherp naar jezelf te hoeven kijken. Je wordt zodanig afgeleid dat je de schade die jijzelf hebt opgelopen, kunt negeren.

Ik dacht dat ik door alcoholisten te vermijden en aan mijn eigen zwakheden te werken, mezelf kon redden. Ik dacht ook dat alles, als ik de man van wie ik hield begreep en maar genoeg van hem bleef houden, goed zou komen.

Dat bleek een enorme vergissing te zijn.

Ik schrik wakker. Een pistoolschot? Ik houd mijn adem in en probeer in de stilte die erop volgt te bedenken wat het kan zijn geweest. Het blijft stil. Was het de naontsteking van een motor op de verkeersweg? Een jager die op het eiland een hert neerknalt? Een van die twee misschien. Of iets ergers. Ik weet nooit wat ik van zoiets moet denken: is het normaal of bedreigend?

Ik blijf even liggen en concentreer me op mijn omgeving, en dan schuif ik mijn benen naar de rand van het bed, klaar om eruit te springen. Ik slaap tegenwoordig in een joggingbroek en een T-shirt met lange mouwen in plaats van een pyjama, voor het geval dat ik er plotseling vandoor moet. Als ik moet vluchten of zal worden meegenomen, wat dan ook, zal ik me dan iets minder kwetsbaar voelen. Langzaam haal ik mijn arm onder het koele laken vandaan en trek mijn mobieltje van onder het extra kussen naar me toe. Ik oefen alvast met het intoetsen van het alarmnummer. Ik dwing mezelf langzaam en heel zacht adem te halen. Ik houd me zo stil mogelijk.

Ik leg mijn hoofd weer op het kussen om kramp in mijn nek te voorkomen en ga in gedachten mijn handelingen van voordat ik naar bed ging na. Ik zie mezelf de deuren en ramen controleren, en daarna het alarmsysteem. Minstens tweemaal. Misschien nóg een of twee keer, zoals vaak. Ik visualiseer de route die ik zal nemen als iemand door de voordeur naar binnen komt, of door de achterdeur, of door een raam. Ik wacht op het geluid dat me duidelijk zal maken naar welke kant ik moet ontsnappen.

Ik probeer me een gezicht voor te stellen dat ik niet ken, van een vreemde die hij naar mijn huis heeft gestuurd. Ik stel me de plek voor waar hij me naartoe zal brengen. Vuil, donker en afgelegen, net zo onbekend als mijn ontvoerder. Ik herinner mezelf eraan dat ik adem moet halen. Ik wacht met gespitste oren op het volgende geluid en hoop dat dat niet zal komen. Maar ik vraag me ook af of het geen opluchting zou zijn als er aan deze eeuwige waakzaamheid een eind kwam.

Ik wacht tot het roze ochtendgloren het nachtelijke donker binnenkruipt. Al geloof ik niet dat de morgenstond zich ook maar iets om mensen bekommert, dan pas kan ik me genoeg ontspannen om weer in slaap te vallen. Hoewel ik me het veiligst voel in het licht, wikkel ik me graag in de mantel van onzichtbaarheid die het donker me voorhoudt.

Naar bed gaan, een wandeling maken, naar de film gaan – heel normale dingen. Tenzij je wordt gestalkt. Dan is alles gevaarlijk.

Als ik een openbare gelegenheid binnenga, bijvoorbeeld een bioscoopzaal, doe ik dat langzaam en laat ik mijn blik speurend over de stoelen glijden. Is hij hier ook? Is er hier iemand die hij kent? Voordat ik me ergens installeer, waar dan ook, luister ik naar mijn lichaam. Voel ik me veilig?

Vroeger zat ik in een bioscoop het liefst twee derde van de zaal naar achteren en dan rechts. Niet te dicht bij het scherm en er ook niet te ver vandaan. Nu zit ik op de achterste rij, om de hele zaal te kunnen overzien. En voordat ik me verdiep in de film, kijk ik waar de uitgangen zijn. Als er maar één uitgang is, ga ik meestal weer weg en wacht tot de dvd uitkomt.

Als ik blijf, kijk ik tijdens de film regelmatig om me heen om te zien of er nog mensen binnenkomen, en vlak voor het einde wend ik mijn ogen af van het scherm om te bedenken hoe ik zal weggaan. Hoe ik dat zo ongemerkt mogelijk kan doen. Zo snel mogelijk. Want dat moet.

Ik trek mijn muts ver over mijn voorhoofd en richt mijn blik op de uitgangen aan weerskanten van het scherm. In de zomermaanden voel ik me extra onveilig. De mensen in het Midden-Westen houden niet van excentriekelingen. Doe normaal, dan doe je al gek genoeg. Een vrouw die als het niet vriest in de bioscoop een muts opheeft, is volgens hen niet normaal. Ze wordt aangestaard. Dus net als een kind dat gelooft dat niemand het kan zien als het zijn handen voor zijn ogen houdt, zet ik mijn grote zonnebril op en houd mezelf voor dat niemand me dan zal herkennen.

Zodra de aftiteling begint, loop ik naar voren. Een paar seconden later zal de rest van het publiek naar achteren lopen. Iemand die me toevallig ziet gaan, zou kunnen denken dat ik iets te verbergen heb. Dat is ook zo: mezelf. Als ik niet had geleerd mezelf te verbergen, had ik het niet zo lang volgehouden.

Ik kan goed dingen uitvogelen. Ik kan goed mensen uitvogelen. En ik weet dat ik op mijn intuïtie kan vertrouwen. Doordat ik al jarenlang word gestalkt, ben ik een expert geworden in het vertrouwen op mijn intuïtie. Wat niet meevalt, omdat een stalker erop gebrand is je in zijn maalstroom mee te sleuren. Als je je wereld niet meer onder controle hebt, verlies je gauw je evenwicht. Ik kan mezelf alleen maar in evenwicht houden door voortdurend alert te zijn, elke dag weer.

Maar ik word er doodmoe van en soms ben ik de wanhoop nabij. Dat zijn goede dagen. Op slechte dagen zit de wanhoop op mijn schouder en wacht op het geringste teken van zwakheid, zodat hij me kan omhelzen.

Herinneringen zijn nog dichterbij. Ze kruipen rond in mijn lichaam, als mijnwormen die zich verkneuteren omdat ze zo veel kunnen ondergraven.

DEEL 1

1991-1994

1

Het is mijn laatste dag in Haworth. Ik sta vroeg op en sla in mijn lo-
gies met ontbijt de gebakken eieren af en neem haastig alleen koffie
en toast met zelfgemaakte marmelade. Ik wil voor de bibliotheek
staan wanneer die opent. Terwijl ik wat later in gedachten door de
lijst manuscripten ga die ik die morgen nog wil doornemen, leun ik
tegen de stenen muur om de parkeerplaats. Achter de georgiaanse
pastorie drijven witte cumuluswolken over het landschap en werpen schaduwen over gras en heide. Voor deze reis wist ik niet dat
heide, met zijn spiraalvormige blaadjes en wuivende bloempjes, een
groenblijvende plant was, zo heel anders dan de dennen en sparren
thuis. Van een afstand is de hei een zachte deken van paarse, bruine
en groene kleuren, maar van dichtbij zie je dat het een ruw gebied is,
met vennen waarin het water zo koud is dat het je de adem beneemt.

'Je bent vroeg vandaag,' zegt de hoofdbibliothecaresse wanneer
we door de winkel naar de bibliotheek lopen. Ze ziet eruit zoals je
van een bibliothecaresse verwacht: donker mantelpak, serieuze bril,
netjes opgestoken donkerbruin haar. Maar in de afgelopen twee weken ben ik erachter gekomen hoe ze haar avonden en weekenden
doorbrengt, en dat is minder serieus. Daar ben ik blij om, het is een
onverwachts leuke tweede indruk.

Buiten waait het hard en is het al behoorlijk warm, binnen is het stil
en de lucht is er koel en droog, vanwege de manuscripten. De doden
zijn hier belangrijker dan de levenden. Elke dag leg ik een katoenen
trui en een paar sokken op de schriften en potloden in mijn rugzak.
Pennen zijn verboden. Ik trek de trui aan en pak de witte handschoenen die ik gistermiddag op de lange houten tafel heb laten liggen. De bibliotheek, waar je alleen met toestemming naar binnen
mag, is ondergebracht in het deel van de pastorie van de familie
Brontë dat vroeger de keuken was. Emily zwaaide er de scepter

– wanneer ze niet over de hei zwierf, waarschijnlijk om aan het wakend oog van Charlotte te ontsnappen.

Ik ben niet voor de kalme Emily of de strenge Charlotte naar deze bibliotheek gekomen, maar voor Anne. Het minst bekende, minst populaire lid van de familie Brontë, van wie het minst is gepubliceerd. Haar geheimen hoop ik te ontsluieren. Charlotte heeft haar afgeschilderd als verlegen en zwak, maar dat stemt niet overeen met de vrouw die *The Tenant of Wildfell Hall* schreef, een onthullend verhaal over drank- en drugsmisbruik, verkrachting en ontsnapping.

De afgelopen twee weken heb ik steeds aan het eind van de middag een briefje achtergelaten met daarop het materiaal dat ik graag de volgende dag wil doornemen. Aan één kant van de tafel ligt nu ook weer een keurige, nieuwe stapel. Ik trek de handschoenen aan en pak de eerste brief. Ik ben de enige in het vertrek. De hoofdbibliothecaresse is nog een ander manuscript voor me gaan halen en het andere personeel is er nog niet.

Ik word omringd door boeken. De oudste en zeldzaamste staan achter slot en grendel en als je die wilt inkijken, moet je dat schriftelijk aanvragen. Maar in dit stadium van mijn onderzoek moet ik me aan een vast schema houden. Ik zou graag een week langer willen blijven, maar ik heb een vriendin beloofd dat ik op tijd terug zal zijn om op het feest voor haar veertigste trouwdag te komen. Dus in plaats van me in elk boek te verdiepen, maak ik lijsten – van boeken en manuscripten, en van kopieën die ik wil hebben. Ik dwing mezelf met lezen te wachten tot ik thuis ben, of tot ik terugkom. Maar ik neem wel de tijd om het fijne schrift van één bepaalde brief te lezen. In april 1849, in de maand voor haar overlijden, schreef Anne aan Ellen Nussey, een vriendin van de familie:

Ik ben niet bang voor de dood: als ik zou denken dat die onvermijdelijk was, zou ik me waarschijnlijk rustig bij dat vooruitzicht kunnen neerleggen... Maar ik hoop dat het God behaagt me te sparen, niet alleen vanwege papa en Charlotte, maar ook omdat ik graag goede dingen wil doen voordat ik de wereld verlaat. Ik heb heel wat plannen in mijn hoofd die ik nog wil uitvoeren – al zijn ze nederig en be-

perkt – en ik zou het erg vinden als daar niets van zou komen, en als
ik maar zo weinig nut zou hebben gehad...

Dat klinkt niet als de 'teruggetrokken' Anne die Charlotte voor ons heeft beschreven, een jonge vrouw die 'dankbaar is voor de bevrijding uit haar lijdelijke leven'. Charlotte benadrukt een zin die Anne vanuit haar graf niet kan weerspreken: een meisje dat zich 'al vanaf haar jeugd leek voor te bereiden op haar vroegtijdige dood'.

Ik geloof er niets van. Sinds ik een verwijzing heb gevonden naar de brief die Charlotte aan Annes uitgever schreef als antwoord op zijn verzoek om *The Tenant of Wildfell Hall* postuum te mogen herdrukken, vermoed ik dat Charlotte een verkeerd beeld van haar jongere zus wilde geven. En nu wil ik verder zoeken om te zien of dat vermoeden klopt. Maar omdat Charlotte zo veel van de papieren van haar zus heeft weggegooid, is het gebied tussen haar beschrijving en Annes eigen woorden net zo uitgestrekt en onoverzichtelijk als de hei een eindje verderop.

Wildfell Hall 'lijkt me nauwelijks de moeite waard om te bewaren', schreef Charlotte in 1850 aan de uitgever van Anne. Ze had het over een boek dat zo goed was verkocht dat het al zes weken na de eerste druk een tweede druk had gekregen, en de uitgever vroeg toestemming voor de derde druk.

Ik vind het geweldig dat ik een bijdrage kan leveren aan de wetenschappelijke poging om de literaire reputatie van Anne in ere te herstellen. Als journaliste sta ik erom bekend dat ik goed vraaggesprekken kan voeren, maar ik verdiep me liever in de geheimen van de doden dan in die van de levenden. Ik voel me het meest op mijn gemak wanneer ik mensen bestudeer die schriftelijk tegen me praten. Als ze dat in levenden lijve doen, word ik daar doodmoe van, waarschijnlijk omdat ik weinig geduld heb voor ijdelheid en uitvluchten.

Op sommige dagen pauzeer ik in Haworth niet eens voor de lunch, op andere maak ik me los uit mijn werk en loop met een van de assistenten van de bibliotheek door de steile, hobbelig geplaveide straatjes van het stadje om ergens te lunchen of thee te drinken. Soms doe ik dat alleen omdat ik weet dat het goed voor me is. Maar niet op mijn laatste dag, dan ga ik omstreeks het middaguur met een appel op de houten bank voor de pastorie zitten. Ik zie voor me hoe de gezusters Brontë met zwaaiende donkere rokken, die over het brede stenen bordes vegen, in- en uitlopen om naar de kerk, het dorp of de hei te gaan. Ik heb in mijn hoofd al zo veel tijd met deze vrouwen doorgebracht dat ik hen bijna kan zien. Daarna ga ik weer naar binnen en werk de hele middag door, tot het personeel naar huis gaat. Ik verzamel al mijn paperassen en zeg iedereen gedag. In de winkel koop ik een aantal exemplaren van *Poems by the Brontë Sisters*, ten bate van een geldinzameling die ik thuis zal helpen organiseren, waarbij Claire Bloom zal voorlezen uit *Jane Eyre*.

De prachtige morgenlucht is inmiddels bedekt met dreigende, donkere wolken, maar in het oosten schijnt nog steeds de zon. Voordat ik mijn laatste wandeling over de hei maak, ga ik naar mijn kamer. Polly, de eigenares van de B&B, en ik willen vandaag helemaal naar het reservoir lopen, dus neem ik mijn regenjack, een flesje water en een wandelkaart van het gebied in mijn rugzak mee. Ik bereid me voor op ander weer. Boeken en films vertellen geen leugens over de hei; je kunt er heel gemakkelijk verdwalen en verdwijnen.

De volgende dag neem ik in Londen de metro naar Charing Cross en loop verder naar de National Portrait Gallery op St. Martin's Place. Ik wil het enige portret zien van alle drie de gezusters Brontë samen. Het hangt in een zaal op de eerste verdieping, bij portretten van andere Engelse schrijvers, zoals de Brownings, George Eliot en Tennyson. Hoewel het een doek is van ruim een meter bij negentig centimeter, is het kleiner dan ik had gedacht. Ik geloof dat ik had verwacht dat het levensgroot zou zijn. Dat gebeurt vaak, dat we verwachten dat de fysieke vorm van iets even groot is als de emotionele indruk die het op ons heeft gemaakt, maar dat komt zelden voor.

De zussen dragen alle drie een donkere jurk met een witte kraag. Anne en Emily staan links, Charlotte staat rechts. Ze kijken ernstig, hoewel ze tieners waren toen ze voor het portret poseerden. Charlotte komt het duidelijkst naar voren, alsof er een spotlight op haar is gericht, waardoor Anne en Emily een beetje in de schaduw staan.

Daardoor lijkt het of Branwell zijn oudste zus beter heeft bekeken dan de twee andere meisjes, of misschien kende hij haar beter.

Het vliegtuig maakt een grote bocht boven de stad om zich voor te bereiden op de landing. Hier stroomt de Mississippi van het westen naar het oosten, als een slang die zijn luie lichaam even laat uitrusten voordat hij naar het zuiden glijdt. Ik tuur omlaag om te zien of ik mijn appartement kan ontdekken. Ik woon aan een van de vele meren, die vanuit de lucht heel duidelijk te zien zijn. Mijn meer, dat de vorm heeft van een kaal hoofd met een buil erop, ligt tussen een boonvormig meer in het zuiden en een met de vorm van een jongen op een skateboard in het noorden.

Halverwege de middag ben ik thuis, en ik heb dus genoeg tijd om een douche te nemen en me te verkleden voor het feest van Jen en Doug, dat bij hun oudste dochter thuis wordt gegeven. Sinds ze een paar jaar geleden op dezelfde verdieping van mijn appartement zijn komen wonen, zijn ze een soort familie van me geworden, vooral Jen. Ze is de tante die elke vrouw zou willen hebben, vol belangstelling voor mijn leven, maar zonder zich op te dringen. De verhalen over haar eigen drukke leven, belevenissen van haar familie en onschuldige nieuwtjes over de buren, zijn voor mij een perfecte ontspanning wanneer ik vanwege een deadline de hele dag aan mijn bureau zit.

Het is thuis net zo warm en benauwd als in Londen. Ik zoek de koelste, comfortabelste kleren uit die ik heb: een witte zijden blouse, een wit linnen jasje, een blauwe zijden rok en sandalen. Ik draag nooit blote jurken, want mijn huid is zo gevoelig dat ik zelfs vroeg in de avond nog verbrand. Omdat ik moe ben, zie ik nog bleker dan normaal. Ik doe SoHo op mijn lippen en het koele frambozenrood maakt mijn staalblauwe ogen nog blauwer. Ik hoor mijn moeder zeggen: wanneer je moe of verdrietig bent, moet je een heldere kleur dragen, maar geen felle kleur, want die maakt je nog bleker. De kleur van haar blouse of lipstick verried altijd of ze het moeilijk had.

Wanneer de avond valt, en goddank ook de vochtigheid afneemt, arriveer ik op het feest. Het gazon is pas gemaaid en besproeid, nog vochtig maar niet nat. Overal staan, onder groen met witte parasols, tafels met een wit linnen kleed erop en op elke tafel staan een vaas bloemen en kaarsen. In dit huis in de voorstad is alles en iedereen altijd tot in de puntjes verzorgd.

In het Midden-Westen komt bijna iedereen met een partner naar een feest. Hoewel ik me in mijn eentje heel comfortabel voel, ben ik me bij dit soort gelegenheden onaangenaam bewust van het feit dat ik alleen ben. Ik ga aan een tafeltje zitten bij goede vrienden van Jen en Doug, twee echtparen die onlangs ook in ons gebouw zijn komen wonen. Een van de mannen vraagt of ik de familiegeschiedenis die hij heeft geschreven zou willen redigeren. We spreken af elkaar de volgende dag bij een kop koffie te ontmoeten, zodat ik ernaar kan kijken.

Niet lang daarna komt Jen naar ons toe en neemt me mee naar haar broer Roger. Hij draagt een keurig gestreken zomerbroek met een wit overhemd en een donkerblauwe blazer, alsof het een uniform is. Hij is jaren geleden naar het zuidwesten verhuisd en is speciaal voor het feest hiernaartoe komen vliegen. Jen heeft twee broers en geen zussen. Van de andere broer weet ik alleen dat zijn vliegtuig in de Tweede Wereldoorlog ergens in Frankrijk is neergestort en dat zijn lichaam nooit is gevonden. Van Roger weet ik een beetje: cruises, landhuishotels, vijfsterrenhotels en dure restaurants, altijd op zijn kosten. Maar het klinkt alsof zijn gastvrijheid verplichtingen met zich mee brengt, en ik denk niet dat ik hem zal mogen.

Maar als je nog maar één broer overhebt, neem je die waarschijnlijk zoals hij is. Ik weet dat dit onaardig klinkt, maar ik heb vijf broers en denk wel eens dat ik er best een paar van zou kunnen missen. Wat Roger betreft, hoop ik dat ik ongelijk heb, dus neem ik me voor hem onbevooroordeeld te begroeten. 'Dit is een vriendin van me,' zegt Jen en ze noemt mijn naam alsof ze hem een geschenk aanbiedt. 'Ik heb je al een heleboel over haar verteld.'

Terwijl ze nog bezig is me aan hem voor te stellen, kijkt hij al langs me heen. Ik ken zijn type: een hoge borst en veel blabla, en altijd op zoek naar iemand die belangrijker is dan degene die voor hem staat. Maar ik ben van plan om beleefd te zijn, hem een hand te geven en vriendelijk te zeggen dat het me een genoegen is kennis met hem te maken.

Maar terwijl mijn goedbedoelde hand op weg is naar hem toe, kijk ik in zijn lichtblauwe ogen en zie de kille uitdrukking. Vlug trek ik mijn hand terug en steek hem in de zak van mijn jasje. Ik schrik van mijn reactie en bedenk gauw een kortere versie van wat ik had willen zeggen: 'Hallo. Ik weet dat Jen erg op je gesteld is.'

'Ja,' zegt hij en hij kijkt me nog steeds niet aan. Hij weet precies hoe hij je het gevoel moet geven dat hij je niet de moeite waard vindt. Toch verbaast het me dat hij zo bot is waar zijn zus bij staat.

Na het eten en de vele heildronken drentel ik wat rond op zoek naar het handjevol mensen dat ik ken. Ik kom bij een tafel waar Jack zit, de tweede zoon van Jen en Doug. Hij begroet me hartelijk, kijkt naar de man die naast hem zit en stelt me voor aan zijn neef Paul, het enige kind van Roger.

In de zee van zomerse pakken en blazers is Paul een opvallende verschijning. Hij draagt een witte linnen broek en een felblauw zijden overhemd met korte mouwen. We zouden een stel kunnen zijn. Hij is aantrekkelijk op de manier van een held uit een boek van Hemingway: stevig gebouwd, werelds, atletisch. Hij heeft het vierkante gezicht van zijn vader, maar het wordt verzacht door golvend rood haar – het soort rood dat verbleekt tot rossig voordat het grijs wordt. Zijn lichtblauwe ogen vallen op door de kleur van zijn overhemd.

Naast hem zit een vrouw die naar ik schat een paar jaar jonger is dan ik. Ze heeft kort roodbruin haar en draagt een eenvoudige zonnejurk, waarin haar zongebruinde huid mooi uitkomt. Ze maakt een fitte indruk. Paul brengt een vriendin mee, maar ze zijn geen stel, had Jen me al verteld. Ik had me afgevraagd waarom ze me dat vertelde, maar het haar niet gevraagd. Misschien zei ze het zomaar. Ze is dol op haar enige neef. Alles wat ze me over hem heeft verteld, komt op twee dingen neer: de spannende reizen die hij maakt en de moeizame relatie met zijn vader. Ze heeft hem beschreven als een man die de band met zijn vader niet kan verbreken, terwijl zijn vader niets anders doet dan zijn zoon kleineren. Dat is de enige fout die Jen haar broer toekent, een detail dat ik me herinner.

Ik ga naast Jack zitten en hij vraagt naar mijn reis naar Engeland. Ik vind het heerlijk over mijn research te praten, ik verwacht nooit dat iemand belangstelling heeft voor zo'n vage literaire puzzel. Paul luistert aandachtig mee, en uit zijn vragen blijkt dat hij net zo dol is op reizen als ik. Hij is freelance fotograaf. Jen heeft me verteld dat hij geld heeft geërfd en niet hoeft te werken, dus vind ik het geweldig dat hij dat wel doet. Jack noemt de naam van een internationale glossy en moedigt Paul aan me te vertellen over zijn fotosessies in Afrika, Azië en Zuid-Amerika. Hij herinnert Paul aan zijn mooiste werk, langs een kronkelweg in het Colombiaanse oerwoud. Waar ze werden opgewacht door een troep soldaten met geweren in de aanslag. In hun jeep had ook iemand een geweer bij zich, maar doordat Paul snel nadacht en hard doorreed, hoefde hij het niet te gebruiken.

Ik merk meteen dat hij zichzelf ziet als de held van het verhaal. En ik ben me ervan bewust dat ik voor hem zou kunnen vallen. Ik heb een voorkeur voor dit type man, want ik ben grootgebracht op avonturenverhalen, echte en fictieve.

De vrouw die met Paul mee is gekomen, wordt steeds stiller. Het komt bij me op dat ze zichzelf, wat Jen ook heeft gezegd, beschouwt als zijn speciale vriendin. Een paar keer vraagt hij me, terwijl hij allerlei eerdere familiefeestjes opnoemt, hoe het komt dat we elkaar nog niet hadden ontmoet. Ik geef steeds hetzelfde antwoord: 'Dat weet ik niet. Ik ben daar wel geweest en jij blijkbaar ook.' Hoewel hij me toen nooit is opgevallen, zeg ik dat ook als tegenwicht voor de charme die hij uitstraalt en waarvan hij zich maar al te bewust is. Dat zie je aan de nonchalante manier waarop hij zit en je aankijkt. Hij gedraagt zich als een man die weet dat men hem niet zal vergeten.

Dan komt Jen eraan en ze neemt Paul mee om andere vrienden te begroeten. Ik blijf nog een poosje met Jack zitten praten en begin dan afscheid van iedereen te nemen. Nadat ik Jen heb bedankt, kijk ik Paul aan en zeg: 'Ik vind het leuk dat we nu kennis met elkaar hebben gemaakt.'

Zijn lichtblauwe ogen kijken recht in de mijne. 'Ik zie je binnenkort weer,' zegt hij. Wanneer hij me een hand geeft om elkaar voor het eerst gedag te zeggen, besef ik in een flits dat mijn leven voorgoed is veranderd. Van mijn stuk gebracht antwoord ik: 'Ja, dat geloof ik graag.' Dat had ik er niet uit willen flappen, maar ik ver-moedde al dat hij het niet zou kunnen nalaten contact op te nemen met iemand die had gezegd dat hij haar niet eerder was opgevallen.

We hoeven geen telefoonnummers uit te wisselen, want hij weet waar ik woon.

2

De week daarop belt Doug op een middag om te zeggen dat Paul bij hen op bezoek is en of hij ook bij mij langs mag komen.

Ik ben bezig de aantekeningen die ik uit Engeland heb meegebracht te rangschikken. Over een paar maanden moet ik een lezing houden voor de Midwest Modern Language Association en daar wil ik me zo goed mogelijk op voorbereiden.

'Nu meteen?' vraag ik.

'Ja,' antwoordt Doug.

'Dat is goed,' zeg ik. Een van de voordelen van thuis werken is dat je kunt werken en vrij nemen wanneer je wilt. Ik heb die avond geen plannen, dus weet ik dat ik mijn klus dan kan afmaken. Ik hoor Doug tegen Paul zeggen dat het goed is, en dan hoor ik Jen afscheid van Paul nemen en daarna de deur in het slot vallen. Voordat Doug ophangt, zegt hij lachend: 'Hij komt nooit langs, hij is hier alleen naartoe gekomen omdat hij jou wil zien.'

Wanneer ik de hoorn neerleg, staat Paul al voor de deur. Hij ziet er ontspannen uit, zongebruind, alsof hij rechtstreeks van een zeilboot of de golfcourse komt. Hij draagt een kaki broek en een felrood poloshirt, en zijn lichtgewicht bergschoenen staan op deze warme zomermiddag een beetje misplaatst. Alsof hij straks een flinke wandeling in de natuur gaat maken – in de stad?

Ik schenk glazen ijsthee in en we gaan in de woonkamer zitten, op de witte bank tegenover de grote ramen. Toen ik dertien jaar geleden voor het eerst dit appartement op de vijftiende verdieping binnenkwam, wist ik meteen dat ik hier wilde wonen. Het was kleiner dan ik had gehoopt, maar in de woonkamer bood het raam op het zuiden uitzicht op een enorm meer en toen ik mijn voeten op het hemelsblauwe vloerkleed zette, vergat ik dat ik werd omringd door beton en glas. Aan een van de muren hangt een verjaarscadeau van mijn ouders: een olieverfschilderij van golven die als wolken oprijzen van de rotsachtige oever van een meer. Ik heb het zo opgehangen dat het lijkt alsof de trompetzwanen op weg zijn naar het meer buiten mijn raam. In een hoek van de kamer staat een ronde, walnotenhouten tafel met stapels boeken en mappen erop. Paul vraagt naar mijn research. Ik vertel hem in het kort waar mijn lezing over zal gaan en vraag dan naar hem. Het kost me geen moeite hem zover te krijgen dat hij de draad van zijn verhalen op het verjaarsfeest weer oppakt.

Ondanks zijn dramatische onderwerpen heeft hij een rustige verteltrant. Hij praat op een kalme en toch boeiende manier, een interessante combinatie. En hij is geestig. De tweede indruk die ik van deze man krijg, komt overeen met de eerste: hij lijkt een prettige afwisseling van de doorsnee man van het Midden-Westen, voor wie alleen zijn werk, sport en God belangrijk zijn. Niet dat ik dat verwerpelijk vind, maar over het algemeen vind ik hen beperkt en nogal saai. In Paul zie ik nog iets anders. Al doet hij nog zo zijn best om zich achter zijn ontspannen, zelfverzekerde houding te verstoppen, zijn charme kan zijn kwetsbaarheid niet verbergen.

Maar al voel ik me erg tot hem aangetrokken, ik heb op romantisch gebied geen goede ervaringen opgedaan, dus ben ik voorzichtig. De mannen met wie ik hiervoor ben omgegaan, waren geen slechte mensen, maar wel óf onzekere óf zelfzuchtige types die altijd op de eerste plaats wilden komen en geen partner zochten, maar een rechterhand. En als de oudste dochter in een groot gezin heb ik geen zin meer in bemoederen en verlang ik beslist niet naar een man om zelf een gezin mee te stichten. Ik zie mezelf dan ook absoluut niet als iemand met een relatie voor het leven.

Al als kind voelde ik me het gelukkigst wanneer ik alleen was en een boek kon lezen, kon dagdromen of naar de vogels kon luisteren en aan hun zang horen wat voor vogels het waren. En toen besefte ik voor het eerst dat je kunt bewonderen hoe iets eruitziet en tegelijkertijd wensen dat het geen geluid maakt. Bijvoorbeeld een blauwe gaai, klonk die maar net zo mooi als hij eruitziet! Alleen en met een boek op schoot in het bos achter ons huis besefte ik dat ik het prettig vond als dieren of mensen me wanneer ze hun mond opendeden, geen onaangename verrassing bezorgden.

Zodra een relatie het onvermijdelijke punt bereikt waarop ik weet dat die alleen is te redden als ik mezelf geweld aandoe, maak ik er een eind aan. Het komt er eigenlijk op neer dat ik de dromen van een ander best wil aanmoedigen, maar dat ik mijn eigen dromen niet wil opgeven. Daarom heb ik op mijn eenenveertigste besloten dat ik geen nieuwe minnaar meer zal nemen, maar dat ik zal genieten van goede vrienden en meer verdieping zal geven aan mijn innerlijke leven.

Maar nu heb ik Paul ontmoet en ik kan geen enkele reden bedenken om hem weg te sturen.

Voordat hij voor het eerst mijn appartement verlaat, vertelt hij me dat hij met vakantie gaat, wandelen in de bergen. Op mijn vraag waar hij naartoe gaat, geeft hij een vaag antwoord, maar hij vraagt mij of ik na zijn terugkeer, begin september, een keer met hem uit wil. Bij de voordeur draait hij zich om en buigt zich bijna verlegen naar me toe. 'Ik wil je graag ten afscheid omhelzen,' zegt hij. 'Mag dat?' Ik heb nooit eerder een man ontmoet die daar op deze manier toestemming voor vraagt, op zo'n formele manier. Terwijl hij niet formeel is. Ik vind het vreemd en weet niet of ik het leuk vind of niet, of wat het over hem zegt. De omhelzing duurt lang genoeg om te onthouden, maar te kort om tot iets anders te leiden. Maar ik weet dat het een begin is.

Jaren geleden ben ik verliefd geweest op een man die ik had ontmoet toen ik op een advocatenbureau werkte. Jims ouders waren overleden toen hij begin twintig was en hij was enig kind. Ik vond het prettig dat hij wees was, dat ik van hem kon houden zonder dat ik me hoefde aan te passen aan een hele familie. Maar waarvan ik niet kon houden, was zijn zakelijke ethiek, die was me te vrij.

Hoewel we onze liefdesrelatie een paar jaar geleden hebben verbroken, hebben we nog steeds een relatie. Elke keer als Jim me ten huwelijk vraagt, antwoord ik dat ik zolang hij zijn zakelijke instelling niet verandert, zal weigeren. Toch blijft hij het vragen. En ik geniet van zijn adoratie op afstand. Hij is verhuisd naar Californië, dus kunnen we rustig blijven denken dat we ooit weer bij elkaar zullen komen. 'Wanneer we oud zijn, zijn we samen,' zegt hij en dat geloof ik. Dat hij me niet wil loslaten, schenkt me troost, omdat zijn liefde, of in elk geval zijn genegenheid, niet bedreigend is. Om de paar maanden belt hij me op en vraagt of ik al van mening ben veranderd. In de perioden tussen zijn huwelijksaanzoeken heeft hij al drie keer een verloving verbroken. Ik vlei mezelf met de gedachte dat dat iets met mij te maken heeft, hij zegt tenminste van wel.

Hoewel ik nee blijf zeggen, klamp ik me vast aan het idee dat we ooit samen zullen zijn. En probeer ik open te staan voor liefde op korte termijn.

Augustus brengt drie sterfgevallen en een huwelijk. Ik ga liever naar een begrafenis dan naar een trouwfeest. Op een begrafenis heb ik geen last van tegenstrijdige gevoelens. Als iemand is overleden, staat je verdriet in gelijke verhouding tot de mate waarin je van die persoon hebt gehouden.

Een huwelijk is een ander verhaal. Als je afstamt van een lange reeks alcoholici is de kans, ook al zit alcoholisme niet in jouw genen, deprimerend groot dat je wel met een alcoholist trouwt. Op een trouwfeest hoor je blij te zijn, maar als je meemaakt dat broers, zusters, neven of nichten met een alcoholist trouwen of, nog erger, er zelf een zijn, vind je dat eerder bedroevend. Dat is lastig als je hoort te lachen.

Gelukkig schuift mijn familie langzaam naar de nuchtere kant, dus toen de derde van mijn vijf broers kort na mijn terugkeer uit Engeland zou gaan trouwen, zag ik daar minder tegen op dan anders. Toch kan ik me niet op dat soort grote familiebijeenkomsten verheugen. Ik kom liever met een kleiner groepje bij elkaar, want dan gedraagt iedereen zich eerder als een beschaafde volwassene. Maar als je meer dan een handjevol van onze familieleden in een feestzaal bij elkaar zet, of bij iemand thuis of waar dan ook (zolang het maar een kritieke massa is) krijgt een primitieve groepsmentaliteit de overhand. We gunnen introverte lieden niet veel ruimte en eenlingen nog minder, afzijdigheid wordt beschouwd als rebellie en een verschil van mening ontaardt vaak in een persoonlijke aanval. Het is een wankele vorm van liefde, of eigenlijk helemaal geen liefde. Het is een meedogenloze band die niet wil worden verbroken.

Ik ben nog niet eens goed van dit laatste evenement bijgekomen of ik zit alweer in het vliegtuig. De laatste tante van mijn moeder is gestorven en de meesten van ons gaan voor de begrafenis naar Chicago. Ik blijf een paar dagen weg en wanneer ik mijn berichten thuis afluister, hoor ik tot mijn vreugde een boodschap van Paul. Hij zegt dat hij weer zal bellen wanneer hij terug is.

3

Ongeveer een week na mijn terugkeer uit Chicago staat Jen voor mijn deur. Het is nog vroeg, nog geen acht uur. Ik heb net koffie gezet, maar nog geen tijd gehad om het te drinken. Ik loop nog in mijn ochtendjas, maar zij ook: een mooie van badstof met een medaillon op het borstzakje. Haar korte, dikke grijze haar plakt op haar hoofd en alleen dat al vertelt me dat er iets mis is, want Jen maakt altijd een goedverzorgde indruk. Haar ogen zijn rood, haar gebruinde gezicht is gezwollen. Ze ziet eruit alsof ze de hele nacht geen oog dicht heeft gedaan.

Ik steek mijn arm door de hare en trek haar mee naar binnen. Jen is lang en stevig gebouwd, een echt Amerikaans countryclubtype. Maar die morgen doet ze allesbehalve flink en maakt ze een verloren indruk.

Ze laat zich op de bank vallen en begint zo hard te huilen dat ik niet kan verstaan wat ze zegt. Langzamerhand kom ik erachter: de politie heeft haar eerder die morgen gebeld om haar mee te delen dat Roger dood is. Dat laatste zegt ze op onheilspellende toon: 'Roger is dood.' Ze hebben hem gistermiddag gevonden. Hij was niet komen opdagen voor een spelletje golf en had de telefoon niet opgenomen toen zijn vrienden hem hadden gebeld. Ze hadden de politie gewaarschuwd omdat ze zich zorgen maakten.

'Mijn god, Jen, wat erg voor je!' Ik ben naast haar gaan zitten en heb haar hand vastgepakt en die begin ik te strelen, zoals ik doe wanneer ik huilende neefjes of nichtjes tot bedaren probeer te brengen. 'Heeft hij een hartaanval gehad?' Daar ga ik van uit, want ik herinner me dat hij een paar jaar geleden een harttransplantatie heeft gehad.

'Hij is vermoord,' antwoordt ze en ze gaat rechtop zitten. En alsof ik haar de eerste keer niet goed heb verstaan, herhaalt ze: 'Ze zeiden dat hij is vermoord.' Vlug vertelt ze me de rest van het verhaal, alsof ze het kwijt moet. De politie had hem gevonden in zijn slaapkamer, hij was gewurgd. Het had uren geduurd voordat ze Paul te pakken hadden gekregen.

'Paul zei dat hij thuis was, maar de telefoon niet aannam,' gaat ze verder. 'Waarom zou hij de telefoon niet aannemen?' vraagt ze, alsof ik dat weet. 'Het duurde uren voordat ze het hem konden vertellen.' Haar blik dwaalt naar het uitzicht en dan kijkt ze weer naar mij en herhaalt: 'Waarom zou hij de telefoon niet aannemen?' Alsof ik haar dat kan vertellen.

Ik wil haar graag troosten. We zijn al jaren buren van elkaar en onze wederzijdse genegenheid ligt tussen die voor familie en die voor vrienden in. Ik mompel sussende woorden, maar ik weet dat niets het verdriet van de komende dagen en maanden kan afwenden.

Even later is ze weer de praktische Jen die ik ken en vertelt ze me wat ze gaan doen. Nu iedereen in de familie het weet, zullen Doug, Paul en zij die middag naar Albuquerque vliegen om met de politie te praten. Paul wil het lichaam van zijn vader per se zien, al raadt de politie het af. 'Omdat hij is gewurgd,' zegt ze en ze legt me uit hoe afschuwelijk het gezicht van zo iemand eruitziet. Intussen ontspant haar eigen gezicht, alsof de klinische details de werkelijkheid verdringen. 'Maar Paul staat erop,' zegt ze terwijl ze overeind komt. 'Dat begrijp ik niet.'

Bij de deur omhels ik haar stevig terwijl ik met mijn rechterhand over haar rug wrijf, zoals een moeder doet bij een verdrietig kind. Ik weet niets anders te zeggen dan dat ik voor haar klaarsta wanneer ze me maar nodig heeft. In de deuropening kijk ik haar na terwijl ze door de gang loopt en het komt bij me op dat haar leven voorgoed is veranderd.

Voor haar is dit de eerste keer dat ze met een gewelddadige misdaad te maken heeft, maar ik heb het al eens eerder meegemaakt. Ruim twintig jaar geleden is een neef van mijn moeder in zijn appartement in Chicago doodgeslagen. Ze hebben de moordenaar nooit gevonden en volgens mij heeft dat te maken met het feit dat John, een man die overal waar hij binnenkwam de sfeer kon opvrolijken, homoseksueel was. De politie vermoedde dat hij zijn moordenaar in een bar had ontmoet en mee naar huis had genomen, of dat de man hem was gevolgd. Ik was toen achttien, oud genoeg om uit de telefoongesprekken die mijn moeder voerde te begrijpen dat de politie niet erg zijn best deed om de dader te vinden.

Ik denk dat er meer moeite zal worden gedaan om de moordenaar van Roger op te sporen, ook al vermoed ik dat hij stiekem ook homoseksueel was. Jen heeft me wel eens verteld dat hij de universitaire studie van een heleboel jongens heeft betaald of ervoor heeft gezorgd dat ze een bedrijfje konden beginnen, en ik ben er altijd van overtuigd geweest dat hij hun liefde op die manier heeft gekocht. Gek genoeg is het nooit bij Jen opgekomen dat het wellicht seksuele relaties waren. Wat Roger betreft, is ze stekeblind.

Hoewel die man, die ik maar heel even heb ontmoet, me absoluut niet raakt, maak ik me zorgen om mijn vriendin. Want wat de omstandigheden ook waren, wat de reden ook was, Roger is op een verschrikkelijke manier aan zijn eind gekomen. En de feiten die bij het onderzoek aan het licht zullen komen, zullen haar dwingen haar geïdealiseerde broer met andere ogen te bekijken en dat zal haar verdriet nog groter maken.

Ik zie Paul terug op de begrafenis van zijn vader. Van de energieke man die ik me herinner, is niets meer over. Hij draagt een duur, chic, donker pak, maar het is hem minstens een maat te groot. Misschien is het van zijn vader geweest. Ik bekijk hem als een journalist, dat kun je nooit helemaal uitschakelen. Maar op dit soort momenten geeft mijn meelevende kant de koele waarnemer wel een tik op de vingers.

Ik ben een paar minuten te laat en schuif in een bank achter in de grote, moderne kerk met een lichtbeuk. Er staat geen kist, zelfs geen urn. De politie heeft het lichaam nog niet vrijgegeven. De kerk is vol, ook al is Roger al jaren geleden uit deze stad vertrokken. Ik ben van plan om meteen nadat ik Jen en Doug heb begroet, weer weg te gaan. Ze zullen het druk hebben met mensen die ze sinds Rogers dood nog niet hebben gesproken. Bovendien ken ik Paul eigenlijk nauwelijks. Maar wanneer ik tegen Jen zeg dat ik haar later wel zal spreken, staat ze erop dat ik ook haar neef ga begroeten. 'Hij vroeg of jij ook zou komen,' zegt ze met een knikje in zijn richting.

Ik kijk dezelfde kant op. Hij staat bij een groepje mensen, voor het merendeel vrouwen. Een van hen is de vrouw die hij bij zich had op het feest. Ik zeg tegen Jen dat hij het al druk genoeg heeft.

'Ik weet niet wie de meesten van hen zijn,' zegt ze. Ze buigt zich naar me toe. 'Soms vraag ik me af hoeveel echte vrienden hij heeft, met al zijn geld.' Ze glimlacht vlug wanneer ze ziet dat Paul naar ons kijkt. 'Ga even met hem praten,' dringt ze aan.

'Vertel me nog gauw of een van die vrouwen zijn ex is.'

'Niet zijn ex-vrouw,' antwoordt ze, 'maar ik herken wel een paar ex-vriendinnen.'

Geweldig, een harem, denk ik. Jen vestigt mijn aandacht op de vrouw die links van hem staat. Ze heeft tegengekamd blond haar, een zwaar opgemaakt gezicht en een lichaam dat veel aan fitness doet. Zijn eerste vriendin, zegt Jen. 'Volgens Paul zijn ze nu alleen nog vrienden, maar...' voegt ze eraan toe, met de bedoeling dat ik de zin afmaak.

'Ah, een speciale vriendin,' zeg ik.

'Juist,' beaamt ze. 'Terwijl ze wachten op hun volgende relatie.'

Wanneer ik naar hen toe ga, zegt Paul iets tegen de blonde vrouw. Ze werpt een blik op mij en loopt weg. Pauls ogen staan vaag, alsof hij in een shock verkeert of een kalmerend middel heeft geslikt. Hij leunt naar me toe en als vanzelf raak ik zijn schouder aan. Hij kust me licht op mijn wang en fluistert: 'Dank je dat je bent gekomen. Ik hoopte al dat je er zou zijn.' Ik trek mijn hand terug en besef dat dit moment de band bezegelt.

Een paar dagen later staat hij weer voor de deur. Deze keer heeft hij eerst opgebeld. Hij ziet er beter uit dan bij de rouwdienst. Meer ontspannen, en hij draagt weer wat blijkbaar een soort uniform voor hem is: een kaki broek, een bruin poloshirt en wandelschoenen. Hij vraagt of we een afspraakje kunnen maken, ons tweede, volgens hem. 'De rouwdienst voor mijn vader was ons eerste,' zegt hij lachend. Ik glimlach, hoewel ik het geen leuk grapje vind, waarom weet ik eigenlijk niet.

Wat ik wel weet, is dat het vooruitzicht van een afspraakje met

Paul me zenuwachtig maakt. Mijn vorige relatie is een jaar geleden geëindigd en ik voel me roestig, onwennig. Afspraakjes maken me altijd nerveus, het is een afschuwelijke manier om iemand beter te leren kennen. In het algemeen maak ik niet veel fouten en ik heb er genoeg van in dat deel van mijn leven wel steeds fouten te maken. Het is een duidelijk patroon: ik zoek mannen uit die zich aangetrokken voelen door een sterke vrouw en dan hun best doen om die vrouw te ontkrachten. Dat geldt ook voor het merendeel van mijn relaties met mannelijke familieleden; daardoor zijn de mannen die ik uitkies me zo vertrouwd. Mijn keuzes worden bepaald door iets wat diep in me zit.

Paul vraagt of ik het aanstaande weekend vrij ben. Ik zeg dat we moeten wachten tot na het liefdadigheidsproject van het centrum voor vrouwen. Hij vraagt wat dat inhoudt en zegt dat hij kaartjes wil kopen. Ik vertel hem dat mijn moeder voor die gelegenheid overkomt, dat ik het die avond erg druk zal hebben en ook een lezing zal houden.

'Dat hindert niet,' zegt hij. 'Dan neem ik iemand mee.' Hij koopt twee dure kaartjes, die met toegang tot de receptie met champagne vóór het voorlezen en daarna het door een cateraar verzorgde diner op het toneel met Claire Bloom.

Hij geeft me een cheque en ik zie dat hij twee keer zo veel betaalt als de werkelijke prijs. 'Dit is te veel,' zeg ik. 'Je betaalt het dubbele.'

'Dat is de bedoeling,' antwoordt hij. 'Het is voor een goed doel.'

Een paar dagen later, al voordat we een echt afspraakje hebben, maakt Paul kennis met mijn moeder. Hij heeft dezelfde vrouw bij zich als op het feest van Jen en Doug. Ik stel hen beiden voor aan vrienden, het hoofd van het college, Claire Bloom en natuurlijk mijn moeder. Het is gek, maar ik heb bijna het gevoel dat onze relatie al een feit is, al geeft zijn 'vriendin' me opnieuw een onbehaaglijk gevoel.

De hele avond valt het me op dat Paul zich op zijn gemak schijnt te voelen. Hij praat met diverse mensen en wanneer hij op een bepaald moment in gesprek is met mijn moeder, zegt zijn vriendin tegen mij: 'Ik ben blij dat Paul jou heeft leren kennen. Het is een moeilijke tijd voor hem en het doet me goed dat hij zo blij is dat hij weer iemand heeft ontmoet.' Het verbaast me dat ik zo opgelucht ben omdat ik haar blijkbaar verkeerd heb ingeschat.

'Wat vind je van hem?' vraag ik mijn moeder wanneer we in de auto op weg zijn naar mijn appartement.

'Hij lijkt een aardige man,' antwoordt ze. 'Verder kan ik er nog niets van zeggen.'

Dan praten we over de voorstelling, het eten en de buurt waar we doorheen rijden. Mijn moeder vindt het een van de mooiste straten van de stad: een brede laan omzoomd door historische huizen. Sommige zijn inderdaad erg fraai, bijvoorbeeld de opvallende kalkstenen villa in Italiaanse stijl, maar andere, zoals het huis dat voor ons opdoemt – een enorme villa van donkere zandsteen, die een beroemde spoorwegmagnaat tijdens de vorige eeuwwisseling heeft laten bouwen – zijn ronduit lelijk.

'Die daar ziet er eerder uit als een gevangenis dan een huis,' zegt mijn moeder.

De vrijdag daarop hebben Paul en ik ons eerste officiële afspraakje. De septembernamiddag houdt de zomerse warmte vast. Ik kies hetzelfde soort kleren uit als op de avond dat we elkaar voor het eerst ontmoetten, dat is mijn manier om niet te veel belang aan de avond te hechten. Ik draag de blauwe zijden rok met de witte zijden overhemdblouse en neem een zwarte zijden trui mee. Zodra de zon onder is, zullen we eraan worden herinnerd dat het in het Midden-Westen half september al herfst is, wat de kalender ook mag zeggen.

Hij draagt zijn verlies als een welverdiend litteken. De opwinding van het begin van een nieuwe relatie doet naast zijn verdriet een beetje onwerkelijk aan. Wanneer we op mijn balkon staan en op de zwarte ijzeren balustrade leunen, zegt hij: 'Ik begrijp waarom je hier zo graag woont. Het lijkt alsof je in een dure boomhut zit.' Hij draagt een sportjasje van zomers lichte wollen stof. Wanneer we de deur uit gaan, streel ik met mijn vingertoppen over een mouw om te voelen of de stof net zo zacht is als hij eruitziet.

Hij heeft een tafeltje besproken in een Frans restaurant. Een van de eigenaren is een beroemde wielrenner en het is erg populair.

Vooral in het weekend is er weinig plaats, maar Paul komt er regelmatig, dus was de reservering voor hem geen probleem en worden we niet opgejaagd.

Hij drinkt niet. Ik wil weten waarom niet.

'Ben je een alcoholist aan de beterende hand?' vraag ik zo nonchalant mogelijk.

Nee, zegt hij, hij vindt drank gewoon niet lekker.

Ikzelf kan de hele avond over een of twee glazen wijn doen, maar ik ben gewend aan mannen die op een dag meer kunnen drinken dan de meesten in een week. Ik vind het fijn dat hij daar niet bij hoort. Bij zalm in een korst van pistachenoten en gegrilde zomergroente pakken we de draad van eerdere gesprekken weer op. Ik was er algauw achter dat hij geen lezer is, maar hij is dol op films, net als ik. Wanneer we de films opnoemen die we onlangs hebben gezien, merken we dat onze smaak genoeg overeenkomt en genoeg verschilt om het boeiend te maken. We hebben allebei genoten van *The Fisher King*. We zijn het niet eens over *Thelma and Louise*. Hij vond *Sleeping with the Enemy* een goede film, ik kreeg er nachtmerries van. Hij verheugt zich op de filmversie van *The Prince of Tides*, ik raad hem aan eerst het boek te lezen.

Nadat de kelner de cake heeft gebracht die we zullen delen, draai ik de steel van mijn wijnglas rond tussen mijn vingers en breng het gesprek op een persoonlijker onderwerp. Hoewel ik stiekem blij ben dat hij geen familie meer heeft met wie ik kennis moet maken, wil ik wel weten hoe zijn familie was. Ik vraag naar zijn moeder. 'Over haar valt niet veel te vertellen,' antwoordt hij. Ik begrijp dat hij niet over haar wil praten. Het enige wat hij kwijt wil, is dat hij haar toen hij in de twintig was dood in de keuken heeft aangetroffen. Ze had een hartaanval gehad. Ze was niet voor een afspraak op de golfbaan verschenen en haar vrienden hadden Paul gevraagd bij haar thuis te gaan kijken. De situatie doet me denken aan de dood van zijn vader.

Ik vind het niet vreemd dat hij meer over zijn vader praat, omdat Rogers dood nog zo recent is. 'Mijn vader zei altijd dat hij van me hield,' vertelt hij, 'maar ik geloof niet dat hij op me gesteld was. Hij greep elke gelegenheid aan om me te kleineren.' Daar wil ik graag meer over horen, maar het lijkt me niet tactvol erop aan te dringen. 'Wat ik verder ook met mijn leven doe,' voegt hij eraan toe, 'ik zal wel proberen een betere man te worden dan mijn vader is geweest.'

Hij vertelt me dat hij in therapie is, dus ga ik ervan uit dat ik daar meer over zal horen. Blijkbaar gelooft hij in zelfonderzoek.

We zijn bijna de laatsten die het restaurant verlaten en wanneer we dat doen, hebben we het opnieuw over films. Ik probeer hem uit te leggen waarom ik *Sleeping with the Enemy* akeliger vond dan *Silence of the Lambs*. 'Dat klinkt waarschijnlijk vreemd,' zeg ik, 'omdat er in *Silence of the Lambs* meer zichtbaar geweld voorkomt. Maar in *Sleeping with the Enemy* wordt de vrouw achtervolgd door iemand die zogenaamd van haar houdt, niet door een onbekende psychopaat. Dat vind ik nog afschuwelijker.' Hij zegt dat hij begrijpt wat ik bedoel, maar dat hij er anders over denkt.

Op weg naar huis schijnen de koplichten van de auto op oude eiken met knalgele strepen erop, wat betekent dat ze zullen worden gekapt. Ze zijn het slachtoffer van een ziekte waarvan ik me de naam niet kan herinneren. Ik heb er ooit een artikel over geschreven, maar als ik een onderwerp heb afgerond, sta ik mezelf toe er alleen het hoogst noodzakelijke van te onthouden. Toen ik jaren geleden achtergrondinformatie verzamelde voor *BusinessWeek,* moest ik een keer in één week research doen naar giftig afval, investeringen in kunst en de verkoop van luxe boten. Die vrijdag kwam ik tot de conclusie dat ik, als ik niet een deel van wat ik in mijn hoofd had gepropt zou lozen, geen ruimte meer zou hebben voor iets anders. Het kost te veel energie alles wat je hebt geleerd te onthouden. Dat houd ik mezelf tenminste voor. Dat wat ik wel onthoud, weet ik nog heel duidelijk en tot in de details. Gesprekken bijvoorbeeld. Sommigen zeggen dat ik een gesprek akelig precies kan herhalen.

Als ik intelligenter zou zijn, zou ik misschien mijn geheugen niet steeds hoeven te ordenen. Echt slimme mensen vergeten waarschijnlijk geen woord van wat ze hebben geleerd, die bergen dat elke dag weer gewoon netjes op in hun hoofd. Maar ik troost me met de gedachte dat echt slimme mensen vaak moeite hebben met de dagelijkse dingen. Ik denk dat die grote voorraad kennis in hun hoofd hun het zicht op de buitenwereld en andere mensen belemmert.

Paul komt langs de stoeprand tot stilstand. We zijn in een oud deel van de voorstad, dat grenst aan de binnenstad. Er staan middelgrote huizen met kleine tuinen. Koloniaal. Koloniaal. Imitatie Tudorstijl. Kleine bungalow. Rustiek. Kleine bungalow. Grote bungalow. Koloniaal. Alle straten lijken op elkaar. Het raampje aan mijn kant staat half open en ik ruik de lekkere geur van brandende bladeren. Het daglicht is zo goed als verdwenen.

'Mag ik je kussen?' vraagt hij.

Daar heb je het weer: hij vraagt toestemming. Ik ben maar een beetje verbaasd, niet door het idee, wel door het verzoek. En ik denk: goed idee. Dan hebben we dat gehad. Dan hoeven we niet meer te piekeren of we het al dan niet, of wanneer dan wel, of waar zullen doen.

Het is een voorzichtige kus, bijna zedig, alsof hij bang is zich er helemaal aan over te geven.

Als hij voorstelt naar zijn huis te gaan, stem ik toe, maar ik ben niet van plan de hele nacht te blijven. Zijn oom en tante hebben me zijn huis wel eens beschreven en ik verwacht dat ik ervan onder de indruk zal zijn. Ik weet dat het van zijn ouders is geweest en dat hij het een paar jaar geleden heeft gekocht en laten verbouwen. Het is wit vanbuiten en doet vriendelijk aan, al is het niet duidelijk of het een modern of traditioneel huis moet voorstellen. Vanbinnen is het een ander verhaal. Wanneer ik daar om me heen kijk, vraag ik me af wat eraan ontbreekt. Daar lijkt het alsof het huis ergens op wacht, op iets wat de perfectie verstoort, op iemand die het minder steriel maakt. Het interieur doet me denken aan wat me niet bevalt aan Zuid-Californië en de woestijn van Arizona: plekken zonder seizoenen.

Waarschijnlijk kijk ik met verkeerde ogen. In de woonkamer vormen meters witte tegels de achtergrond van een biljarttafel, een bruine leren bank, een salontafel van ruw hout met een glazen blad en een haard, die eruitziet alsof hij zelden brandt. In de hoeken is het donker, alleen de biljarttafel wordt helder verlicht. Wat ik aanzie voor een serre, blijkt een jacuzzi te zijn. Het vertrek lijkt nog het meest op een recreatieruimte in een duur appartementencomplex.

We lopen langs een smetteloze keuken en eetkamer en beklimmen een brede trap met dikke loper naar de bovenverdieping. Halverwege is een grote overloop met een hoog raam met luxaflex ervoor en we gaan de hoek om naar het tweede deel van de trap. Even later staan we oog in oog met zijn vader, oftewel een levensgroot met acrylverf geschilderd portret van hem aan de muur. Het doek is minstens een meter twintig breed en een meter tachtig hoog. Roger moet een vriendelijke indruk maken, met een glimlach en in een dure blazer, maar hij brengt me van mijn stuk, en niet alleen vanwege de grootte van het portret. Levend of dood, die man heeft angstaanjagende ogen. Ik weet nog hoe ik me voelde toen ik voor hem stond, dat ik hem niet wilde aanraken en zelfs niet alleen maar beleefd een hand wilde geven. Nu lijkt het alsof ik hem voor de tweede keer ontmoet.

'Hangt dit hier pas?' vraag ik, omdat ik vermoed dat Paul de beeltenis van zijn vader daar na diens dood heeft opgehangen. Dan zie ik dat de bovenverdieping uit één grote ruimte bestaat en dat het portret recht tegenover het bed hangt.

'Nee,' antwoordt Paul, 'het hangt er al een tijdje.'

Aan het andere eind van de gecombineerde slaap-zitkamer, met dezelfde dikke staalgrijze vloerbedekking als de trap, is een zwartmarmeren open haard. Net als die beneden ziet hij eruit alsof hij nooit wordt gebruikt. Het huis zou het decor van een film van David Mamet kunnen zijn, denk ik. Paul laat me de rest zien. Aan de tuinkant heeft het vertrek ramen en openslaande deuren naar een groot balkon. Tegenover de trap leidt een deur naar een badkamer met uitzicht op straat en een badkamer met uitzicht op de achtertuin. In de badkamer aan de straatkant is alles grijs en zwart, in die aan de tuinkant grijs en zacht oranje. De zijne en de hare. Zijn badkamer heeft een extra grote douche en een inloopkast voor zijn kleren. Haar badkamer heeft ook een inloopkast, een douche, een bad, een hoge ladekast en overal spiegels – op de kastdeuren, de muren en het plafond. Een weelderig vertrek.

'Een altaar voor de godin van de ijdelheid,' zeg ik. Ai, daar doe ik het weer, er iets uitflappen zonder te bedenken hoe het zal overkomen. Ik hoor het mijn therapeut nog zeggen: 'Je hoeft niet alles te zeggen wat je denkt en als je toch iets wilt zeggen, onthoud dan dat woorden die jij heel normaal vindt, voor anderen erg bot kunnen klinken.'

Paul moet erom lachen. 'Het was de keuze van mijn ex-vrouw,' zegt hij. Hij lijkt het zich niet aan te trekken.

Dan genoot ze ervan zichzelf te bewonderen, denk ik, maar ik zeg het niet. Ik vraag me af op hoeveel andere punten ik verschil van zijn ex, maar dat zal ik aan Jen vragen, die zal me dat vast wel breeduit willen uitleggen.

In de slaapkamer wordt mijn eerste indruk bevestigd: je kunt niet op dat kingsize bed liggen en de blik van zijn vader ontwijken. Maar ik doe mijn best om de vader te negeren en me te concentreren op de zoon. Onze eerste nacht samen liggen we volledig gekleed op zijn bed en zetten ons tafelgesprek voort. Het komt al wel bij me op dat ik best graag een heleboel tijd met deze man zou willen doorbrengen. Urenlang zijn we heel voorzichtig met hoe we elkaar aanraken, bijna angstig. Ik vraag me af waar hij bang voor is. Want dat denk ik, dat hij bang is om aan iets nieuws te beginnen.

Ik ben eraan gewend om eerst mijn ziel aan een man te onthullen en een blik in de zijne te werpen voordat ik bereid ben om met hem naar bed te gaan. Want zodra die grens is gepasseerd, is er voor mij iets veranderd. Ik wil dat gevoel van diepe verbondenheid niet ervaren voordat ik eraan toe ben. Dus wil ik Paul langzaam leren kennen. Maar halverwege die eerste nacht met hem komt het bij me op dat die strategie in het verleden niet bepaald goed heeft gewerkt. Tegen zonsopgang zetten we de definitieve stap naar elkaar toe, met alle aandacht die een nieuwe relatie vereist.

41

4

Wanneer Paul me later die morgen naar huis brengt, vraag ik of hij me bij de achteringang wil afzetten. Mijn appartementengebouw is net een dorp: nieuwsgierige buren die alles en iedereen in de gaten houden, hardwerkende mensen die zich nergens mee bemoeien, roddelaars en de dorpsgek. Meer dan een, eerlijk gezegd, als ik zou tellen.

Jen en Doug zullen willen horen hoe het is gegaan. Hun gebrek aan commentaar maakte me duidelijk dat ze verbaasd waren dat ik met Paul uit wilde. Ik vermoed dat ze bang zijn dat onze vriendschap eronder zal lijden als het tussen Paul en mij toch niet blijkt te klikken, en ik besluit hun zo weinig mogelijk te vertellen. Maar Jen is een perfecte spion, ze slaagt er altijd weer in alle sappige details op tafel te krijgen.

De lift op mijn verdieping ligt recht tegenover hun voordeur. Omdat ik niet wil dat ze me horen aankomen, stap ik een verdieping lager uit. Terwijl ik de trap op loop, voel ik me net een tiener die te laat het huis binnensluipt.

Vlak nadat ik de voordeur heb dichtgedaan, rinkelt de telefoon. Het is Paul, hij belt vanuit de auto. Hij zegt dat hij me graag gauw weer wil zien, het liefst die avond, maar helaas heeft hij een afspraak die hij niet kan verzetten.

'Ik kan vanavond ook niet,' zeg ik, hoewel ik geen plannen heb. Dus eigenlijk ben ik die avond vrij en ik wil hem ook graag zien, maar ik wil niet te haastig zijn. Ik heb nog niet besloten wat ik met die man wil. Ik heb geleerd dat mensen die te goed lijken om waar te zijn, dat waarschijnlijk zijn. Paul is interessant, intelligent en attent, en al is hij niet echt knap om te zien, hij heeft flair, een stijl die me boeit. Inderdaad, hij lijkt te goed om waar te zijn. Maar misschien moet ik hem een kans geven. Zien hoe het loopt.

Hij vraagt of ik de volgende dag vrij ben en als ik niet meteen antwoord geef, voegt hij er vlug aan toe: 'Om 's middags een wandeling te maken.'

Dat klinkt na ons eerste afspraakje veilig genoeg, dus zeg ik ja.

Ik ben in bijna alles wat ik doe een vlijtig mens. Ik werk al bijna twintig jaar voor mezelf en wat ik ook moest doen, ik heb me altijd goed voorbereid op mijn taak. Maar als het om seksuele aantrekkingskracht gaat, wanneer ik een man heb ontmoet die ik intelligent, aardig en niet te macho vind, dan bereid ik mijn hart daar niet op voor. Verstandig of niet, ik geef me gewoon over. Dat patroon probeer ik te doorbreken.

Na een reeks teleurstellende relaties ben ik tot de conclusie gekomen dat ik mezelf niet wil afbreken om een man op te bouwen. Ik heb van dichtbij meegemaakt wat er gebeurt als je in de val van de liefde bent gelopen. Ik heb gezien hoe mijn moeder en mijn grootmoeder hun hele leven in dienst stelden van een man die met zijn verslaving alles om zich heen vernielde. Zelfs als kind wist ik al dat ik zo'n leven niet wilde. Ik weet wat het is als je ouderlijk huis een heel onstabiele basis is. Misschien is het voor mijn ouders uiteindelijk toch nog goed gekomen, maar ik wil dat risico niet lopen.

Wellicht leidt mijn ontmoeting met Paul ertoe dat ik mijn besluit om alleen te blijven herzie, maar toch ben ik bang dat ik opnieuw een man heb gevonden die er als een volwassene uitziet, maar een kind blijkt te zijn. Stonden er maar waarschuwingssignalen langs het pad waarop mensen zich bij een partner voegen. Of was er voor mensen maar net zo'n soort gezegde als voor het weer: morgenrood, water in de sloot. Of zoals voor ahornbomen: hoe hoger de tap, hoe zoeter het sap. Of zoals voor kersen plukken: de tijd is rijp wanneer eikenbladeren zo groot zijn als de oren van een eekhoorn. Dat heeft een vriendin me een keer tijdens een wandeling verteld. Voor het uitzoeken van een partner wil ik net zo'n duidelijke aanwijzing.

Maar zo eenvoudig ligt het niet, dus besluit ik langzaam te werk te gaan. De daaropvolgende weken krijg ik meer dan genoeg gelegenheid om een beter inzicht in Paul te krijgen, want hij belt elke dag wel een paar keer en we zien elkaar vaak. Het spreekt vanzelf dat het onderzoek naar de moord op zijn vader het grootste deel van zijn aandacht in beslag neemt, maar hij laat genoeg ruimte over voor het normale leven, althans wel voor mij. We besteden hele middagen aan het kijken naar kunst. Voor de tentoonstelling van Jenny Holzer in het stedelijk museum voor moderne kunst zijn wij de enigen in de zaal. Terwijl haar *Truïsmen* over het elektronische bord hoog aan de witte muur lopen, lezen we ze hardop voor, als degenstoten van twee schermers.

'Gelukkig zijn is het belangrijkst van al,' leest hij.

'Elke prestatie vraagt een offer,' lees ik, en omdat ik ervan uitga dat we meer dan één keer mogen, voeg ik eraan toe: 'Zorg dat je leven blijft stromen.'

'Mannen zijn van nature niet monogaam,' leest hij weer, en hij gaat vlug door met: 'Matigheid doodt de geest.'

Hoewel ik die alle twee wil bestrijden, houd ik me in. In plaats daarvan vraag ik: 'Kies je sommige van die spreuken uit om me te pesten?'

Hij slaat een arm om me heen en trekt me naar zich toe. 'Ja, want dat is geen kunst. Ik zie aan je gezicht dat je je vreselijk moet beheersen om er niet op te reageren.'

'Dat is een onderdeel van mijn charme,' zeg ik. Of niet, denk ik, het hangt er maar van af wat je leuk vindt.

Het is donderdag en we hadden besloten een dag vrij te nemen. Nou ja, ik had dat besloten. Hij heeft eigenlijk elke dag vrij. Na het bezoek aan het museum willen we naar de film en daarna ergens eten. Een vriendin van hem, die hoofddocent is aan een universiteit in de buurt, heeft een Canadese film aangeraden: *Strangers in Good Company*. Hij gaat over acht vrouwen, onbekenden van elkaar, die elkaar leren kennen wanneer hun bus panne krijgt in de Canadese wildernis.

De film maakt de reclame die ervoor wordt gemaakt waar, want hij is onderhoudend en geeft stof tot nadenken. Onder het eten, in hetzelfde restaurant als op onze eerste avond en terwijl we ons de zalm met pistachenotenkruim opnieuw goed laten smaken, gaat ons gesprek over de manier waarop we onder buitengewone omstandigheden met onze ware aard te maken kunnen krijgen.

'Zoals die vrouwen in de film,' zeg ik.

'Zoals ik,' zegt hij, 'na de moord op mijn vader.'

Ik weet niet wat ik daarop moet zeggen, dus leg ik alleen mijn hand op de zijne. Ik leef innig met hem mee.

Onze eerste bekeerpoging betreft skaten op rollerblades. En lezen. Daar komt het volgens mij op neer. Paul is dol op skaten. Ik ben dol op lezen. Ik hoef niet te skaten, ik wil het niet eens proberen. Voor wat ik onder lichaamsbeweging versta heb je, behalve voor wandelen of een flink eind lopen, een mat nodig, zoals voor yoga of pilates. De enige bezigheid waarbij ik zweten niet erg vind, is vrijen, want dan kan er nog best wat vocht bij. Maar Paul houdt van alles waar hij voor moet zwoegen en hoe meer zweet eraan te pas komt, hoe beter.

De derde keer dat ik zeg dat ik geen belangstelling heb voor skaten, verandert hij van tactiek. In plaats van te proberen me over te halen, begint hij aan te dringen en vraagt hoe ik dat weet terwijl ik het nog nooit heb gedaan. 'Ik ben een heel goede leraar,' zegt hij en hij verzekert me dat hij geduldig en vriendelijk is. 'Ik heb het al een heleboel mensen geleerd.'

Oké, je hebt gelijk, denk ik. Om van het gezeur af te zijn, zeg ik dat ik het zal proberen. Het is een prachtige herfstdag. Ik huur rollerblades en we nemen het pad langs het meer dat speciaal is bestemd voor fietsers en skaters. Twee uur later besef ik dat hij gelijk heeft. Hij is een goede leraar. Maar ik heb ook gelijk. Ik haat skaten. Ik kan het niet. Ik heb als kind veel geschaatst op het ijs en ik kan het ritme van wieltjes op de grond niet te pakken krijgen. Ik zie dat het hem ergert.

Een paar dagen later vraagt hij of ik het nog eens wil proberen. Ik weiger en leg uit: 'Ik wilde dat jij boeken las. Mijn leven draait voor het grootste deel om boeken en lezen, en ik wilde dat jij net zo'n boekenwurm was als ik. Maar dat ben je niet, en het komt erop neer dat ik het belangrijker vind dat mijn vriend eerlijk, vriendelijk, gul en intelligent is.' Ik voeg eraan toe dat als dat wat sportieve bezigheden betreft niet opgaat voor hem, we daar serieus over moeten praten, omdat we geen van beiden wezenlijk zullen veranderen.

Natuurlijk zijn andere dingen belangrijker, geeft hij mokkend toe, alsof ik zijn eerste kind heb bekritiseerd. 'Vooral als je het op die manier zegt,' voegt hij eraan toe, en we beginnen allebei te lachen.

'Dus daar zijn we het over eens?' vraag ik. 'Want ik ben niet van plan een atleet te worden alleen maar om jou tevreden te stellen. En ik wil niet dat je je daar vol wrok bij neerlegt.'

'Zullen we naar de bioscoop gaan?' vraagt hij en hij pakt de krant.

Een paar keer per week gaan we een eind wandelen, soms om een van de meren heen, soms langs de Mississippi. Soms gaan we op zaterdag als het slecht weer is naar twee of drie films achter elkaar. Als we de zaterdagavond samen hebben doorgebracht en we hebben geen van beiden iets op zondag, kopen we een *New York Times* en rijden naar een restaurant, waar we urenlang blijven terwijl we de krant lezen en van gedachten wisselen over wat erin staat.

We vullen onze agenda's met afspraken voor concerten, balletvoorstellingen en literaire evenementen. Waar wij wonen, maken mensen vaak afspraken om naar sportwedstrijden te gaan: baseball, basketbal, Amerikaans voetbal en ijshockey. Als loyale zus van sportieve broers heb ik me vaker dan me lief was op sleeptouw laten nemen. Ik ben blij dat Paul er net zomin belangstelling voor heeft. Op een avond gaan we naar de bioscoop en zien tot onze verbazing dat wij daar de enigen zijn. We lopen terug naar de kassa om te vragen waarom de zaal leeg is.

'Het wereldkampioenschap,' antwoordt de jongen in het hokje. Hij kan nauwelijks geloven dat wij niet weten dat het team van onze staat daar dit jaar aan meedoet.

Ik vind het geweldig dat Paul net zo weinig verstand van die dingen heeft als ik. Zijn voorkeur gaat uit naar individuele rivaliteit en bijzondere hobby's. Zelf wil hij graag bonsaiboompjes gaan verzamelen. Ik heb die zorgvuldig gesnoeide boompjes altijd wel bewonderd, maar ik vind ze ook kunstmatig, getemd. Ik geef de voorkeur aan ongetemde schoonheid. Ik wil best naar een tentoonstelling van bonsai, maar ik wil ze niet in huis hebben. Maar Paul is er weg van en we gaan naar allerlei speciale kwekerijen om er een voor hem uit te zoeken. Op een middag loop ik, terwijl hij in gesprek is met de eigenaar van een grote kwekerij, naar een andere afdeling om naar potten te kijken. Daar hoor ik de vrouw achter de toonbank praten met een andere klant, en de klank van haar stem brengt me ertoe te luisteren.

'Nee,' zegt ze met een hoge stem, 'het is nog niet te laat om die planten te bedekken met de zwarte aarde die we het afgelopen voorjaar hebben gekocht. Dat we het vorig jaar niet hebben gedaan, wil nog niet zeggen dat we het dit jaar ook niet moeten doen, heb ik tegen mijn man gezegd. Terwijl we er klaar voor zijn.' Ze klinkt nogal opgewonden en wanneer ik me omdraai om haar gezicht te kunnen zien, kijkt zij mijn kant op en glimlacht tegen me. Ze is mager, maar ze ziet er sterk uit, pezig, met spieren die je niet krijgt in een fitnesszaal, maar van een leven lang hard werken. Haar steile bruine haar is naar achteren gekamd, achter oren die te groot zijn voor haar hoofd. Ze heeft een angstige blik in haar ogen, alsof ze bang is dat ze allemaal verkeerde dingen zegt.

Mijn familie maakt altijd grapjes over het feit dat ik, als ik ergens ben geweest, de meest opvallende dingen niet heb gezien, maar precies weet welke sfeer er hing. Een jongere broer van me heeft me een keer opgebiecht dat hij niet graag bij mij in de buurt is wanneer hij iets moet doen waar hij tegen opziet. 'Niet dat je dan iets onaardigs zegt,' heeft hij me uitgelegd, 'maar dan zie ik aan je ogen dat je weet waaraan ik me probeer te onttrekken en dat maakt me nerveus.'

Dat heb ik nu ook. Ik zal me de vormen van de potten of de bonsai niet herinneren, maar die vrouw met haar onzekere stem en angstige ogen zal ik nooit vergeten. Ik probeer te begrijpen waar ze het over heeft, maar ik kan me alleen afvragen waarom ze zo bang is, en ik weet zeker dat ik gelijk heb. Haar man? Dat denk ik, maar ik weet niet waarom. Ze vestigt haar aandacht weer op haar klant, een vrouw van middelbare leeftijd in een camel jasje met bijpassende broek, die ook al een beetje zenuwachtig begint te worden. Ik zie aan haar dat ze hier weg wil.

'Ik zei ook tegen hem,' vervolgt de vrouw achter de toonbank terwijl ze de klant een pakje overhandigt, 'dat het kouder wordt, maar dat er nog steeds tijd voor is. Maar we moeten het vandaag of morgen doen, anders is het opnieuw te laat.'

Ik ben geen tuinier, dus heb ik geen idee wat ze bedoelt of wanneer het in het najaar voor planten 'te laat' is. Ik heb ook geen belangstelling voor tuinieren – daar komt te veel vuil en zweet aan te pas – maar soms wilde ik wel dat ik mijn voelsprieten in plaats van op menselijke emoties kon richten op iets wat minder ingewikkeld is, bijvoorbeeld wanneer het hoog tijd is voor zwarte aarde.

Zoals gewoonlijk verlaten we de kwekerij met lege handen. Als Paul zijn zinnen op iets heeft gezet, gaat hij daar onvermoeibaar naar op zoek. Zijn speurtocht eindigt pas wanneer hij precies heeft gevonden wat hij zoekt.

5

Steeds wanneer Paul en ik afscheid van elkaar nemen, of dat nu na een paar uur of een paar dagen is, geeft hij me een zachte kus, als een avondschemering, vol tedere verwachting. Bijna elke keer als we elkaar zien, zegt hij dat hij zijn geluk bijna niet op kan omdat hij mij heeft ontmoet. Vooral nu, zegt hij. 'Je bent zo geduldig en lief. Een heleboel vrouwen zouden allang genoeg van me hebben gekregen.' Hij zegt erbij dat hij blij is dat we elkaar niet eerder zijn tegengekomen.

Ik vraag waarom.

'Je zou me toen ik jonger was niet aardig hebben gevonden.'

Dat maakt me nieuwsgierig. 'Waarom niet?'

'Toen was ik niet volwassen genoeg voor jou.'

Paul praat niet graag over zichzelf. Als ik naar zijn ex-vrouw of vroegere vriendinnen vraag, geeft hij ontwijkende antwoorden. Hij laat nauwelijks iets los over zijn familie en wanneer hij dat wel doet, stemt het me verdrietig. Financieel gezien is hij welgesteld. Hij is enig kind en heeft een fortuin van zijn moeder geërfd. Zijn vader was mede-erfgenaam van bedrijven waarvoor ze niets hoefden te doen en toen hij overleed, werd Paul nog rijker. Nu bezit hij twee bedrijven waar alles op rolletjes loopt en het grootste deel van de erfenis van zijn vader.

Maar hij heeft me genoeg verteld om me duidelijk te maken dat het hem heeft ontbroken aan wat ik altijd vanzelfsprekend heb gevonden: een huis vol liefde – al ontbraken er een heleboel andere dingen aan. Uit niets wat hij me vertelt, kan ik opmaken dat zijn ouders ooit van elkaar hebben gehouden, of van hem. Althans niet op de manier die ik normaal vind. Een kind verwennen is volgens mij een vorm van verwaarlozing.

Als je een moeizame relatie met een van je ouders of met allebei hebt en al is het maar een beetje optimistisch bent, blijf je hopen op het moment dat die ouder je aankijkt en in alle oprechtheid zegt: 'Het spijt me, ik had het beter moeten doen. Ik hou van je. Vergeef het me alsjeblieft.' En dan doe je wat jij hoort te doen: je vergeeft, vriendelijk en in alle oprechtheid, en neemt de verantwoordelijkheid voor je eigen fouten en gebreken.

Voor Paul is die kans verkeken. Ik denk dat hij dat eeuwig zal betreuren. Dus doe ik mijn best om hem te geven wat ik kan: genegenheid, empathie, doodgewone dingen die mensen meestal leuk vinden om samen te doen, zoals wandelen, bij vrienden langsgaan, boodschappen doen... Het beste wat ik volgens mij voor Paul kan doen, is hem iets geven waaraan hij het meest behoefte heeft: het gevoel dat hij ergens bij hoort, een familie – en die heb ik, al mankeert er van alles aan.

Stel je een Midden-Westen-versie van *Bonanza* voor: een schrandere vader, een wijze moeder in plaats van de Chinese kok en vijf zoons in plaats van drie. Voeg daar drie dochters aan toe plus een gestage stroom alcohol, die familieleden ertoe aanzet dingen te zeggen en te doen die ze in nuchtere staat zouden laten. Als je dan ook nog de vakjes 'rooms-katholiek' en 'Iers temperament' aankruist, is het enige wat vaststaat dat de ouders van hun kinderen houden. Dat is mijn familie. In één woord: ingewikkeld.

Een sneeuwstorm. Op Halloween, de avond voor Allerheiligen. Dat kan gebeuren. Ik zal Paul een paar dagen niet zien, want hij gaat naar Albuquerque om het huis van zijn vader te ontruimen. Wanneer het flink begint te sneeuwen, belt hij op: 'Ik kan vandaag niet vliegen. Zullen we ons samen laten insneeuwen? Ik kan over een half uur bij je zijn.'

Als we worden ingesneeuwd, zit ik liever in een huis dan in mijn kleine appartement. Onderweg naar zijn huis halen we een pizza, popcorn, een paar video's en versgebakken scones voor de volgende morgen. Met het gevoel van kinderen die sneeuwvrij hebben, maken we 's avonds nog een wandeling door de grijswitte straten. Nadat we samen een douche hebben genomen, kijken we naar een paar films en vallen in elkaars armen in slaap.

De volgende morgen blijven we nog lang nadat we wakker zijn

geworden in bed liggen. Hij zegt dat ik hem uitput. 'Vertel me iets wat ik kan geloven,' zeg ik en ik draai me weer naar hem toe. Sinds Jim heb ik geen man meer gehad die zo zijn best deed om me seksueel te bevredigen, al vind ik het niet prettig dat Paul dat soms zo klinisch aanpakt. Met Jim was vrijen iets instinctiefs. Bovendien houd ik niet van praten en vrijen tegelijk, en stelt Paul juist dan een heleboel vragen. Ik zeg dat hij zich niet zo druk moet maken, maar hij zegt nadrukkelijk dat hij wil dat ik ervan geniet. Hou dan je mond, wil ik zeggen, maar dat doe ik niet. Praat liever wanneer ik wil dat je me dingen vertelt. Dat zou ik ook graag willen zeggen.

In bed heeft hij geen gevoel voor humor. Soms is hij zelfverzekerd, soms maakt hij een broze indruk of lijkt het alsof hij er met zijn gedachten niet bij is. Ik wijt het aan zijn traumatische jeugd.

Laat in de middag kunnen de vliegtuigen weer opstijgen, dus gaat Paul naar Albuquerque. Hij belt elke avond en vertelt me niets over zijn gesprekken met de politie, maar wel wat hij in het huis van zijn vader aantreft. Zal hij het loodkristal mee naar huis nemen, vraagt hij zich hardop af. Hij wacht niet op een antwoord van mij en vertelt verder over een mooie set Calphalon-pannen. 'Misschien ga ik hierna een kookcursus volgen.' Blijkbaar geven de spullen van zijn vader hem hoop op een nieuw begin.

Op de achtergrond van ons samenzijn klinkt een sinistere echo van de moord, een ruis van details. Ook al zegt Paul er weinig over, het onderzoek laat hem niet los en hij belt de politie een paar keer per dag. Op 4 november, precies twee maanden na de moord, wordt er eindelijk een verdachte gearresteerd.

Jen vertelt me de bijzonderheden. Het is een man van in de twintig, een bekende van Roger. Haar broer zocht jongemannen uit die nog in de gevangenis zaten of recent waren vrijgelaten en bood hun geld aan, heeft de politie haar verteld. Maar zodra een jongeman afhankelijk van hem werd, draaide Roger de geldkraan dicht.

Blijkbaar had de verdachte om een nieuwe lening gevraagd en had Roger die geweigerd. Op een avond had de jongeman bij Roger voor de deur gestaan. Autopech, had hij gezegd. Even later had hij een pistool uit zijn jaszak gehaald en Roger gedwongen naar de slaapkamer te gaan en zich uit te kleden, en toen had hij hem vast-gebonden. Hij had Roger met diens riem gewurgd en het nog ge-filmd ook.

Wanneer ik dit hoor, voel ik vage afschuw om wat er met de vader van Paul is gebeurd, maar heb ik vooral medelijden met de zoon. En met Jen. Ze heeft haar broer verloren in de diepste betekenis van het woord, omdat ze opeens beseft dat ze hem nauwelijks kende.

Vooral mijn moeder moedigt me aan in mijn werk, dus komt ze naar Chicago om te luisteren naar mijn lezing op het congres van de Midwest Modern Language Association. Wanneer ik op het podi-um sta, zie ik tot mijn opluchting dat de zaal goed gevuld is. Het geeft me zelfvertrouwen voor wat ik te zeggen heb: 'In de kamer waar Anne schreef, zat Charlotte later aan het bureau van haar zus en schrapte stanza's uit Annes gedichten, verzachtte haar taalge-bruik, en schrapte en herschreef delen van haar proza. Alsof dat nog niet genoeg was, weigerde ze Annes uitgever toestemming om na Annes dood een herdruk te publiceren van haar twee boeken: *The Tenant of Wildfell Hall* en *Agnes Grey*.

'Als ik bedenk dat Charlotte Brontë het werk van Anne Brontë heeft geredigeerd, komt de term "het nieuws manipuleren" bij me op. Want Charlotte redigeerde niet alleen Annes werk, maar ook haar leven. Die twee zaken vloeien in elkaar over. Ik denk dat, door-dat bepaalde feiten van Annes leven zijn geredigeerd, zowel haar le-ven als haar werk tientallen jaren aan een vooroordeel was onder-worpen, een vooroordeel dat later bij redacteurs, uitgevers en wetenschappers plaatsmaakte voor neerbuigendheid.'

Drie kwartier later wordt mijn lezing beloond met wat ik had verwacht: zowel lof als kritiek. Trouwe wetenschappelijke fans van Charlotte willen geen negatieve dingen horen over hun literaire heldin. Eigenlijk verbaast het me dat ik nog zo veel waardering oogst. Wanneer ik na afloop van mijn verhaal wil weten of er nog vragen zijn, staat er een vrouw op die me bedankt omdat ik de moed heb gehad om de geschiedenis van de familie Brontë onder de loep te nemen.

Daarna hebben mama en ik de rest van het weekend om leuke

dingen te doen. We gaan naar musea en boekwinkels, we lunchen bij Marshall Field's en drinken thee met uitzicht op de Water Tower. Paul heeft gevist naar een uitnodiging, maar ik kwam zelfs niet in de verleiding om de plannen die ik had met mijn moeder te veranderen. Hij belt een paar keer naar het hotel en laat boodschappen achter die eindigen met 'ik mis je'.

Zijn voortdurende aandacht brengt me in verlegenheid, maar ik geniet er ook van, omdat ik zoiets nooit eerder heb meegemaakt. Waar ik ook ben, hij belt me een paar keer per dag. Paul heeft geen beroep dat zijn tijd opeist, hij bedenkt elke dag een aantal activiteiten om de tijd door te komen. Hij luncht met vrienden, gaat naar de bioscoop, maakt gratis foto's en zit uren aan de telefoon. Soms heb ik het gevoel dat het evenwicht van mijn leven door al die aandacht zal worden verstoord, maar ik ben vastbesloten een manier te vinden om dat te voorkomen.

Kort na mijn thuiskomst komen mijn zus Liz en haar kinderen bij me logeren. Ze woont in de stad waar we zijn opgegroeid, een paar uur rijden bij me vandaan. De eerste avond, wanneer de kinderen in hun slaapzakken op het voeteneinde van mijn bed liggen, zegt ze dat het haar is opgevallen dat Paul erg vaak belt en dat ik hem blijkbaar minder vaak wil zien dan hij mij. Sinds haar aankomst een paar uur geleden heb ik hem al tweemaal aan de telefoon gehad, en ze vraagt hoe vaak hij eigenlijk belt.

'Vaak.' Ik wil de keren eigenlijk niet tellen.

'Elke dag?' vraagt ze door en als ik knik, wil ze weten hoeveel keer per dag.

Meestal vijf of zes keer per dag, beken ik. 'Hij vindt het prettig te weten waar ik ben en wat ik doe. Hij wil dat ik een mobieltje koop, zodat hij me overal kan bereiken.' Ik probeer erom te lachen terwijl ik mijn zus vertel wat ik tegen hem heb gezegd: als ik ooit een mobieltje koop, is dat niet omdat ik wil dat hij me op elk uur van de dag of de nacht kan bereiken.

Mijn zus is ruim tien jaar jonger dan ik en ze is zowel meer als minder ervaren dan ik. Ze is getrouwd met haar eerste vriendje en weet veel meer over het huwelijk dan ik, maar veel minder over mannen in het algemeen. We kunnen het goed met elkaar vinden, maar alleen als ik ervoor zorg dat we niet te diep op dingen ingaan. Daar houdt zij niet van, terwijl ik het bijna niet kan laten. Ik weet niet hoe ik mijn ongemakkelijke gevoel wat Paul betreft moet omschrijven, maar ik weet wel dat het niet alleen komt door zijn geld. Mijn evenwicht bewaren terwijl ik probeer tussen zijn geld en zijn voortdurende aandacht door te laveren is op zich al moeilijk genoeg, maar daar komt dan ook nog dat moordonderzoek bij. Bovendien lukt het me nog steeds niet de stukken van Pauls leven overzichtelijk tegen elkaar te leggen. Ik houd van helderheid en wat Paul betreft, kijk ik door een gazen gordijn.

Als ik tegen Liz zeg dat ik het wat de relatie tussen Paul en mij betreft rustiger aan wil doen dan hij, stelt ze voor hem te vragen of hij wil komen eten. Dat doe ik. Terwijl zij en ik in mijn keukentje gebraden kip met groente klaarmaken, en appels au gratin voor de kinderen, houdt hij de kleintjes bezig. We werpen af en toe een blik op hem om te zien hoe hij speelt met haar dochtertje en haar zoontje, allebei blonde krullenkopjes. Ik weet dat Liz hem, net als ik, punten geeft voor zijn gedrag. Hij doet een spelletje met de kinderen en leest hun een verhaaltje voor over eenden, waarbij hij af en toe kwakende geluiden maakt. Ze klauteren over hem heen en hij laat hen giechelen en gillen van het lachen, zoals alleen kleine kinderen doen. Hij kan erg goed met kinderen omgaan.

Onder het eten stelt Paul Liz vragen over haar werk. Ze is lerares en staat erom bekend dat ze precies weet hoe ze moet voorkomen dat mishandelde kinderen in het systeem verloren gaan. We hebben alle drie belangstelling voor kinderen, want ik zit in het bestuur van een tehuis voor misbruikte tieners en Paul levert een bijdrage aan een school voor kinderen met leerproblemen.

Nadat Liz de kinderen in mijn slaapkamer naar bed heeft gebracht, zitten we met z'n drieën nog uren te praten. Wanneer hij weg is, zegt ze dat ze hem erg aardig vindt. 'Hij is een leuke man,' zegt ze. 'Intelligent. En hij is stapelgek op jou.' Ze lacht. 'Je mag het hem niet kwalijk nemen dat hij rijk is.'

Ik weet dat ze gelijk heeft, want ik heb iets tegen een bepaald soort rijke mensen. Te veel rijken die ik ken hebben een raar idee van de wereld; ze vinden dat ze meer rechten hebben dan anderen. Ze begrijpen niet – of soms vergeten ze het – dat de meeste mensen elke dag keuzes moeten maken. Ik wil niets te maken hebben met mensen die wel geld, maar geen hart hebben, die aan liefdadigheid doen, maar niet aardig zijn.

Die avond neem ik me voor mijn weerstand te laten varen en Paul te accepteren zoals hij op me overkomt, in plaats van bang te zijn dat hij zich anders voordoet dan hij is. Hij is erg vrijgevig en is altijd op zoek naar instellingen die een bijdrage goed kunnen gebruiken, zoals een tehuis voor daklozen en een nieuw project voor slachtofferhulp. Ik weet er het fijne niet van, maar ik weet wel dat hij ook financieel bijdraagt aan de opvoeding van de drie kleine kinderen van een vriend die met wisselend succes wordt behandeld voor zijn drugsverslaving.

Ik vind het ook leuk een man te hebben die weet waar ik belangstelling voor heb. Tussen onze afspraken in belt hij vaak op en soms vraagt hij of hij even langs mag komen. Even maar, zegt hij er meestal bij. Wanneer ik opendoe, staat hij voor de deur met een pakje in zijn hand. Soms is het iets grappigs, bijvoorbeeld een caleidoscoop, soms is het iets wat serieus is bedoeld, zoals een boek. Op een dag vertel ik hem dat ik een bepaald boek van Charlotte Perkins Gilman nergens kan vinden, en een paar dagen later brengt hij me *The Yellow Wallpaper*.

Precies vaak genoeg zegt hij tegen me dat hij me mooi vindt en dat hij bewondering heeft voor mijn stijl, zowel wat betreft mijn uiterlijk als mijn leven. Ik ben niet immuun voor complimenten; ondanks mijn sterke uitstraling en zelfvertrouwen kan ik die niet vaak genoeg horen – vooral als ze stemmen uit mijn verleden tot zwijgen brengen: *Slet! Kil kreng!* Dingen die mijn vader me toeschreeuwde in zijn dronken razernij.

We zitten in de bioscoop en wachten tot de film *Frankie and Johnny* begint. Paul zegt dat hij jaloers is op mijn zelfverzekerdheid en dat hij nooit het gevoel heeft gehad dat ook hij zijn dromen zou mogen waarmaken.

'Als je zou kunnen worden wat je wilt, wat het ook is, zonder rekening te houden met de kosten, een opleiding, training, wat zou je dan gaan doen?' vraag ik.

'Dat zou ik arts worden,' antwoordt hij. 'Ik heb altijd arts willen worden.'

Ik schrik ervan. Daar heeft hij nooit een woord over gezegd. Ik vraag waarom hij dan geen medicijnen is gaan studeren.

Hij legt uit dat hij dacht dat hij daar niet slim genoeg voor was. 'Daar heeft mijn vader de hand in gehad,' voegt hij eraan toe. Hij maakt een soort kauwende beweging met zijn kaken, alsof hij de volgende woorden er op de juiste manier uit wil krijgen. 'Bovendien,' gaat hij verder, 'heb ik leerproblemen.'

Dat vermoedde ik al, maar ik had er nooit naar gevraagd. Ik had gewacht tot hij het uit zichzelf wilde vertellen. 'Je hebt al het geld en alle tijd die je nodig hebt,' zeg ik en ik zeg erbij dat hij het in elk geval zou kunnen proberen. 'Ga eens praten op een universiteit. Zoek een leraar om je te helpen.'

'Daar is het te laat voor,' zegt hij.

'Niet waar,' zeg ik. 'Denk eens aan al die mensen die dolgraag hun droom zouden willen waarmaken, maar beseffen dat ze dan hun man, vrouw of kinderen zullen verwaarlozen. Als jij het doet, zal niemand eronder lijden.' Ik kijk hem aan. 'Als je het niet probeert, zul je je altijd afvragen of je het toch had moeten doen.'

Ik geef hem tijd om erover na te denken en voeg er dan aan toe: 'Bovendien is je vader dood, Paul.' Meteen vraag ik me af hoe ik dat heb durven zeggen. 'Je vader is dood. Je hoeft nooit meer naar hem te luisteren.'

Hij kijkt strak voor zich uit. Als ik zijn ogen niet zie, weet ik niet wat er in hem omgaat. Het licht gaat uit, de film begint. Terwijl de titel over het scherm rolt, vlecht hij zijn vingers door de mijne. 'Dank je,' zegt hij, zo zacht dat ik hem nauwelijks kan verstaan. 'Niemand heeft me ooit zo aangemoedigd als jij.'

We kijken naar het scherm om te zien hoe twee beschadigde zielen elkaar redden.

6

De kleine bronzen urn met de as van Roger staat al een paar weken op een plank bij Pauls bed. Ik heb ongeduldig gewacht tot hij die urn zou begraven, wat hij eindelijk gaat doen. Hij heeft zijn vrienden en natuurlijk zijn familie uitgenodigd voor een plechtigheid bij het graf en daarna een etentje bij hem thuis. Ik heb hem voorgesteld aan een vriend van me die eigenaar is van een Grieks restaurant, en Paul heeft hem gevraagd voor het eten te zorgen. De dolma's, spanakopita en gyros doen de familie denken aan de keer dat Roger hen allemaal – Paul, Jen, Doug, hun kinderen en echtgenoten – trakteerde op een cruise naar de Griekse eilanden. Zoals ze erover praten, moet het een heerlijke tijd zijn geweest, maar ze hadden me wel eens verteld hoe Roger kon uitvallen en vooral Jen en Doug kon kleineren. Roger had er behoefte aan dat mensen om hem heen zich onzeker voelden, en ook tijdens die reis had hij daar blijkbaar voor gezorgd.

De volgende avond trekt Paul me, wanneer we over een parkeerterrein lopen, naar zich toe. 'Ik wil je al een poosje iets vertellen.' Hij kijkt zoals een kind dat een leuke verrassing met je wil delen. Ik vermoed dat hij een reisje heeft gepland. Hij heeft het erover gehad dat hij samen met mij naar New York wil, dus misschien heeft hij dat geregeld. Hij houdt me op armlengte van zich af en kijkt me met een indringende blik aan, zoals hij nooit eerder naar me heeft gekeken. 'Ik hou van je,' zegt hij. 'Ik hou meer van je dan ik ooit van iemand heb gehouden.'

Hier ben ik nog niet aan toe. We kennen elkaar pas vier maanden. Ik vraag me af of het een reactie is op het hernieuwde verdriet dat ik de dag daarvoor op zijn gezicht heb gezien.

Hij gaat vlug verder: 'Ik wil niet dat je er van schrik vandoor gaat, maar ik kan niet langer wachten met het je te vertellen.' Hij trekt me weer naar zich toe, zodat ik zijn gezicht niet meer kan zien. 'Ik hou van je,' herhaalt hij. 'Ik hou van je.'

Het is bijna acht uur. De koude lucht verzamelt zich in mistige aureolen om de hoge lichten boven het plein. Ik kijk naar een ervan. Paul is zo'n stuk groter dan ik dat ik, als hij me op deze manier omhelst, bijna verdwijn. 'Ik weet niet wat ik daarop moet zeggen,' mompel ik tegen zijn schouder. Ik trek me los terwijl ik bedenk dat ik ook iets liefs moet zeggen. Maar ik weet nog niet wat ik ervan vind.

'Je hoeft niets te zeggen,' zegt hij. 'Ik wil alleen maar dat je weet hoeveel ik van je hou.'

Het ontroert me, maar ik wil dat hij ophoudt. 'Daar ben ik blij om,' antwoord ik, 'maar ik weet nog niet wat ik voor jou voel.' Terwijl ik doorpraat, merk ik dat ik het steeds erger maak. 'Maar bedankt dat je het tegen me hebt gezegd.' Ik zie dat zijn gezicht betrekt. 'Ik denk dat ik ook van jou hou,' voeg ik er vlug aan toe, maar hij kan aan mijn gezicht zien dat ik dat alleen maar zeg om hem te troosten.

'Het hindert niet,' zegt hij. 'Ik weet gewoon dat ik van je hou en ik wil dat jij dat ook weet. Ik heb het gevoel dat ik je al mijn hele leven ken en ik wil je de rest van mijn leven blijven kennen.'

Ik heb niet het gevoel dat ik hém al mijn hele leven ken. Hij laat zich niet kennen en ik heb nog geen idee of het onduidelijke beeld dat ik van hem heb, te maken heeft met de moord op zijn vader of niet. Het wordt me langzamerhand duidelijk hoe eenzaam hij is. Wat ik in het begin aanzag voor aandoenlijke kwetsbaarheid, baart me nu zorgen. Ik heb ontdekt dat hij geen hechte band met zijn familie heeft. Jen heeft gezegd dat ze hem tegenwoordig, nu hij met mij omgaat, vaker zien dan vroeger. 'Hij heeft zich altijd op een afstand gehouden,' zei ze. Het doet me goed dat zij nu nader tot elkaar komen, maar het geeft me ook een ongemakkelijk gevoel. Het kan een verwijdering tussen hen en mij tot gevolg hebben als Paul en ik onze relatie zouden verbreken.

Al die dingen zitten me niet lekker, al vind ik het ook allemaal erg spannend. Ik weet niet of het liefde is wat ik voor hem voel. Hoewel Paul zich niet bedreigd schijnt te voelen door mijn sterke persoonlijkheid en mijn werk, heb ik eerder meegemaakt hoe dat kan veranderen. Maar hoe kan ik, als ik eraan denk hoeveel verdriet hij heeft, daar niet liefdevol op reageren? In elk geval leef ik met hem mee, maar dat is ook wel het minste wat ik kan doen, anders zou ik harteloos zijn.

Toch ben ik bang. Dit is iets anders, zoiets als dit is me nooit eerder overkomen.

Op de begrafenis van een oom van me maakt Paul kennis met de rest van mijn familie. We staan die morgen voor zonsopkomst op en rijden naar de stad waar ik ben opgegroeid, een afstand van ruim driehonderd kilometer. Omdat het al zo vroeg in het jaar zo hard heeft gesneeuwd, wordt de weg omzoomd door hoge sneeuwwallen. Het lijkt wel alsof we door een tunnel rijden. In plaats van als een mooi winters plaatje, ziet het landschap er zo vroeg in de morgen nog grauw uit, waardoor de reis erg lang lijkt.

Na de rouwmis staan we op het kerkhof dicht bij elkaar om het iets warmer te hebben. Paul trekt me dicht tegen zich aan, waarmee hij mijn familie laat merken wat hij voor me voelt. We blijven voor de lunch, die wordt gegeven in een zaal die je alleen in kleinere steden vindt: een grote ruimte met vloerbedekking met een druk patroon om de vlekken te verbergen, en kunstleren stoelen waarop zelfs de zwaarste gasten geen kwaad kunnen.

In grote, rumoerige families zoals de mijne worden nieuwkomers vaak door broers en zussen op de proef gesteld om te zien wat voor vlees ze in de kuip hebben. Om geaccepteerd te worden, moet je je niet van de baan laten vegen. Paul slaat alle ballen gemoedelijk terug. Een van mijn broers, niet onder de indruk van Pauls rijkdom en luie leventje, zegt plagend dat Paul, omdat hij niet hoeft te werken, beslist een zwaar bestaan heeft. Zo veel vrije tijd vullen, dat valt vast niet mee. Omdat ze elkaar niet over hun werk kunnen vertellen, lost hij het op met een grapje.

Wanneer ik naar Paul kijk terwijl hij lachend meedoet aan het geplaag van mijn broers, komt het bij me op dat hij beter met ze kan omgaan dan ik. In onze familie is het niet altijd even gemakkelijk het onderscheid te zien tussen humor en sarcasme, en ik weet nog dat ik jaren geleden heb opgezocht wat 'sarcasme' precies betekent. Het woord komt uit het Grieks en betekent: vlees scheuren.

Zo voelt het ook als humor gemeen wordt. Dan doet het pijn. En niet voor het eerst valt het me op dat mijn broers en zussen zich met mij meer op hun gemak voelen als ik met een man ben. Misschien is het normaal dat een partner in een familie altijd ook een soort buffer is, en in dat geval geldt dat in beide richtingen. Voordat we vertrekken, zeggen mijn broers allemaal tegen me dat ze Paul erg aardig vinden.

Mijn moeder doet dat in de vorm van een versnapering. Wanneer we bij de auto van mijn ouders afscheid van hen nemen, haalt mama er een bakje met eigengebakken toffee-chocorepen uit en geeft dat aan Paul. 'Ik heb gehoord dat je dol bent op chocolade,' zegt ze. Hij glimlacht half verlegen, half ondeugend en geeft haar een kus op haar wang. We weten allemaal wat haar geschenk betekent: hij is goedgekeurd.

Ik word zo in beslag genomen door alle reacties op Paul dat ik de kille houding van mijn vader jegens Paul negeer. Sinds hij twaalf jaar geleden een beroerte heeft gehad, is hij afstandelijker geworden en ik neem aan dat dat de reden is.

Paul gaat met Kerstmis en oud en nieuw naar Hawaï. 'Ik wil graag een poosje alleen zijn,' legt hij uit. Ik neem aan dat hij weg wil van alles wat hem herinnert aan de dood van zijn vader. Hij besteedt nog steeds veel tijd aan het regelen van de erfenis en gesprekken met de politie en advocaten over de rechtszaak, die nog moet komen. Zijn eettafel is bezaaid met mappen, gele blocnotevellen en brieven van advocaten.

Zelfs als hij me had gevraagd met hem mee te gaan, had ik dat niet gedaan. Ik hou niet van strandvakanties. Ik verbrand in plaats van bruin te worden. En ik wil hem niet uitnodigen voor de kerst bij mijn familie, die wordt gevierd bij mijn zus, een paar kilometer bij mijn ouders vandaan.

Paul zal twee weken wegblijven en de eerste paar dagen belt hij een paar keer per dag. Ik heb het druk met mijn familie. We gaan sleetje rijden, maken wandelingen of lezen bij de haard, dus soms ben ik er niet wanneer hij belt. Hij klinkt alsof hij het ook druk heeft, met wandelen, zwemmen en duiken. Hij zegt dat hij me mist.

Een paar dagen voordat hij thuiskomt, bel ik zijn hotel om de aankomsttijd van zijn vliegtuig te checken. De receptionist zegt dat er voor hem een 'niet storen'-boodschap in de computer staat. Ik laat een bericht achter. Hij belt die dag niet terug. Ik bel de volgende dag weer, en de dag daarna. Hij belt nog steeds niet terug. Volgens de receptionist wil hij nog steeds niet worden gestoord.

Wanneer ik op een koude, zonnige dag in januari van het huis van mijn zus naar huis rijd, weet ik niet wat ik ervan moet denken. Of liever, ik weet best wat ik denk, ik wil het alleen niet geloven. Ik denk dat Paul iemand bij zich heeft. Maar daar kan ik op dat moment niet achter komen.

Terwijl ik mijn koffer aan het uitpakken ben, belt Paul vanaf het vliegveld op Honolulu en vraagt of ik hem nog steeds kom afhalen. Hij klinkt alsof hij haast heeft of met zijn gedachten ergens anders is, dus vraag ik of hij zijn volgende vlucht moet halen.

'Nee,' antwoordt hij.

Ik vraag waarom ik hem in het hotel niet kon bereiken.

'O, toen heb ik een middagdutje gedaan,' zegt hij, 'en daarna ben ik vergeten te zeggen dat ze het niet-storenberichtje mochten verwijderen.'

'Maar waarom heb je me dan niet teruggebeld?'

Hij zegt dat hij pas bij het uitchecken hoorde dat ik een paar keer had gebeld.

Ik wil hem geloven, maar ik kan het niet. 'Was je met iemand anders?' vraag ik.

'Nee,' antwoordt hij. Zelfs door de telefoon hoor ik hoe koel hij opeens klinkt. 'Hoe kom je daar in vredesnaam bij?'

Terwijl ik naar het vliegveld rijd, schaam ik me voor mijn argwaan, maar wanneer we elkaar begroeten, maakt hij een nerveuze indruk. Hij neemt me haastig mee het gebouw uit en naar de auto. 'Ik kan bijna niet geloven dat je dacht dat ik met iemand anders was alleen maar omdat ik de telefoon niet opnam,' zegt hij wanneer we instappen.

Ik zeg dat het me spijt. Het is weer een zonnige dag, ongewoon warm voor de tijd van het jaar. We rijden naar het arboretum om een wandeling te maken. Hij gedraagt zich erg wispelturig – pla-

gend, humeurig, aanhalig, afstandelijk – alsof hij allerlei stemmin-
gen uitprobeert.

'Ik kan bijna niet geloven dat je me niet vertrouwt,' zegt hij.

Ik zeg opnieuw dat het me spijt. Ik weet niet wat ik ervan moet
denken en ik voel me gekwetst. Dit is niet de begroeting die ik had
verwacht van iemand die beweert dat hij van me houdt. Wanneer ik
hem afzet bij zijn huis, vraagt hij of ik mee naar binnen ga.

'Nee, liever niet,' zeg ik. 'Ik ben moe.'

Hij slaat zijn armen om me heen en kust me. Hard. Harder dan
ooit. Ik vraag me af of hij merkt dat hij de enige is die kust, dat ik
daar gewoon zit te wachten tot hij uit mijn auto stapt.

7

Terwijl zijn hart meer dan duizend keer per minuut klopt – echt waar, ook al kun je het je nauwelijks voorstellen – kan een kolibrie een rood stipje voor nectar aanzien. Ik heb een keer gezien dat een kolibrie op een bloem in een vaas op de vensterbank dook en tegen het raam knalde. Geschrokken, misleid, in de war. Zo voel ik me nu ook. Steeds wanneer Paul in de dagen daarna belt, verzin ik een smoes om hem niet te hoeven zien. Hoewel ik heb gezegd dat het me spijt, wil dat niet zeggen dat ik geloof dat hij me de waarheid heeft verteld. Eerlijk gezegd, geloof ik het niet. Op de avond van de derde dag geef ik toe en vraag of hij de volgende avond komt eten. Een paar uur voordat hij komt, belt hij me op om te zeggen dat hij ergens met me over wil praten. Ik vraag of het kan wachten tot hij er is.

Maar hij zegt dat ik, nadat hij het me heeft verteld, niet meer zal willen dat hij blijft eten.

'Wil je het dan nu zeggen?'

Nee, hij wil het niet door de telefoon doen.

Ik leg uit dat ik een deadline heb met mijn werk en bepaal dat hij op de afgesproken tijd mag komen. 'Dan kunnen we praten,' zeg ik, 'en beslissen we alsnog of je blijft eten of niet.' Ik probeer erom te lachen. Ik maak me zorgen, maar ik voel me ook opgelucht. Ik hou niet van geheimzinnige spanning. Ik zet een kip en knolgroente in de oven om te roosteren, al vermoed ik dat ik die alleen zal opeten.

Meteen nadat Paul is binnengekomen, nog voordat hij zijn zwarte leren jasje uitdoet, trekt hij me naar zich toe en omhelst me innig. Hij slaakt een diepe zucht. Dan haalt hij diep adem en blaast die langzaam uit, nog steeds met zijn armen om me heen. Hij legt zijn hoofd op mijn schouder. Ik weet dat het om iets ergs gaat.

'Ik ben in mijn eentje naar Hawaï toe gegaan,' begint hij. En dan vertelt hij me dat hij de laatste paar dagen van zijn vakantie wél met iemand anders was.

Ik probeer hem weg te duwen. 'Ga weg,' zeg ik. 'Besef je wel hoe rot ik me voelde toen je me duidelijk maakte dat ik geen reden had om je te wantrouwen?' Hij laat me niet los. Ik probeer te tellen hoe vaak ik heb gezegd dat het me speet en herinner me vooral zijn verontwaardiging. 'Ga weg,' herhaal ik.

'Laat me het uitleggen,' zegt hij.

'Rotzak!' Ik duw nog harder tegen hem aan. Dan houd ik ermee op. Hij grijpt me bij mijn armen. 'Laat me los! Laat me onmiddellijk los.' Als ik kwaad ben, is dat heel duidelijk te merken: mijn stem vervlakt en ik ga langzamer praten.

Hij laat zijn handen zakken en begint haastig aan zijn uitleg: 'Voor mijn vertrek zei een vriendin tegen me dat ze in dezelfde periode op Hawaï zou zijn, dus spraken we af elkaar daar te ontmoeten.'

Ik geloof niet dat het toeval was, maar ik ben te kwaad om hem in de rede te vallen.

'Ze is na mij vertrokken,' vervolgt hij, 'en we zijn samen teruggekomen.'

'Een vriendin?' vraag ik. 'Of iemand met wie je een relatie hebt gehad?' Nu weet ik dat mijn vermoeden juist was. 'Ach, laat maar zitten,' ga ik verder, en ik wijs hem erop dat als ze gewoon een vriendin was geweest, hij mij dat zou hebben verteld en me op het vliegveld aan haar zou hebben voorgesteld.

Mijn wantrouwen was terecht. Hij bekent dat hij vanaf november regelmatig met haar omgaat, omdat hij zeker wil weten dat ik de ware voor hem ben. 'Maar ik hou niet van haar,' voegt hij eraan toe. 'Ze is niet belangrijk voor me. Ik hou van jou.'

Ik loop naar de deur. 'Ga weg.' Ik kijk hem recht aan. 'En haal het niet in je hoofd me op te bellen.'

Maar natuurlijk doet hij dat wel. Later die avond belt hij een paar keer en de volgende dag ook, en de dag daarna. Ik laat het antwoordapparaat aanstaan. Zijn boodschappen zijn eenvoudig: ik ben stom geweest, ik hou van je, ik heb nog nooit zo veel van iemand gehouden, vergeef het me alsjeblieft, neem me terug, je zult er geen spijt van hebben, ik zal bewijzen hoeveel ik van je hou. Soms belt hij via de intercom beneden in de hal. Dan zegt hij alleen: 'Ik sta beneden, laat me alsjeblieft binnen.'

Ik neem de telefoon niet op en bel hem niet terug. Ik probeer Jen en Doug te ontwijken, maar wanneer ik hen een keer in de hal tegenkom, merk ik aan hen dat ze weten dat er iets mis is. Paul moet met hen hebben gepraat. Op de derde dag laat zijn oom hem binnen en staat hij onverwacht voor mijn deur. Ik open die op een kier en laat de ketting erop zitten.

'Vergeef het me, alsjeblieft,' smeekt hij en hij wringt zich in de kleine ruimte tussen de deurpost en de deur. Hij draagt zijn winterse uniform: een kaki broek, een katoenen coltrui en zijn dikke leren jasje. Hij ruikt naar leer en naar zeep, dus moet hij net hebben gedoucht. Ik vond altijd dat hij lekker rook, maar nu staat die geur me tegen.

Hij steekt een hand naar me uit. 'Ik hou van je,' zegt hij. 'Geef me alsjeblieft nog een kans.'

Toen ik zijn gezicht niet kon zien, kon ik hem weerstaan. Maar ik ben opgegroeid met de regel dat je mannen die er net zo meelijwekkend en bedroefd uitzien als hij nu doet, hun zonden moet vergeven. Dus geef ik toe. Ik laat hem binnen en stel nieuwe regels op: hij gaat in therapie, samen met mij en ook alleen. Geen seks – niet met mij, en als je wilt dat ik geloof dat je van me houdt ook niet met iemand anders, zeg ik.

En ik beloof helemaal niets, zeg ik erbij.

8

Januari blijft een ongewoon warme maand. Bij alle onzekerheid beschouw ik dat als een geschenk – van niemand in het bijzonder, want ik geloof niet in een godheid die mooi weer uitdeelt als tegengif voor emotionele pijn. Maar als ik elke dag wakker was geworden terwijl het buiten vroor, had ik nog meer moeite gehad met mijn gemengde gevoelens voor Paul.

In de gezamenlijke sessies met onze therapeuten blijkt dat Paul een verwarde, berouwvolle man is. Het oordeel luidt unaniem: zijn kwetsende, leugenachtige gedrag is zijn reactie op de moord op zijn vader. Voor een man is de dood van zijn vader altijd een traumatische ervaring, zegt zijn therapeut. Het is zelfs een keerpunt in zijn leven, voegt hij eraan toe. In het geval van Paul is die gebeurtenis verhevigd doordat zijn vader op een afschuwelijke manier is vermoord en zijn geheime seksuele leven aan het licht is gekomen. Ook daar zijn beide therapeuten het over eens. 'Het is heel normaal dat je niet meer jezelf bent,' herhaalt zijn mannelijke therapeut keer op keer.

Ik doe mijn best om Paul zijn misstap te vergeven en hem weer te vertrouwen, een proces dat ik zowel dom als ruimhartig vind. Ik wacht vooral tot het trauma van de dood van zijn vader begint te slijten, maar Paul raakt steeds meer geobsedeerd door de dingen die bij het onderzoek naar boven komen.

De keuken van zijn huis heeft een ingebouwd bureau met planken en vakjes erboven. Elke keer als Paul binnenkomt, loopt hij eerst naar dat bureau en legt alles wat hij nodig heeft wanneer hij het huis verlaat – geld, agenda, autosleutels, bril – in een van die vakjes. Rekeningen en andere papieren die hij die dag heeft ontvangen, gaan in mappen in speciale archiefladen in de eetkamer. Paul is een heel ordelijke man.

In een van de vakjes staat een fotootje. Niet van zijn overleden ouders, van vrienden of van mij, maar van de man die wordt verdacht van de moord op zijn vader. Als je van iemand zou kunnen zeggen dat hij er zowel gevaarlijk als apathisch uitziet, is het van hem. Soms leunt Paul tegen het bureau om dat fotootje te bestuderen. De eerste keer dat ik hem dat zie doen, vraag ik wie die man is. 'De man die mijn vader heeft vermoord,' antwoordt hij kalm. Dat is alles wat hij zegt. De man die mijn vader heeft vermoord.

Eerst denk ik dat hij die foto per post heeft ontvangen. De volgende keer dat ik hem ernaar zie kijken, vraag ik waarom hij hem daar heeft neergezet. 'Ik heb de politie om een kopie van de foto in zijn dossier gevraagd omdat ik zijn gezicht niet wil vergeten,' antwoordt hij. Het kijken naar de foto blijkt een soort ritueel te zijn geworden dat hem voldoening schenkt. Ik begrijp er niets van.

Op een middag komt hij me thuis afhalen terwijl hij nog aan het telefoneren is. 'Hoe oud is ze?' vraagt hij. Hij luistert en zegt: 'Ga naar een paar scholen kijken en laat me weten wat je hebt gevonden.' Hij neemt afscheid en voegt eraan toe: 'We spreken elkaar morgen weer.'

'Wie was dat?' vraag ik. Blijkbaar wilde hij dat ik het gesprek zou horen, dus schaam ik me niet dat ik ernaar vraag.

'De vrouw die de moordenaar van mijn vader heeft aangegeven,' antwoordt hij en hij voegt eraan toe dat ze de ex-vriendin van die man is.

'Waarom heb je contact met haar?' vraag ik.

Hij zegt dat hij haar wil helpen betalen voor de opleiding van haar dochter.

'Weet de politie dat?' vraag ik.

De politie heeft hem haar telefoonnummer gegeven, zegt hij. 'Ik wil haar alleen maar helpen. De politie heeft daar niets mee te maken.'

'Het gaat mij natuurlijk niets aan, Paul, maar ik geloof niet dat het een goed idee is. Misschien heeft ze nog steeds contact met haar ex, zou dat de zaak niet kunnen beïnvloeden?' Er moeten nog veel meer haken en ogen aan zitten, maar die kan ik zo gauw niet bedenken.

'Hoor eens, ik wil haar alleen maar helpen. Ik ben er haar dankbaar voor dat ze hem heeft aangegeven. Nu wil ik er niet meer over praten,' zegt hij. 'Je doet alsof het belangrijk is.'

Misschien heeft hij gelijk. Hij besteedt zijn geld tenslotte wel vaker aan dit soort goede doelen. Wellicht zou ik dat ook doen als ik meer geld had dan ik kon gebruiken. Ik schaam me omdat ik kritiek heb op zijn vrijgevigheid, maar toch vind ik het een abnormale situatie. En ik weet niet hoe ik mijn bezorgdheid in bedwang moet houden. Eerst moest er een verdachte worden gevonden. Nu wordt er een rechtszaak voorbereid. Er zal een uitspraak op volgen. Ik heb het gevoel dat het eind nog lang niet in zicht is.

Op een avond gaan we naar een nieuwjaarsborrel bij mijn nichtje Maggie, hoewel het al februari is. Zij en haar man Greg willen Paul, die ze op de begrafenis van mijn oom hebben ontmoet, graag beter leren kennen. De warme periode heeft plaatsgemaakt voor het soort winternachten dat je ertoe brengt je af te vragen waarom je op die specifieke plek woont. Het vriest hard en er staat een ijskoude wind.

We blijven niet lang borrelen, want daarna gaan we naar de schouwburg. Op weg naar het theater zien we ergens een vrouw naast haar auto staan, wat in dit weer maar één ding kan betekenen. Natuurlijk stoppen we om te vragen of we kunnen helpen. Ik open mijn portierraampje. 'Wat kunnen we voor u doen?' vraag ik. 'Stap even in om warm te worden.'

Wanneer ze instapt, zie ik dat ze iets jonger is dan wij en knap om te zien. We brengen haar naar een benzinestation en wachten even later tot ze haar auto weer aan de praat heeft. Nadat ze ons heeft bedankt, zegt Paul: 'Heb je zin om met ons mee naar de schouwburg te gaan? Op zo'n koude avond als deze kunnen we er gemakkelijk een kaartje bij kopen.'

Dit is niet voor het eerst dat Paul zoiets doet. Toen we een keer op een middag in de rij stonden voor de bioscoop, knoopte hij een gesprek aan met de vrouw die voor ons stond en alleen was, en vlak voor de kassa nodigde hij haar uit om na de film samen met ons ergens iets te gaan eten. Als hij op die manier onbekende vrouwen aanspreekt, ben ik zo verbluft dat ik alleen maar sprakeloos kan toekijken en elke keer blij dat ze zo fatsoenlijk zijn om zijn uitnodiging af te slaan.

Maar deze keer word ik boos. De vrouw zegt eerst nee, maar Paul dringt aan. Ik zeg niets en ik zie dat zijn charme haar in de verleiding brengt om ja te zeggen. Gelukkig kijkt ze meer naar mijn gezicht dan naar dat van Paul en houdt ze vol in haar weigering.

Wanneer we doorrijden, vertel ik Paul hoe vervelend ik het voorval vond en hoe boos ik erom ben. 'Je zegt voortdurend dat je zo veel van me houdt,' zeg ik, 'maar als je dit soort dingen doet, wil ik niet van jou houden.' Vroeger zou ik dat niet hebben gezegd, maar ik heb hem uitgelegd dat dit voor hem een proefperiode is.

Hij reageert verbaasd en zegt dat hij het niet begrijpt. 'Ik wilde alleen maar aardig zijn. En ik vind het leuk nieuwe mensen te leren kennen.'

'Nieuwe vrouwen,' zeg ik.

Hij belooft dat hij ermee zal ophouden als ik het niet leuk vind, maar op een toon die me duidelijk maakt dat hij vindt dat het mijn probleem is, niet het zijne.

Ik ga er niet op in en zeg alleen maar: 'Oké, ik wil dat je ermee ophoudt. Ik vind het inderdaad niet leuk.'

We zijn laat voor de schouwburg en het toneelstuk boeit ons niet. Ik wilde dat ik thuis was gebleven, alleen, om een mooi boek te lezen, of dat ik zonder Paul naar het etentje bij mijn nicht was gegaan.

In onze volgende therapiesessie breng ik het gesprek op zijn gewoonte om veel te familiair te zijn met vrouwen die we tegenkomen wanneer we samen uit zijn, en ook dat gedrag wijt Paul aan de moord op zijn vader. 'Ik ben mezelf niet,' zegt hij en hij kijkt me aan. 'Het spijt me dat ik je kwets. Het is niet mijn bedoeling.'

Ik ben er niet helemaal van overtuigd dat die twee dingen werkelijk met elkaar te maken hebben, maar ik ga er niet op in. Tenslotte doen onze therapeuten dat ook niet. Ik wil deze man, die zo vol zit met onuitgesproken verdriet, beter leren begrijpen. Ik probeer hem over zijn jeugd te laten praten, maar elke keer als ik een vraag stel over zijn moeder of zijn vader, spant hij zijn kaakspieren van woede. Hij laat nauwelijks iets los. Ik wil geloven dat als hij leert meer te praten, alles beter zal gaan. Ik wil ook geloven dat het alleen een kwestie van tijd is.

Op een avond zegt Paul wanneer hij me belt dat hij met mij samen iets fysieks wil doen en vraagt of ik iets kan bedenken.

Judo, zeg ik. Ik heb altijd al graag judoles willen nemen. Paul heeft ook nooit aan judo gedaan en reageert enthousiast op mijn suggestie. De volgende dag bel ik een paar sportclubs en een paar dagen later hebben we allebei een judopak met een witte band gekocht en ons ingeschreven voor de lessen. Naarmate die vorderen, voel ik me lichamelijk steeds sterker worden en neemt mijn zelfvertrouwen toe. Omdat ik van nature geen atleet ben, verbaast het me dat het zo goed gaat. Maar de discipline maakt Paul, die veel atletischer is dan ik, ongeduldig, al is hij niet beter dan het merendeel van onze klas.

We leren worpen en manieren om iemand op de grond te houden, en de instructeur zorgt ervoor dat de tegenstanders steeds ongeveer even groot zijn. Op een avond komen Paul en ik een paar minuten te laat en omdat de paren al zijn gevormd, moeten wij oefenen met elkaar. Terwijl we de juiste houding aannemen, wijst de instructeur Paul erop dat hij met mij, omdat ik een stuk kleiner ben dan hij, veel minder kracht moet gebruiken dan met iemand die even groot is.

Paul en ik pakken elkaars mouw vast, hij draait met zijn heup en ik vlieg eroverheen. Ik land op de juiste manier en sta vlug op. Opnieuw draait Paul zijn heup naar me toe en werpt me op de grond, en val ik zoals het hoort. Maar deze keer ben ik sneller dan hij en ligt hij voordat hij het weet zelf op de grond.

'Goed geprobeerd,' zegt hij terwijl hij opstaat.

'Niet alleen geprobeerd,' zeg ik lachend. 'Ik heb je op de grond gegooid!' Ik ben er trots op dat ik dat met iemand die veel groter en sterker is dan ik heb kunnen doen.

We nemen onze beginpositie weer in en deze keer werpt Paul me zo hard op de grond dat het me de adem beneemt. Daarna trekt hij me overeind. Ik neem aan dat hij het per ongeluk heeft gedaan, dus maak ik een grapje en zeg dat het woord 'judo' Japans is voor 'zachte weg'.

Maar de volgende keer doet hij het weer. Mijn lichaam klapt als een donderslag op de mat. 'Je hoeft niet zo hard te gooien,' hijg ik. De instructeur kijkt naar ons. 'Niet zo hard,' zegt hij tegen Paul.

Maar de keer daarna doet Paul het weer precies zo. Nadat ik moeizaam overeind ben gekomen, zeg ik tegen hem dat ik wil wachten tot we een andere partner krijgen. Wanneer we na afloop naar mijn appartement rijden, vraag ik Paul of hij kwaad op me is.

Hij vraagt waarom ik dat denk.

'Vanwege de manier waarop je me de laatste paar keer op de grond hebt gegooid,' zeg ik. 'De eerste keer dacht ik dat je je had vergist. Maar daarna vroeg ik me af wat er aan de hand was.'

'Ik word nooit kwaad,' zegt hij.

'Wel waar,' zeg ik.

'Wanneer ben ik ooit kwaad op je geweest?' vraagt hij.

Nu, wil ik zeggen, maar ik weet dat hij het zal ontkennen, want dat doet hij altijd. In plaats daarvan zeg ik: 'Paul, er zijn verschillende manieren om te laten zien dat je kwaad bent. Jij denkt dat je, als je niet schreeuwt, niet kwaad bent.'

We staan voor de ingang van mijn appartementengebouw. Ik zeg hem gedag en ga alleen naar boven. Als we niet samen in therapie waren, zou ik de relatie op dat moment beëindigen. Twee dagen later, wanneer het tijd is voor de volgende judoles, belt Paul me op. 'Ik heb vanavond geen zin,' zegt hij. Dus ga ik alleen en een week later houdt Paul ermee op. Ik merk dat hij graag wil dat ik dat ook doe, maar ik ga er nog een paar maanden mee door voordat ik er eveneens de brui aan geef.

'Hier, moet je zien,' zegt Paul op een middag, wanneer hij me in een warenhuis een Italiaanse leren riem overhandigt. Het is een vroege voorjaarsdag en eindelijk verdwijnt de sneeuw en verschijnen er knoppen aan de bomen. 'Deze lijkt precies op de riem waarmee die vent mijn vader heeft gewurgd. Je had zijn hoofd moeten zien, helemaal opgezwollen en blauw. Grotesk. Ik herkende hem nauwelijks.'

Paul loopt weg en ik sta daar met die riem van zacht zwart leer in mijn hand en kijk hem als aan de grond genageld na, maar tegelijkertijd zie ik het gezicht van zijn vader: opgezwollen, blauw, grotesk. Zo vertelt hij me details van de moord op zijn vader, op heel gewone momenten.

'Hij was bij bewustzijn toen hij werd vermoord,' zegt Paul achteloos wanneer we op een dag op het pad om het meer in de buurt van mijn appartement lopen. 'Die vent heeft hem niet eerst verdoofd.' Dat zegt hij plompverloren, zonder inleiding en zonder commentaar, gewoon als een feit. Wanneer ik ernaar vraag, wil hij er niets over zeggen. Hij werpt me het verhaal met stukjes en beetjes toe en ik moet ze opvangen. Op heel gewone momenten.

Ik weet nooit wat ik moet zeggen. Maar ik moet iets zeggen. 'God, Paul, het is gewoon verschrikkelijk.'

'Ja, nou ja...' Dat zegt hij dan weer.

Ik heb geen idee hoe hij zich voelt, wat dit in hem teweegbrengt. Hoewel ik walg van de feiten, voel ik vooral verdriet. Ik kan het niet verdragen dat iemand zich net zo eenzaam voelt als hij eruitziet.

9

'Ik wil je Afrika laten zien,' zegt hij op een warme dag in mei, wanneer we in zijn woonkamer zitten. We zitten naast elkaar op de leren bank en op onze knieën ligt een groot boek met prachtige foto's van Afrika. Hij wil ernaartoe na de rechtszaak, die begin augustus op de agenda staat. Hij beschrijft Victoria Falls, de grootste waterval ter wereld, en de zebra's, wildebeesten en leeuwen die hij wil fotograferen. Hij biedt me de reis aan alsof het onze huwelijksreis moet worden.

Om beurten noemen we plaatsen die we willen zien. In de maanden dat we nu een stel zijn, zijn we nog niet samen op reis geweest, afgezien van een paar weekenduitstapjes. Ik verlang ernaar alles wat met de moord op zijn vader te maken heeft achter ons te laten, omdat ik soms bang ben dat het ons voorgoed zal beletten een 'normaal' leven te leiden. Een reis naar Afrika lokt me beslist aan, maar ik heb de twee kanten van Paul – de kant die weigert om, behalve met zo nu en dan een enkel woord, over zijn verleden te praten en de kant die onze gezamenlijke toekomst wil plannen – nog steeds niet geaccepteerd.

Ik zeg dat ik dolgraag met hem naar Afrika wil, maar dat de gedachte dat ik dan alleen met hem zo ver weg ben, me nerveus maakt.

'Ben je dan bang voor me?' vraagt hij met een boos gezicht.

'Zo zou ik het niet willen noemen,' antwoord ik en ik leg hem uit dat ik niet het gevoel heb dat ik hem ken. 'Elke keer als ik je iets vraag over je leven voordat je mij leerde kennen, word je boos.'

Paul zwijgt.

'Juist, dat bedoel ik,' zeg ik. Hij blijft zwijgen, dus ga ik verder: 'Ik heb er vaak genoeg een toespeling op gemaakt of subtiele vragen gesteld over je eerdere relaties met vrouwen. Ik heb gewacht tot je daar iets over zou zeggen en steeds wanneer je naar mijn eerdere relaties vroeg, heb ik je antwoord gegeven. Maar jij gaat nergens op in en praat nooit over jezelf.'

Ik schuif een stukje bij hem weg en strijk over het zachte leer van de bank. Het blijft stil tussen ons. 'Als je geen antwoord wilt geven, zeg dat dan,' zei ik. 'Maar vragen staat vrij.'

Ik heb een ontzettende hekel aan dingen verzwijgen. Weliswaar ben ik van een à la carte rooms-katholiek afgezakt naar een je-moest-je-schamen rooms-katholiek (althans volgens de huidige roomse kerk), maar in mijn hart houd ik me aan wijze geboden. Zijn geheimzinnigheid en weigering om onschuldige vragen te beantwoorden maken me bang. Hij kent het verschil niet tussen privacy en geheimhouding.

Eindelijk zegt hij: 'Mijn verleden heeft niets te maken met jou, of met ons.'

'Natuurlijk wel,' zeg ik. Ik neem niet eens de moeite hem, als hij er zo over denkt, te vragen waarom hij me dan zo veel vragen over mijn verleden heeft gesteld. Ook al heb ik soms het gevoel dat ik dan aan korstjes krab, ben ik altijd zo braaf dat ik tot bloedens toe belangrijke dingen opgraaf.

'Niet waar,' houdt hij met ijle stem vol.

Ik zeg dat ik weg moet. Een deel van me wil voorgoed weg, maar het grootste deel wil de moed niet opgeven.

Het weekend van Memorial Day vliegen we naar New York. Ik heb kaartjes besteld voor *Dancing at Lughnasa* en *Death and the Maiden*. Maar de trip helpt niet de gespannen sfeer tussen ons beiden te verdrijven. Het stuk van Friel is, zoals de meeste Ierse toneelstukken, erg geestig, maar dat van Dorfman is een en al realistische verschrikking met zo nu en dan een poging tot humor.

Wekenlang blijft Paul erop aandringen dat we aan het eind van de zomer naar Afrika gaan. Ten slotte zeg ik dat ik niet meega, maar als compromis stel ik een reis naar Europa voor. Hoewel hij kwaad is, trekt hij uiteindelijk bij en zegt dat hij altijd al naar Schotland heeft gewild. We maken plannen om drie weken door de Hooglanden en over de eilanden te rijden. Ik koop reisgidsen en begin een route uit te stippelen.

Midden in de zomer word ik tweeënveertig. Na ontbijt op bed vieren we dat met de bezichtiging van een tuin, een bezoek aan vrienden, een wandeling langs het meer en een etentje in een van mijn favoriete restaurants. In mijn garage staat een nieuwe fiets. Paul loopt over van geestdriftig verlangen om het me naar de zin te maken. Wanneer ik hem die avond bedank, zegt hij: 'Je hebt me het afgelopen jaar zo gelukkig gemaakt dat ik het fijn vind ook eens iets voor jou te kunnen doen.'

Hij vraagt of ik hem een paar van mijn nieuwe reisgidsen wil laten zien. Ik heb al briefjes op bepaalde bladzijden geplakt. Nog een uur of twee zitten we ze door te bladeren en vouwen hoekjes van bladzijden om met plaatsen die we willen bezoeken. Op dat soort dagen heb ik het gevoel dat hij echt van me houdt.

Paul trekt zich opnieuw terug en deze keer gaat hij niet heen en weer, maar alleen heen, weg van mij. We brengen het grootste deel van onze vrije tijd wel samen door, maar ik begrijp niet waarom, want hij is zichtbaar ongelukkig en verstrooid.

Inmiddels heb ik mijn geen-seks regel laten vallen, maar volgens mij beleven we er geen van beiden plezier aan. Het lijkt alsof alle vreugde uit hem is verdwenen. Ik zeg dat het voor mij een kwestie van vertrouwen is. Hij wil er niet over praten, maar ik begin te vermoeden dat hij seks lang niet zo opwindend vindt als er intimiteit aan te pas komt. Op cynische momenten denk ik: geweldig, als we uiteindelijk na alle ellende emotioneel op één lijn zitten, zal de seks waardeloos zijn. Ik probeer er niet over na te denken.

Het proces dient begin augustus, elf maanden na de moord op zijn vader. Jen, Doug en Paul wonen de hele procedure bij. Paul belt me bijna elke avond en klinkt vreemd, alsof het hem niet aangaat. Jen belt me ook een paar keer, ze maakt zich zorgen om Paul. 'Doug en ik maken een verschrikkelijke tijd door, maar Paul laat niets van zijn emoties merken.'

Ik vertel haar niet op welke manieren hij dat volgens mij wél doet, maar zeg: 'Dat weet ik. Ik doe ook mijn best om hem erover te laten praten, maar dat weigert hij.'

Ze zegt dat ze wachten op het moment dat het tot hem door-dringt. 'Ik weet niet wat hij zou moeten doen als hij niemand zou hebben.' Ze zegt dat ze blij is dat ik zo'n sterke vrouw ben.

De rechter doet na elf dagen uitspraak. De verdachte wordt schuldig bevonden. De straf zal in november worden bepaald. Wanneer Paul thuiskomt, is hij nog even verstrooid als anders. Ik zeg dat ik overweeg toch niet met hem op reis te gaan. 'Ik voel me bij jou niet op mijn gemak,' leg ik uit.

'Ik weet dat ik mezelf niet ben,' geeft hij toe. 'Maar we zullen voordat we naar Schotland gaan nog veel tijd samen doorbrengen en als het zover is, zul je je er een stuk beter over voelen.' Maar een week voor ons vertrek vliegt hij naar Florida om te helpen bij het opruimen van de ravage na wervelstorm Andrew en hij komt op het laatste nippertje terug om het vliegtuig naar Glasgow te halen.

Ik ga toch mee. Inmiddels hebben we een vast patroon: ik praat over uit elkaar gaan, hij haalt me over bij elkaar te blijven. Elke keer geef ik toe en blijf.

10

Wanneer ons vliegtuig de oostkust achter zich laat, laat ik mijn zorgen achter. En al meteen nadat we in Schotland zijn geland, voel ik me er thuis. Blijkbaar is één overgrootmoeder uit dit land genoeg om dat te veroorzaken.

We nemen een rustige route, die voor een groot deel langs de zee of een zeearm gaat. Meestal rijdt Paul, en hij vindt het een uitdaging om op de linkerhelft van de smalle, bochtige weg te blijven. We hebben wel een reisplan, maar dat is eerder een mogelijkheid dan een vast schema. Deze manier van reizen, waarbij elke dag een onbeschreven blad is, bevalt ons allebei. Het zijn heerlijke, onbezorgde dagen. Paul gedraagt zich zoals de man van wie ik ben gaan houden, hij is lief en zorgzaam. We wandelen over met heide begroeide heuvels en eten picknicklunches van boerderijkaas, gerookte zalm, vers tarwebrood en lokaal bronwater. We overnachten in hotelletjes aan zee en overwegen zelfs daar ergens een huisje te kopen.

Na een paar dagen rijden we naar een kasteel hoog in de bergen op Skye. We werpen een blik op het kasteel, maar we zijn gekomen voor de tuin. Of liever, het botanische paradijs. Want dat een tuin noemen, is hetzelfde als een leeuw een kat noemen. Als Bergman ooit een film had willen maken over pure levensangst van een Schotse familie, zou hij daar zo'n soort plek voor hebben uitgekozen.

Het regent de hele dag, het soort nattigheid dat de Schotten 'mist' noemen, maar dat iets is tussen mist en regen in. We vinden het niet erg. Als doorgewinterde reizigers hebben we ons op alle soorten regen voorbereid en regenjassen en wandelschoenen meegebracht. We gaan op zoek naar de waterval en slenteren door de verschillende tuinen. Eerst lopen we naast elkaar en zitten we samen op de stenen muur om een eeuwenoude bron. Dan nemen we ieder een ander pad en wanneer ik me omdraai op zoek naar Paul, zie ik dat hij zijn camera te voorschijn heeft gehaald. Een paar minuten lang zet hij me van alle kanten op de foto. Ik ga niet graag op de foto en dat weet hij, maar ik besef dat protesteren kinderachtig zou zijn. Zijn foto's zijn het equivalent van mijn dagboek: een manier om het leven vast te leggen.

Onze tweede week in Schotland begint met de eilanden Lewis en Harris, die behoren tot de Hebriden. Het eerste wat ik daar wil bezichtigen, is de Callanish Standing Stones, een openluchtkathedraal aan zee. Ik loop langs de rij hoogste stenen en sta stil in het midden, waar duizenden jaren geleden waarschijnlijk de hogepriester stond. Ik adem de zeelucht in, die zoet en rokerig ruikt naar heide en turf.

Paul neemt weer een foto van me. Terwijl hij de lens instelt, zegt hij: 'Niet opkijken voordat ik de foto heb genomen, maar er staat een regenboog precies boven je hoofd. Vanaf deze plek kun je beide uiteinden zien.' Ik blijf roerloos staan. 'Het is een teken,' zegt hij en hij laat zijn camera zakken en komt naar me toe. 'Toen ze dit bouwden waren vrouwen de baas en als jij toen had geleefd zou jij het opperhoofd zijn geweest.' Hij kust me en draait me om zodat ik de regenboog ook kan zien. Het zonlicht strijkt over de oeroude grond.

Hoewel we elkaar pas ruim een jaar kennen, denk ik soms dat ik met Paul de rest van mijn leven gelukkig kan zijn. Dit is een van die momenten.

Dan komt er een keerpunt in de reis. Ik rijd. We zijn terug op het vasteland en op weg naar een hotel aan een *loch* in de Hooglanden. Het is een lange rit in onze kleine gehuurde Volvo. Het landschap om ons heen is onherbergzaam en van een onbeschrijflijke schoonheid, met bergen en meren, bossen en de zee. In de auto hangt ook een onherbergzame sfeer, veroorzaakt door woede.

Een paar minuten geleden heeft Paul mijn gezicht gestreeld en me verteld hoeveel hij van me houdt en dat hij zich een leven zonder mij niet kan voorstellen. Maar toen hij zijn hand terugtrok, voegde hij eraan toe dat hij het betreurt dat hij zich seksueel niet meer tot me aangetrokken voelt.

'Als je een sportiever type zou zijn,' zegt hij, 'zou ik dat een stuk aantrekkelijker vinden.'

Ik word kwaad. 'Je voelde je vanaf onze eerste ontmoeting tot me aangetrokken,' zeg ik, 'en sindsdien ben ik niet veranderd. Ik zie er nog precies zo uit. Het enige wat wél is veranderd, is dat we elkaar beter hebben leren kennen. En dat je van me bent gaan houden. Dat heb je tenminste steeds gezegd.' Ik voel me gekwetst, maar ik ben vooral boos.

Op dat soort momenten haat hij logisch redeneren. Hij ziet in dat hij het over een andere boeg moet gooien. 'Het zou helpen als je meer leuke dingen zou bedenken die we samen kunnen doen,' zegt hij. Hij staart me aan.

Ik zeg dat ik onze hele vakantie heb gepland. Ik heb de research gedaan. Ik heb de route uitgestippeld. Ik heb de lijst van aparte hotelletjes met een schitterend uitzicht en op bijzondere plaatsen opgesteld. Weer ben ik blij dat ik erop heb gestaan de helft van de reiskosten te betalen, al denkt iedereen dat hij, de multimiljonair, die altijd voor zijn rekening neemt. Terwijl ik erop sta dat we gelijke partners zijn en vaak zelfs meer dan mijn deel betaal.

Ik vind het afschuwelijk van mezelf dat ik me elke keer weer laat kwetsen wanneer Paul zo'n bui heeft. Kan ik grievende woorden nu nog steeds niet kalm van me af laten glijden? Bovendien heb ik nu tenminste iemand uitgekozen die alleen woorden gebruikt in plaats van woorden en vuisten. Zo probeer ik mezelf te sussen. Ook al is dit heel erg, het is niets vergeleken met de laatste uitbarsting van mijn vader. Dat was dertien jaar geleden, maar ik kan het me nog precies herinneren. Wat ik nog steeds doe, is toch elke keer weer opstaan, weigeren om na een volgende klap gewoon te blijven liggen.

En net als mijn vader slooft Paul zich de volgende morgen uit door me te verzekeren dat hij heel veel van me houdt. Na zijn was-je-maar litanie, die de hele middag duurt, benadrukt hij hoeveel hij van me houdt. 'Meer dan van al mijn vorige vriendinnen,' voegt hij eraan toe. En dan zegt hij tot mijn stomme verbazing dat hij graag een gezin wil stichten.

Het eerste wat er dan bij me opkomt, is dat ik moet ontsnappen. Dat ik de auto aan de kant van de weg stil moet zetten, mijn reistas moet pakken en moet liften naar het dichtstbijzijnde station. Dat denk ik. Maar ik haal diep adem en stel de vraag die ik – en hij – niet langer kan negeren.

'Denk je dat je misschien een slachtoffer van incest bent, Paul?' Onze therapeuten hebben geopperd dat dit misschien een verklaring is voor zijn gedrag in intieme relaties. Paul heeft het steeds ontkend, maar hoe langer ik bij hem ben, hoe sterker ik vermoed dat het waar is. Als ik alleen al aan de mogelijkheid denk, word ik misselijk en heb ik nog meer medelijden met Paul. Soms kan ik bijna niet boos op hem zijn.

Paul geeft geen antwoord, hij kijkt me alleen aan. Als ogen het venster van de ziel zijn, zitten bij hem de luiken dicht. Als Paul kwaad is, dwingen zijn ogen me tot zwijgen. Als ik lang genoeg terugkijk, wat ik op dat moment, al zit ik achter het stuur, zou willen doen, dan wendt hij nog kwader zijn blik af.

'Zeg alsjeblieft iets,' zeg ik zo kalm mogelijk. Ik wacht. 'Paul,' vervolg ik, 'ik denk dat dat heel goed mogelijk is. Alles wijst erop.' Nu ga ik door. 'Ik denk er niet over een kind met je te krijgen als je niet eerst uitzoekt waarom je je zo boos en wreed gedraagt jegens iemand van wie je beweert te houden. Dat zal ik een kind nooit aandoen.'

'Zal ik je eens vertellen waarom ik zo boos ben?' zegt hij strak en beheerst. 'Omdat je wilt dat ík het probleem ben. Je wilt geloven dat ík geestelijk gestoord ben, en daarom walg ik soms van je. Je wilt niet geloven dat jij misschien het probleem kunt zijn.'

'Je weet best dat dat niet waar is,' zeg ik en ik probeer nog steeds kalm te blijven. 'Ik heb ook allerlei problemen, maar ik geef het tenminste toe en ik probeer er iets aan te doen. Ik ontken niet waar ik vandaan kom.'

Nu is het mijn beurt om te zwijgen. Ik sta op ontploffen. Mijn lichaam lijkt te klein om zowel woede als medelijden te bevatten, zelfs de auto lijkt elk moment uit elkaar te kunnen spatten. In onze therapiesessies ben ik altijd de eerste, en meestal de enige, die bereid is om mijn tekortkomingen toe te geven en mijn verantwoordelijkheid voor onze problemen te erkennen. Paul zit er zwijgend bij en doet alleen zijn mond open wanneer de therapeut zich rechtstreeks tot hém richt. Inmiddels geloven ze niet meer dat zijn problemen uitsluitend te wijten zijn aan de moord, maar hebben ze hem duidelijk gemaakt dat hij daarvoor ook al problemen had.

'Er is iets aan de hand wat ik niet begrijp,' zeg ik en ik doe mijn best om mijn stem niet te verheffen, ook al tril ik van woede en angst. 'En als dát het niet is, wat is het dan wel?' Ik werp een blik op zijn gezicht, maar hij kijkt uit het raampje.

'Ik heb het al onderzocht,' antwoordt hij, 'en dat is het niet.'

Hij zegt het zo nonchalant dat ik hem niet geloof. 'Hoe en wat heb je dan onderzocht?'

'Dat gaat je niets aan,' zegt hij.

'Wel als je een kind met me wilt hebben,' zeg ik en ik wacht.

Een paar minuten later zegt hij zo zacht dat ik me moet inspannen om hem te kunnen horen: 'Ik heb een herinnering, meer niet. Laat het met rust.'

Ik sla een zijweg in. 'Een herinnering waaraan?' vraag ik.

'Hou op,' zegt hij.

'Een herinnering waaraan?' herhaal ik.

Hij richt zijn woorden naar buiten en vertelt me dat hij zich herinnert dat er toen hij nog een kind was iets in zijn mond werd gepropt. 'Ik had het gevoel dat ik stikte. Ik moest ervan kokhalzen. Ik was nog klein en ik kon me er niet tegen verzetten.' Hij klinkt dof, maar zijn woede prikt er scherp doorheen en is op mij gericht.

Ik walg ervan. 'Mijn god, Paul, wat verschrikkelijk. Ik vind het heel erg voor je.'

'Dat hoeft niet. Er is niets gebeurd,' zegt hij bijna fluisterend.

We zwijgen allebei een poosje. Ik wil zijn hand pakken, maar ik durf het niet. Wanneer ik hem zachtjes aanraak, vooral zijn nek of zijn gezicht, deinst hij vaak achteruit, alsof hij verwacht dat er iets akeligs zal gebeuren.

Als je bij het pellen van een sinaasappel het vlies intact wilt laten, moet je een lepeltje vlak onder de oranje bovenlaag drukken. Waar het staal de vrucht raakt, verschijnt een zilverkleurig schaduwrandje. Zo weet de vrucht dat hij weldra wordt verorberd. En zo gaat het met Paul wanneer ik hem teder aanraak. In het begin gebeurde dat niet, dus houd ik mezelf niet altijd in bedwang. Zelfs wanneer we vrijen, houdt hij niet van tederheid. Het lijkt alsof hij daar geen vertrouwen in heeft en alsof hij pas kan genieten als het genot dicht bij pijn komt.

Dus daar in die stilstaande auto weet ik dat ik hem niet moet aanraken. Ik probeer mijn liefde in mijn woorden te leggen. 'Dat klinkt als wat ik bedoelde, Paul,' zeg ik ten slotte.

'Er is níéts gebeurd,' herhaalt hij, terwijl hij nog steeds strak voor zich uit kijkt. 'Het is alleen maar een gevoel, er steekt niets achter.' Hij is rood van woede.

'Zul je het nog een keer onderzoeken?' vraag ik. 'Want ik kan me niet voorstellen dat er niets is gebeurd.'

'Nee!' antwoordt hij nadrukkelijk, alsof ik een hardleerse student ben. Hij kijkt me nog steeds niet aan. 'Er is níéts gebeurd. Helemaal niets.'

Als er niets is gebeurd, hoef je dat niet zo nadrukkelijk te verzwijgen, denk ik. Opnieuw is Pauls verleden ondoordringbaar.

Nadat we die middag in het hotel zijn aangekomen dat ik voor de volgende paar dagen heb uitgekozen, loop ik naar de rand van het meer. Ik ga met mijn rug tegen een rotsblok zo hoog als een stoel zitten en probeer te lezen, maar ik kan me niet concentreren. Ik laat het boek tussen mijn knieën hangen en staar naar het meer. Boven mijn hoofd rollen dikke grijze wolkenlagen over elkaar heen, als een lijkwade die de allerdiepste slaap bedekt. Ik hoor alleen mijn ademhaling en de wind die het water beroert.

Ik denk aan Paul, een gewonde jongen die vastzit in het verleden. Eeuwige optimist die ik ben, houd ik mezelf voor dat hij zijn best doet om een man te worden die leert met zijn wonden te leven. Op de oever van dit meer in de Hooglanden beveel ik mezelf lief en aardig te zijn voor de man van wie ik houd.

Zoals gewoonlijk komt hij nog geen uur later naar me toe, gaat naast me zitten en slaat zijn armen om me heen. 'Vergeef het me,' zegt hij, 'alsjeblieft.' Hij drukt zijn gezicht in mijn hals. 'Ik hou van je.' Even later lopen we terug naar het hotel, een groot, laag houten gebouw met warme haardvuren, vrolijk gebloemde leunstoelen en mensen die eruitzien alsof ze alleen onschuldige geheimpjes hebben. Ik vraag me af wat ze van ons denken.

Die avond in bed leest Paul me voor. Het is een ritueel dat hobbelige uren gladstrijkt. Voor ons vertrek dacht ik dat we, bevrijd van uitwendige herinneringen aan de moord op zijn vader, weer de ontspannen, speelse seks van de eerste paar weken zouden hebben, maar Paul wijst al mijn toenaderingspogingen af. Ik kan er niets aan doen dat ik die afwijzing opvat als straf voor mijn aandringen om in therapie te gaan en voor gesprekken zoals vandaag in de auto. Hij wil best praten, mits vooral ik het woord voer en ik het niet over zijn verleden heb. En hij wil wel lichamelijke nabijheid, maar geen seks. Ik lig met mijn rug tegen zijn borst en weet dat hij me niet zal loslaten tot hij in slaap valt.

Lang nadat ik aan zijn ademhaling heb gehoord dat hij slaapt, dommel ik ook in en begin te dromen: we zitten midden op zee, niet ver buiten ons raam, en er steekt een storm op. Hij verdrinkt. Ik ben de reddingsboot.

11

Het lukt me niet altijd mijn paniek te onderdrukken. Een paar avonden later lig ik, in een hotel ver van een veerboot, autoverhuur- of taxibedrijf na het avondeten naast hem in bed, tussen frisse katoenen lakens en onder een dik dekbed. Hoewel de koele, zuivere lucht van de Atlantische Oceaan van vlak buiten ons raam de kamer in komt, heb ik het gevoel dat ik stik. Ik probeer diep adem te halen. Ik heb dit gevoel steeds vaker en overal: op straat, in een restaurant, in bed... Mijn lichaam kan de stress van onze voortdurende botsingen niet meer aan.

Eerder die dag heb ik Paul gevraagd waarom hij niet meer wil vrijen. Hij wil er niet over praten. Tijdens het eten heeft hij nauwelijks iets gezegd. Je kunt best comfortabel samen zwijgen, het kan een vriendelijke stilte zijn, maar dit was een wraakzuchtige stilte. Zijn zwijgende afwijzing treft me als een wapen waartegen ik me niet kan verdedigen.

Ik dwing mezelf adem te halen, al lijkt het alsof er niet genoeg zuurstof in de lucht zit. Als ik mijn ogen dichtdoe en Paul me niet aanraakt, kan ik doen alsof ik alleen ben – veilig, klaar om te gaan slapen. Ik stel me een smetteloos schone kamer voor met alleen mijn eigen gevoelens. Als Paul hoort dat ik lig te hijgen, zegt hij niets, maar trekt me stevig tegen zich aan. De wurggreep leidt niet tot seks. Het is een doel, geen middel.

Als hij dat vanavond ook doet, zal ik stikken, denk ik. Eindelijk besef ik dat het een paniekaanval is. Ik hoor dat hij zich omkeert. Terwijl hij een arm naar me uitsteekt, rol ik uit bed. Ik kleed me aan. Hij zegt niets. Om middernacht verlaat ik de kamer en ga naar de dorpsstraat, die langs de kust loopt. Er brandt één lantaarn en de maan schijnt. Opgefrist door de zeelucht wandel ik langs witgepleisterde huisjes met slapende voorgevels tot mijn ademhaling weer regelmatig en normaal is en ik moe genoeg ben om in slaap te vallen.

Wanneer ik terugkom in onze kamer, hoor ik aan zijn ademhaling dat hij nog wakker is, maar hij zegt niets. In het zwakke licht van de lantaarn buiten ons raam kijken we elkaar aan. Meteen wanneer ik in bed stap, steekt hij een arm naar me uit. 'Vanavond niet,' zeg ik. 'Ik wil met rust worden gelaten.'

'Ik hou van je,' zegt hij. 'Ik hou meer van je dan van wie ook.'

Ik kan het niet opbrengen iets geruststellends terug te zeggen, ook al vind ik mezelf dan een vreselijk mens. Zijn woorden zijn geen balsem op de wond, maar een bankschroef. Zijn golven van genegenheid maken wrakhout van me.

Op de veerboot naar de Orkney-eilanden word ik misselijk en ik vraag me af of het door de woelige zee komt of door Paul. Inmiddels zwaaien we heen en weer tussen manmoedige pogingen tot beleefde gesprekken en lange stiltes, waarin we nauwelijks iets zeggen. De volgende middag rijden we naar Scara Brae, een dorp dat bijna intact is opgegraven en laat zien hoe het leven er daar ruim vijfduizend jaar geleden uitzag. Er staat een koude wind vanuit zee en toenemende mist vervaagt de lijnen van de huizen. De mensen leefden er bijna net zoals wij nu doen, alleen met minder ruimte, minder luxe, minder van alles. Ze stalden broos aardewerk uit in ingebouwde kasten en bedekten hun slaapplaatsen met gras. De haarden, waarin het vuur al duizenden jaren geleden is gedoofd, doen nog steeds denken aan warme lichamen die vlees en vis roosteren.

Ik berg alles wat ik zie op in mijn hoofd: elk pad, elke hut, elk ijzeren werktuig. Ik wil deze plek op aarde nooit vergeten. Ik loop zo langzaam mogelijk, want ik wil me niet haasten.

Paul loopt overal snel langs, werpt hier en daar een blik op het tafereel en wil dan terug naar het parkeerterrein.

'Heb je het koud?' vraag ik.

'Nee.'

Ik kijk hem na en zie zijn rode jack vervagen in de steeds dikker wordende roze mist. Heeft hij de zee wel gezien, en de zo goed als complete huizen, en de prachtige weidse lucht? Hij was degene die dit dorp wilde bekijken en nu wil hij alleen maar weer weg. Hij staat

85

naast de auto als een ongeduldige taxichauffeur die wacht op een trage passagier.

Zelfs de dag ziet er eenzaam uit: de lucht hangt zo laag boven de grond dat ik de hoge golven van de Noordzee bijna niet meer kan onderscheiden. Wel hoor ik het zoute water op het strand slaan en terugkrabbelen. Als ik in dat water val, denk ik, zal ik meedrijven naar de Ierse Zee en daar aanspoelen aan een kust uit een andere tijd. Zo verloren voel ik me.

12

Door de openslaande deuren van Pauls slaapkamer zie ik de bijna kale takken van de eik en vraag me af hoe lang iemand vervuld kan blijven van hoop en liefde, terwijl ze weet hoe dom dat is. Het is zaterdagmiddag en ik ben een paar dagen geleden teruggekomen uit Engeland. Toen Paul vanuit Schotland naar huis vloog, ben ik voor mijn Brontë-research naar Yorkshire gegaan. Nu ik ook weer thuis ben, wil hij de hele tijd bij me zijn, al bestrijdt hij bijna alles wat ik zeg.

Paul heeft zijn ogen dicht, maar de na-de-seks uitdrukking ligt nog op zijn gezicht. Het was al een hele tijd geleden, maar ik ben die uitdrukking niet vergeten: ontspannen, maar afwezig. Hij zegt dat ik niet van onpersoonlijke seks houd en daar heeft hij gelijk in.

'Ik heb het gevoel dat ik voor jou een vervangbaar onderdeel ben,' breng ik uit.

Hij verroert zich niet, maar zijn mond verstrakt. Hij zet zich al schrap, klaar om zich te verdedigen, denk ik. Ik vraag me af in welke vorm hij het zal gieten: zwijgen of zorgvuldig geformuleerde woede.

Met zijn ogen dicht en nauwelijks hoorbaar vraagt hij: 'Wat verwacht je eigenlijk van me?'

Ik ga op de rand van het bed zitten, raap het zwarte dekbed op dat op de grond is gegleden en sla het om me heen.

'Ik zou het prettig vinden als je je ogen opent wanneer ik tegen je praat.' Ik vind het belachelijk dat ik dat tegen een volwassen man moet zeggen. 'Als we met elkaar praten en jij niet eens je ogen opent, voel ik me onzichtbaar.'

Ik wacht. Het lijkt wel alsof ik te doen heb met een driejarig kind. Ik rol met mijn schouders en recht mijn rug, zo geduldig mogelijk. Na een paar minuten zeg ik: 'Zeg alsjeblieft iets.'

'Wat wil je dat ik zeg?' Zijn ogen zijn nog steeds dicht.

'Dat weet ik niet. Ik weet alleen wat ík wil zeggen. Maar ik wil wel dat je iets zegt. En je ogen opent.'

'Jij wilt te veel,' zegt hij. 'Liefde hoort niet zo moeilijk te zijn.'

'Wie zegt dat?' vraag ik. 'Hoe kom je erbij dat liefde gemakkelijk hoort te zijn? Die is alleen gemakkelijk als een van de twee de baas is en de ander gehoorzaamt.'

Hij spant zijn kaakspieren en opent zijn ogen. Ik zie een flikkering die een gedachte verraadt. Heeft er ooit een glimlach in zijn ogen gelegen? Of beperkte die zich tot zijn lippen? Dit zijn Modigliani-ogen: leeg. Hier komt het, denk ik.

'Misschien moeten we gewoon toegeven dat we, als het zo moeilijk is, niet bij elkaar horen,' zegt hij.

Het is bizar dat je van een man kunt houden terwijl je zijn gedachtegang absoluut niet kunt volgen. Liefde is het moeilijkst van al, wil ik schreeuwen. Maar ik zeg: 'Misschien. Maar als ik wegga, is dat niet omdat ik vind dat "moeilijk" betekent dat het niet de bedoeling is. Als ik wegga, is dat omdat ik bij iemand was die zich terugtrekt op het moment dat hij zichzelf zou kunnen toestaan een beetje kwetsbaar te zijn.'

Hij kijkt naar het plafond en zegt: 'Wat bedoel je met als jij weggaat? Jij gaat niet weg. Als er iemand weggaat, ben ík dat.'

Ik laat het tot me doordringen. Nu wil ik dat hij zijn mond houdt, maar hij gaat door. Hij zegt dat het onredelijk is te verwachten dat een relatie in de loop van de tijd steeds hechter wordt en dat je iemand steeds beter leert kennen. Je leert iemand kennen, je valt in een comfortabele routine en dat is het, zegt hij. 'Ik wil geen problemen,' voegt hij eraan toe.

Ik doe mijn best om kalm te blijven. 'Maar liefde is niet alleen maar gemakkelijk en comfortabel,' zeg ik zacht. 'Soms is het zo ongeveer het meest oncomfortabele wat je je kunt voorstellen.'

'Ik hou niet van dingen die niet gemakkelijk zijn,' zegt hij. Hij herhaalt dat hij denkt dat we moeten toegeven dat we niet bij elkaar passen.

'Het leven kan moeilijk zijn en liefde kan moeilijk zijn,' zeg ik. 'Gelukkig zijn is niet iets wat je gewoon overkomt. Het is iets waaraan je moet werken. Iets wat je tot stand brengt. Het is geen prijs voor de juiste keuze.' Nou ja, dat hoort er wel bij, denk ik, maar ik zeg het niet.

Eindelijk kijkt hij me aan, met een koele blik. 'Ik wil geen ruzie,' zegt hij.

'Waarom heb je dan iemand uitgekozen die wil vechten wanneer dat belangrijk is? Het eerste wat je leuk vond aan me, was dat ik bereid ben me hevig te verzetten tegen iets wat ik fout vind. Je vond het leuk dat je met iemand was die denkt dat ze de hele wereld aankan. Nou, wij horen ook bij die wereld. Ik vecht voor óns!'

Hij kijkt me afwerend aan.

'Je vond het prettig dat je iemand had die de gevechten voor haar rekening neemt,' ga ik verder. 'Dan hoef je dat niet zelf te doen. Maar als ik vecht voor mezelf, of voor ons, als het iets met jou te maken heeft, dan verdwijn je.'

Nu wordt hij wakker. 'Je denkt dat je o zo slim bent. Je denkt dat je me kent.'

'Misschien weet ik niet wat jou drijft, maar dat wil niet zeggen dat ik het bij het verkeerde eind heb.'

Nu wend ík mijn ogen af. Na zo veel jaren de woede-uitbarstingen van mijn vader over me heen te hebben gekregen, kan ik voelen wanneer ik mijn hittescherm moet laten zakken. Als ik withete razernij voel aankomen, sluit ik de klep naar mijn hart. Het werkt naar twee kanten: het blokkeert wat naar me toe komt en onderdrukt mijn emoties. Soms helpt dat, soms verstar ik. In elk geval belet ik mezelf hatelijke dingen te schreeuwen die ik niet kan terugnemen. Als je opgroeit zoals ik, met woede die geen spijt tot gevolg heeft, ben je erg bang voor herhaling.

Dus in plaats van te zeggen wat ik zou willen zeggen, pak ik mijn ochtendjas en loop naar de badkamer. Maar zijn stilzwijgen maakt dat ik me omdraai. Al stel ik mezelf teleur, ik ga weer op de rand van het bed zitten.

'Dit willen we toch niet?' zeg ik en ik leun naar hem toe.

Hij kijkt me aan en streelt mijn wang. 'Je maakt je veel te veel zorgen,' zegt hij. Dan wendt hij zijn blik af en voegt eraan toe: 'Ik hou van je, maar het is te moeilijk.' Ik kan hem bijna niet verstaan.

Het ergste van dat 'ik hou van je' is dat het voelt als een kort touw dat vanaf een wegvarend schip naar me toe wordt gegooid. Ik steek mijn hand uit en wrijf door zijn dikke, golvende haar, maar ik kan er niet meer tegen dat hij me opnieuw negeert. 'Kijk me alsjeblieft aan,' probeer ik nog een keer.

Maar zelfs dan doet hij het niet. Hij draait zich naar me toe en duwt zijn hoofd in de opening van mijn ochtendjas. Ik druk zijn hoofd boven mijn borsten tegen me aan en leg mijn wang erop. Hem op die manier vasthouden geeft me een minder eenzaam gevoel dan als ik in zijn ogen kijk.

Wanneer ik even later zijn huis verlaat, neem ik me voor dat het voorgoed is. Ik ga naar huis, huil een poosje en verkleed me om naar de trouwerij van een vriendin te gaan. Ik trek mijn kobaltblauwe jurk aan en doe flink lipstick op. Ik wil er niet even ellendig uitzien als ik me voel. Wanneer ik tussen allerlei vrienden in een beeldentuin in het stadscentrum sta, zowel opgelucht als boos, zie ik een hoopvol jong stel dat de geheimzinnige ruimte betreedt waar twee mensen beloven elkaar trouw te blijven.

De volgende dag tegen het middaguur heb ik al een paar berichten van Paul gekregen, elk volgende bericht dringender dan het voorgaande. Ik ben deels nieuwsgierig, deels gevleid, al ben ik daar niet trots op. Wanneer ik die middag eindelijk de telefoon opneem, vraagt hij of ik een wandeling met hem wil maken.

'Ik wil je niet kwijt,' zegt hij, meteen aan het begin van het pad om het meer. 'Kom bij me wonen.'

Ik begin te protesteren, maar hij legt een hand over mijn mond. Hij zegt dat het gemakkelijker zal zijn als we samenwonen. Hij zegt dat hij van me houdt, meer dan ooit, meer dan van wie ook. Hij trekt me naar zich toe, zodat ik zijn gezicht niet meer kan zien. 'Ga alsjeblieft niet weg,' smeekt hij. 'Je bent mijn enige kans.'

'Waarop?' vraag ik.

'Op niet zo worden als mijn vader,' antwoordt hij.

Die woorden, en zijn smekende blik, gaan rechtstreeks naar mijn hart. Toch vraag ik wat er dan zou veranderen.

'Kun je je voorstellen,' gaat hij verder, 'hoe het is als je vader wordt vermoord en jij en iedereen ontdekken dat hij een geheim leven heeft geleid?' Hij wacht niet op antwoord. 'Het blijft niet zo,' zegt hij geruststellend. Als de rechtszaak eenmaal voorbij is, zal het leven weer normaal worden. 'Veel beter voor mij, en voor ons,' voegt hij eraan toe. 'Dat beloof ik je. Dat moet je geloven.'

Ik heb me losgemaakt om hem te kunnen aankijken. Als zijn gezicht uitdrukkingsloos is, laat hij me koud. Maar als hij zo kijkt als op dat moment, wanhopig, smekend als een kind, kan ik hem niet weerstaan.

Bovendien hebben onze therapeuten precies hetzelfde gezegd, dus moet ik aannemen dat hij gelijk heeft. Maar ik blijf twijfelen, zelfs wanneer hij zegt dat hij heel veel spijt heeft van alle keren dat hij afstandelijk, koud en wreed is geweest. 'De dood van mijn vader,' legt hij uit, 'heeft me beïnvloed op een manier die ik niet prettig vind. Ik ben niet altijd de man die ik wil zijn.' Hij zegt dat hij weet dat hij ook alleen in therapie moet en belooft dat hij dat zal doen. (Hij is wel naar onze gezamenlijke sessies gekomen, maar heeft zijn eigen therapie laten versloffen.)

Tegen de avond laat ik me overtuigen dat ik ja moet zeggen. Behalve de therapie heb ik één voorwaarde: ik sta erop dat ik een deel van de kosten van onze huishouding voor mijn rekening neem. Ik wil niet van zijn geld leven.

Als dat een scène in een film was geweest, had ik hardop gekreund. Waarom heb ik ja gezegd? Mijn verleden belet me logisch na te denken. Ik veeg mijn eigen twijfel van tafel. Een bekend verhaal: steeds wanneer mijn moeder er genoeg van had en mijn vader wegstuurde (nooit ver: naar het boshuis of een hotel), haalde hij haar binnen een paar dagen over hem weer binnen te laten.

Net als mijn moeder en haar moeder blijf ik bij een moeilijke man omdat ik een gewond kind niet in de steek kan laten. En omdat ik diep vanbinnen wil hopen dat hij net als mijn vader wel koppig is, maar geen hopeloos geval.

13

Alsof Paul het afgelopen jaar wil uitwissen, gedraagt hij zich vanaf dat moment lief en aardig, en houdt hij zijn aandacht erbij. Hij maakt een tevreden indruk en zo voel ik me ook. Onze nachten zijn beter dan ooit tevoren.

Om mijn oude leven af te sluiten, zeg ik de huur van mijn appartement op. Ik mag geen vluchtweg openhouden als ik de relatie een eerlijke kans wil geven. Meteen nadat ik bij hem ben ingetrokken, begint Paul over trouwen. Ik moedig hem niet aan. Een huis delen is al onwennig genoeg. Ik heb nooit eerder met een minnaar samengewoond.

En eerlijk gezegd ben ik nooit van plan geweest om te trouwen. Toen ik nog jong was en mijn vriendinnen fantaseerden over een huwelijk, droomde ik van Londen, Parijs en Nairobi. Toen ik zes was, maakte mijn grootvader van moederskant een reis door Europa. Behalve de ansichtkaarten en de cadeautjes – zoals een echt theeserviesje uit Engeland – heb ik de herinneringen daaraan bewaard. Ik heb zijn verhalen zo vaak gehoord dat ik soms denk dat ik er zelf ben geweest. Alsof ik naast hem op de veranda van zijn hotel in Napels heb gezeten, espresso heb gedronken en een *gelato* heb gegeten terwijl hij wachtte op een nieuwe voorraad van zijn geliefde Cubaanse sigaren. Ik zie hem voor me in treinen en vliegtuigen, en terwijl hij door de brede straten loopt van hetzelfde Europa dat hij veertig jaar daarvoor had helpen redden.

Zijn verhalen wijzen me de weg op elk kruispunt van mijn leven: altijd de wereld in. De enige keer dat ik zo half en half met iemand samenwoonde was jaren geleden, toen Jim en ik een schema hadden opgesteld: drie nachten per week bij mij, drie nachten bij hem en, op mijn aandringen, één nacht apart. Hij was de enige met wie ik een huwelijk overwoog.

Misschien is mijn relatie met Paul bedoeld om het verschil te leren tussen adoratie en liefde. Ik ben in de war. Ik weet wat behoefte is, maar liefde is iets anders. Ik weet niet of ik liefde zal herkennen, maar ik wil het proberen. Maar wanneer hij begint over trouwen, wimpel ik hem af. 'Laten we eerst maar eens zien of we kunnen samenwonen,' zeg ik. 'Misschien ben ik daar helemaal niet goed in.'

Bovendien is Paul al tweemaal gescheiden, ontdek ik kort nadat ik bij hem ben ingetrokken. Eindelijk vertelt hij me over zijn eerste huwelijk, toen hij begin twintig was. Zijn huwelijk met zijn tweede ex, die van de ijdeltuitbadkamer, is een paar jaar geleden gestrand, dat had ik van Jen gehoord. Al weet ik er het fijne niet van, ik weet wel dat het minstens voor een deel zijn schuld was. Toch lijkt het erop dat ik met Paul een gelukkig leven tegemoet ga, misschien wel de rest van mijn leven, al dan niet getrouwd.

We maken allerlei plannen. Paul vindt het goed dat we de inrichting van het huis zodanig veranderen dat ik me er thuis zal voelen. Ik koop nieuw beddengoed en vervang de zwarte dekbedhoes voor een van katoen zo blauw als een loch in de Hooglanden. Ik koop een tafel van licht ahornhout om boven aan te werken terwijl de eetkamer wordt ingericht als werkkamer voor mij en bibliotheek. Ik maak langzaam vorderingen in de woonkamer, en ik blijf vragen om meer binnendeuren. Er zijn nauwelijks deuren, alleen deuropeningen tussen de verschillende ruimtes, sommige met deurposten erin. Paul is buitenshuis gesteld op privacy, maar binnenshuis blijkbaar niet.

Het belangrijkste is dat Paul elke week tijd vrijmaakt voor zijn 'twaalf-stappen bijeenkomsten'. Hij zegt er niet veel over, maar blijkbaar zijn ze bedoeld voor kinderen van seksverslaafden. En hij heeft zijn studie weer opgepakt. Hij is weer met zinvolle dingen bezig en heeft weer structuur aangebracht in zijn leven, en dat vind ik een goed teken.

We vinden een absurde hobby: koken. Absurd, omdat we bijna nooit zelf koken. Maar we práten over koken, we dénken over koken en het leukste van al: we wínkelen om te koken. We lopen de ene na de ander keukenwinkel af op zoek naar het mooiste keukengerei. Allemaal voor de show, want we gaan meestal uit eten of halen iets.

Wanneer we zo'n winkel binnenkomen, gaan we ieder een andere kant op. Ik ben gefascineerd door kloppers: bolle, Franse, platte of met een ballonnetje aan het eind. En door alles wat met theezetten te maken heeft: potten, blikjes, zeefjes, mutsen. En kannen. Ik ben gek op kannen. Je kunt er van alles in doen, van ijsthee tot tulpen.

Intussen gaat Paul naar de blenders, rijstkokers en visschalen. Hij is gek op visschalen. We vinden een perfect exemplaar voor zalm met Drambuie, waarvan ik het recept van een restaurant op het eiland Skye heb gekregen.

We zoeken maandenlang naar een foodprocessor, maar kunnen geen keus maken. Dat doet er natuurlijk helemaal niet toe, omdat we hem nauwelijks zullen gebruiken. Wanneer we in een restaurant of café zitten te eten, praten we over de gerechten en vragen ons af of wij dat ook zouden kunnen maken, nou ja, als we ooit zouden koken. Om geloofwaardig te zijn, kook ik een of twee keer per maand.

We nemen onze gezamenlijke hobby heel serieus, maar moeten vaak hard lachen om al dat praten over iets wat we eigenlijk niet doen. We kopen spullen omdat we ze mooi vinden, terwijl we ze zelden of nooit gebruiken.

Eindelijk zal de rechter uitspraak doen. We vliegen naar Albuquerque, waar Jen en Doug ons van het vliegveld halen. We logeren bij hen, in het huis in de stad dat Roger als gastenverblijf gebruikte en aan hen heeft nagelaten.

Op de dag zelf is het zonnig en droog, perfect weer voor het zuidwesten. We zouden ergens op een terrasje moeten lunchen in plaats van in een rechtszaal zitten wachten op de veroordeling van een moordenaar. Wanneer we er aankomen, gaat Doug ons voor naar binnen, maar dan zegt hij tegen Paul: 'Jij eerst.' Paul loopt langs ons heen en gaat zitten. Ik ga naast hem zitten, dan komt Jen en dan Doug aan het eind van de rij. Wanneer ik de verdachte de rechtszaal zie binnenkomen, weet ik waarom Doug zo deed: hij wilde dat Paul zo ver mogelijk bij de man vandaan zou zitten.

Ik pak Pauls hand. Hij is koel en vochtig, wat me doet beseffen dat hij zich dit verschrikkelijk aantrekt, al is dat niet aan zijn gezicht te zien. Ik dwing me zijn hand de hele tijd te blijven vasthouden, als een soort baken voor Paul om te voorkomen dat hij zich door het verloop van het proces laat meesleuren.

Wanneer de rechter vraagt of ze, voordat ze uitspraak doet, rekening moet houden met verzachtende omstandigheden, loopt er een vrouw in een nette jurk en sandalen naar voren en gaat in de getuigenbank staan. De zuster van de verdachte. Terwijl ze een paar vragen beantwoordt, leunt Jen naar me toe en fluistert: 'Ze lijkt me een aardige vrouw. Voor haar moet dit ook vreselijk zijn.'

Ik knik bevestigend. De vrouw voert geloofwaardige argumenten aan en beschrijft de moeilijke jeugd van haar en haar broer. De rechter bedankt haar en wanneer ze terugloopt naar haar plaats, kijkt ze onze kant op en zegt geluidloos: het spijt me, het spijt me heel erg.

Wanneer de rechter het vonnis uitspreekt, benadrukt ze een belangrijke factor: de verdachte toont geen berouw. Hij heeft tijdens het hele proces geen spoor van berouw getoond en doet dat vandaag ook niet. Daar komt het op neer. De rechter wil een moeilijke jeugd, hoe erg dat ook was, niet zwaarder laten wegen dan een afschuwelijke misdaad. Bovendien heeft zijn zuster dezelfde jeugd gehad en is zij een liefhebbende moeder en een respectabel lid van haar gemeenschap.

Hij krijgt de zwaarste straf: de doodstraf. Daar had Rogers familie op gehoopt. Ik ben tegen de doodstraf, maar besef dat ik dat beter voor me kan houden. Later die dag zal Paul een feestje geven op de countryclub waarvan zijn vader lid was, voor iedereen die bij het onderzoek en de rechtszaak betrokken is geweest. Jen en Doug vinden dat een goed idee, maar ik vind het een beetje vreemd en vraag me af wat we eigenlijk te vieren hebben. Ik heb het gevoel dat ik uit de toon val bij de mensen om me heen.

Die middag, in de korte tijd tussen het uitspreken van het vonnis en het feest op de countryclub, zitten we op het terras bij Jen en Doug met z'n vieren bij elkaar. Paul vraagt of ik hem wil helpen bedenken wat hij die avond tegen iedereen zal zeggen. Jen haalt pen en papier, en ik help hem een korte toespraak te schrijven.

Daarna wil ik een douche nemen. Ik wil het vuil van de dag van me afspoelen. Doug en Jen blijven buiten zitten, Paul gaat mee naar binnen. 'Wil je gezelschap hebben?' vraagt hij. We doen het snel. En heel stil. Hij wil iets zeggen. Ik druk mijn hand op zijn mond. Deze keer ben ik degene die niets, maar dan ook niets te zeggen heeft.

Kort nadat we weer thuis zijn, rinkelt laat op een avond mijn telefoon. We hebben een extra lijn laten aanleggen, zodat ik mijn eigen nummer kon meenemen. Ik sta in de badkamer mijn gezicht te wassen. Paul ligt in bed. Hij staat op om de telefoon op te nemen, misschien denkt hij er niet aan dat het de mijne is.

'Wie was dat?' vraag ik wanneer ik uit de badkamer kom. 'Het is al laat.'

'Niemand,' antwoordt hij, terug in bed. Dan rinkelt de telefoon opnieuw.

'Ik neem wel op,' zeg ik, omdat ik mijn eigen belletje herken.

'Hallo...'

Stilte.

'Hallo,' herhaal ik, en dan schiet het me te binnen dat Jim meestal op dit tijdstip belt en dat ik al een hele tijd niets van hem heb gehoord.

Het blijft stil, maar ik weet dat het iemand is.

'Iemand heeft natuurlijk een verkeerd nummer gebeld,' zeg ik en ik leg neer. Maar ik weet zo goed als zeker dat het Jim was. Het zou de eerste keer zijn dat hij belt sinds ik bij Paul ben gaan wonen. Hij weet van Paul, maar niet dat we samenwonen. Ik zeg niets meer en Paul stelt geen vragen, maar terwijl ik naar het bed loop, zie ik aan zijn gezicht dat hij dat graag zou willen doen.

Ik weet niet wat ik ervan moet denken. Ik wil graag met Jim praten, maar ik heb me voorgenomen hem nooit te bellen om mezelf te beletten een volgend huwelijksaanzoek van hem aan te nemen omdat ik me eenzaam voel, of omdat ik mis wat we ooit samen hadden.

14

Een paar avonden later vraagt Paul me, terwijl we in de keuken staan te overleggen wat we zullen eten, hoe laat het is. Hij draagt nooit een horloge, dus ik moet de tijd bijhouden. Ik zeg dat het even over vijven is en dan zegt hij: 'Laten we je zus en haar kinderen bellen, ik wil ze even dag zeggen.' Omstreeks dat tijdstip komt ze thuis nadat ze de kinderen uit de naschoolse opvang heeft gehaald.

Als je kleine kinderen hebt, is de tijd tussen vijf en zes uur 's middags het rampzaligste uur van de dag, zeg ik en ik stel voor dat we later bellen. Maar hij staat erop en ik geef hem zijn zin. Ik ga naar de eetkamer en toets het nummer van mijn zus in. Ze neemt op en ik hoor meteen dat er iets mis is.

'Nee, nu is alles weer in orde,' zegt Liz op mijn vraag of er iets aan de hand is. 'Maar je gelooft niet wat er vanmiddag is gebeurd.' Nadat ze de kinderen had opgehaald, was ze ergens melk gaan kopen. 'Ik had de kinderen in de auto laten zitten, wat ik anders nooit doe,' legt ze verontschuldigend uit, 'maar ze waren in slaap gevallen en ik wilde ze niet wakker maken.' Ze had de auto recht voor de glazen deur van de winkel geparkeerd en hem op slot gedaan, en ze wist dat ze hem vanaf de koelafdeling zou kunnen zien.

Toen ze bij de kassa stond, had de man achter haar in de rij gevraagd: 'Is dat uw auto?' en gewezen naar een man die probeerde haar auto open te breken. Ze had het pak melk laten vallen en was naar buiten gerend, en de man was vlug in zijn eigen auto gestapt, die hij naast de hare had gezet, en was weggereden. De kinderen hadden door alle commotie heen geslapen.

Ze had geschreeuwd dat iemand de politie moest bellen. Toen die kwam, had ze verteld wat er was gebeurd en het nummer van de auto van de man opgegeven. Ze had gevraagd of de agenten zijn vingerafdrukken op haar auto wilden afnemen, maar ze hadden gezegd dat dat niet nodig was. Wel hadden ze op haar aandringen een aanhoudingsbevel doorgegeven. Ze was naar huis gereden en wachtte nu op nieuws van de politie.

'Mag ik aan de andere telefoon meeluisteren?' vraagt Paul. Hij vermoedt dat er iets mis is. Ik vertel hem vlug wat er is gebeurd en hij gaat naar het toestel in de keuken. 'Heb je zijn nummer opgeschreven?' vraagt hij Liz. Ze antwoordt bevestigend en hij zegt dat hij een vriend heeft die op de computer sneller nummerborden kan traceren dan de politie. 'Hij is een van de beste hackers in het hele land,' zegt Paul. 'Vind je het goed dat ik help?'

Liz zegt dat ze bang is dat de politie haar niet serieus neemt en dat ze blij is met zijn aanbod. Paul legt de hoorn neer en ik zie aan het lichtje op mijn toestel dat hij via de andere lijn belt.

Een paar minuten later komt hij weer binnen en neemt de hoorn van me over. 'Ik weet al van wie die auto is,' zegt hij tegen Liz. 'Je zult het niet geloven, maar het is iemand die ik ken.' Hij zegt dat de man Gil Greenwood heet en voor hem heeft gewerkt. 'Tot ik hem ontsloeg,' zegt hij en hij zegt ook dat hij altijd al bang was geweest dat iemand zoiets als dit zou proberen om geld van hem los te krijgen. Hij vermoedt dat Greenwood weet dat Paul een hechte band heeft gekregen met de kinderen van Liz en Andy, en heeft gedacht dat Paul flink zou willen dokken om ze uit de handen van een ontvoerder te bevrijden. Ik schrik me wild.

Mijn zus zegt geruststellend tegen Paul dat hij er niets aan kon doen. Ik ben het met haar eens. Na ons telefoontje zal Liz de politie bellen en de informatie doorgeven. Wanneer ze ons daarna terugbelt, vertelt ze dat de vrouw van Greenwood tegen de politie heeft gezegd dat haar man voor zaken de stad uit is, ze weet niet waarheen. Ze verwacht dat hij die avond thuis zal komen.

De politie vindt Greenwood in een stadje ongeveer tachtig kilometer bij het huis van mijn zus vandaan. Zijn verhaal is een verhaal, in de ware betekenis van het woord, of liever, verschillende verhalen, want de oorspronkelijke versie neemt gedurende de ondervraging steeds andere vormen aan. Eerst zegt hij dat hij nog nooit in de plaats waar mijn zus woont is geweest. Nadat de politie hem heeft verteld dat hij daar is gezien en dat zijn autonummer is genoteerd, zegt hij dat de kinderen zaten te huilen en dat hij wilde kijken of er iets met hen aan de hand was. Maar omdat ze nog sliepen toen Liz terugkwam, is dat ook een leugen. Het is zijn woord tegen dat van mijn zus en de politie laat hem gaan.

Wanneer ik later die avond met mijn zus praat, vertelt ze me dat er voor dat voorval een man had opgebeld naar de school van de kinderen en naar de United Way, waarvan zij bestuurslid is. Hij wilde weten wanneer ze beschikbaar was en Liz had gedacht dat het de vader van een van de leerlingen was, maar nu denkt ze dat het Greenwood moet zijn geweest.

Een paar dagen later belt een vriend van mijn zus, die bij de plaatselijke politie is, haar op en zegt dat hij haar verhaal gelooft, maar dat hun chef en de anderen haar klacht niet serieus nemen. De districtsofficier van justitie weigert de zaak aanhangig te maken.

15

We brengen de kerstvakantie door bij mijn familie. Op tweede kerstdag vraagt mijn vader 's avonds of ik een eindje met hem wil gaan wandelen. Wanneer we door het koude donker lopen, denk ik terug aan alle wandelingen die ik als kind met hem heb gemaakt. Mijn beste herinnering daaraan is mijn hand uitsteken en in zijn grote, wachtende hand leggen. En ik herinner me dat, terwijl ik grote stappen moest nemen om hem bij te houden, onze voetstappen kraakten in de sneeuw, die onder de lantaarnpalen een blauwe gloed had. Ik denk dat hij kleinere stappen nam om ervoor te zorgen dat ik hem kon bijhouden.

Als kind uit een groot gezin waren die wandelingen voor mij een zeldzame geledenheid om mijn vader voor me alleen te hebben. Hij vertelde me over het noorderlicht. We stonden ergens op straat stil en hij wees naar de golvende strepen en zei dat we boften dat we op een plek woonden waar de lucht zoiets moois opvoerde. Ik weet nog hoe veilig ik me voelde wanneer mijn hand in de dikke wollen want werd omklemd door de oude leren handschoen van mijn vader en we naar de gekleurde lichtbanen aan de verre hemel keken.

Later ging alles mis. Toen ik volwassen was geworden, probeerde ik zo veel mogelijk te voorkomen dat ik met hem alleen was om mezelf te behoeden voor zijn alcoholische razernij. Maar nu hij al jaren niet meer heeft gedronken en een ernstig herseninfarct heeft gehad, is hij milder geworden, en voorzichtig proberen we weer tot elkaar te komen. Vrede sluiten komt steeds dichterbij, maar ik ben zijn grievende woede-uitbarstingen nog niet vergeten en ik heb hem die nog niet helemaal vergeven. Maar elke keer dat ik bij hem ben, merk ik dat hij heel erg zijn best doet om weer de lieve vader uit mijn jeugd te worden.

Sinds het herseninfarct loopt hij met een stok en nu moet ik mijn pas inhouden. Ik hoop dat ik het net zo tactvol doe als hij dat vroeger deed. We praten over onbelangrijke dingen tot we weer bijna thuis zijn, en dan zegt hij: 'Ik wil je maar één raad geven: als je met Paul trouwt, weet dan zeker dat je ook met hem zou trouwen als hij geen cent had.'

Mijn vader is een trotse man. Ik ben zijn dochter, en ik heb hem expres nooit om raad gevraagd. Hij moet zichzelf overwonnen hebben om die ongevraagd te geven.

Maar ik voel me beledigd. 'Ik hou van hem ondanks zijn geld.' Wat ik eraan toevoeg, is bedoeld als vraag: 'Je mag hem niet.'

Hij kiest zorgvuldig zijn woorden: 'Hij laat zich niet kennen.' Ik weet dat mijn vader zich blindstaart op Pauls geld en zijn ondoorgrondelijke houding. 'Ik heb nog nooit zo iemand als hij ontmoet. Hij zegt dingen waar ik geen touw aan vast kan knopen.' Dat is geen compliment. Mijn vader laat nooit ronduit blijken of hij iemand mag of niet, die conclusie moet je vooral trekken uit wat hij niet zegt. Aan zijn ontspannen houding in gezelschap van mensen die hij mag en respecteert merk je hoe hij over hen denkt, en bij Paul is hij nooit ontspannen.

Ik ben het niet helemaal met hem oneens, maar ik ben te trots en te koppig om dat toe te geven. Ik heb de goedkeuring van mijn vader niet nodig, maar het gaat mij om iets wat ik belangrijker vind. Ik vertrouw op zijn oordeel, zijn mensenkennis. Hij is kritisch, maar vriendelijk. Anders dan anderen in onze familie, die wat de mensen met wie ze omgaan betreft totaal niet kritisch zijn, of weer anderen, die hun vrienden kiezen om de verkeerde redenen. Dat doet mijn vader niet. Hij heeft ook fouten, vooral wanneer hij dronken is, maar nuchter kan hij mensen naar waarde schatten.

Het gesprek brengt me van mijn stuk, wat natuurlijk zijn bedoeling is. Maar ik houd mezelf voor dat hij Paul nog geen eerlijke kans heeft gegeven.

'Ik kan nog steeds niet geloven dat Jim dood is,' zegt mijn vriend Alex een paar weken later tegen me. We zitten laat te lunchen. Alex, Jim en ik hebben elkaar toen we in de twintig waren en voor hetzelfde advocatenkantoor werkten, leren kennen.

Ik laat het glas dat ik naar mijn mond breng bijna vallen. Ik zet het te hard neer en ijswater spat op mijn hand. Even houd ik mijn ogen gericht op de druppels die op de gestippelde formicatafel glijden en dan kijk ik Alex aan. 'Dood?'

'O mijn god,' zegt hij. 'Je wist het niet. Ik dacht dat je het wist.' Dan vertelt hij me dat Jim in november een hartaanval heeft gehad en daar meteen aan is overleden. Hij was in Parijs. Het was vroeg in de morgen en hij was op zoek naar een winkel die pijnstillers verkocht voor zijn hoofdpijn.

Direct na dat telefoontje, dat was hij, denk ik.

We zitten achter in een wegrestaurant en er is bijna niemand meer. Ik houd mijn handen op schoot om te verbergen dat ik ze samenknijp. Ik heb Alex nooit verteld dat Jim me regelmatig ten huwelijk heeft gevraagd en nu denk ik dat Jim dat ook niet tegen hem heeft gezegd. Alex denkt waarschijnlijk dat Jim en ik gewoon oude vrienden waren, die na een liefdesrelatie op een vriendschappelijke manier uit elkaar waren gegaan. Alex begint herinneringen op te halen aan de tijd dat we nog op hetzelfde kantoor werkten, toen we nog jong waren en dachten dat het leven eindeloos lang zou duren. Ik lach op de juiste momenten en doe mijn best om het onwerkelijke gevoel dat ik heb te onderdrukken. Steeds weer zie ik voor me hoe Jim valt – hij was bijna twee meter lang – en zijn hoofd verwondt op de keien.

Het is een typische januaridag in het Midden-Westen: de zon schijnt fel, maar het is een paar graden onder nul. In dat soort weer neem je binnenshuis afscheid. Terwijl we elkaar omhelzen, zegt hij: 'Ik vind het heel erg dat je het nog niet wist.'

'Dat hindert niet,' zeg ik. 'Ik ben blij dat jij degene bent die het me heeft verteld.'

Ik rijd weg en denk: Jim is dood. Dat geldt ook voor onze belofte om samen te lachen wanneer we oud en eenzaam zijn.

16

In maart komen de kinderen van Liz een lang weekend logeren. We doen zo veel mogelijk met hen – naar de film, een museum, boekwinkels, speelgoedwinkels – en na afloop zijn we uitgeput. Opnieuw is het me opgevallen hoe leuk Paul met kinderen omgaat. Wat er ook op hem aan te merken valt, hij weet hoe hij pret met ze moet maken.

Het was een welkome afleiding, want Paul maakt de laatste tijd een ontevreden indruk. Ik begin in te zien dat hij meer weet van genot dan van vreugde. Het geeft me een ongemakkelijk gevoel, en ik ben totaal niet voorbereid op wat er dan gebeurt.

Een paar avonden later begint hij me plotseling te vertellen wat hij de afgelopen paar maanden allemaal niet met me wilde delen. We zijn net terug van de videotheek, zonder video. We hebben er ruzie gemaakt. Hij wilde *Basic Instinct* huren, maar die film hebben we vorig jaar al in de bioscoop gezien. Eén keer is voor mij genoeg, zei ik, en ik stelde een paar andere titels voor. *Basic Instinct* of geen film, zei hij en hij liep naar buiten.

Het is vrijdagavond en ik heb de hele week hard gewerkt. Ik ben moe en ik wil met rust worden gelaten. Thuis ga ik naar bed met een boek. Een paar minuten later komt Paul ook naar bed. Ik zie dat hij nog steeds boos is.

'Jij denkt dat er iets aan mij mankeert omdat ik die film goed vind,' zegt hij.

'Nee,' antwoord ik, 'ik denk dat er iets aan je mankeert omdat je zo boos wordt als ik geen film wil zien die me een onbehaaglijk gevoel geeft. En ook,' voeg ik eraan toe, 'wanneer ik openhartig met je over onze seksuele relatie wil praten.'

Plompverloren zegt hij: 'Mijn vorige relatie is geëindigd nadat ik voor een fotosessie naar Thailand was gevlogen en daar seks had gehad met een prostituee.'

Een bang voorgevoel kruipt langs mijn rug omhoog. 'Hoe oud was ze?' vraag ik. Ik ga ervan uit dat het een 'zij' was, want nu hij eindelijk zomaar iets over zijn verleden vertelt, wil ik hem niet onderbreken.

Hij zegt dat hij niets onwettigs heeft gedaan.

'Hoe jong?' vraag ik.

Zijn gezicht verstrakt en ik zie dat hij zijn kaakspieren spant. 'Geen kind,' antwoordt hij na een tijdje. 'Meer zeg ik er niet over. Het is te pijnlijk om eraan terug te denken.'

Sinds ik Paul ken, zie ik een schilderij dat bestaat uit stippen. Bij deze onthulling verschijnen er lijnen die de stippen met elkaar verbinden. 'Die bijeenkomsten van je zijn ook voor mensen die zelf een seksverslaving hebben en niet alleen voor kinderen van seksverslaafden, hè?'

'Ik dacht dat je daar allang achter was,' zegt hij.

Dan komt de volgende donderslag. Voordat hij van zijn seksverslaving was genezen, zegt hij, had hij een heleboel vrienden die tot het criminele circuit behoorden. Zijn vader en hij namen voor een van de familiebedrijven zelfs vaak mensen met een strafblad in dienst. Als hij ooit met die therapie voor seksverslaafden zou ophouden, zegt hij, zou hij, dat weet hij zeker, net zo'n leven gaan leiden als zijn vader heeft gedaan, een duister leven vol wreedheid en seksuele perversie.

Ik dacht dat ik opgelucht zou zijn als hij me eindelijk dingen zou vertellen, maar dit vind ik verschrikkelijk. Geef me dan maar een alcoholist, denk ik zelfs. Slissend praten, wallen onder de ogen, trillende handen... Ik kan tenminste zien wanneer iemand nuchter is of niet. Maar wat seksverslaving betreft, ben ik een onbeschreven blad. En dat vind ik niet prettig.

Ik denk na. 'Maar je bént al met die therapie opgehouden,' zeg ik, want dat is zo. Ik weet niet wanneer, ik weet alleen dat hij op die tijdstippen opeens vrij is. Wel had ik een vaag vermoeden dat die therapie ook voor zijn eigen seksverslaving was.

Hij antwoordt zoals elke verslaafde die flirt met genezing en niet wil dat iemand dat ontdekt: 'Bemoei je niet met mijn zaken. Het gaat je niets aan.'

'Het gaat me wél aan als je de draad van je vroegere leven weer op-pakt,' zeg ik. Ik voel de liefde in mijn hart krimpen en plaatsmaken voor angst. Al die nieuwe informatie en zijn woede verlammen me.

'Als je me niet met rust laat, zul je er spijt van krijgen,' zegt hij en hij kijkt me met kille ogen aan. Ze doen me denken mijn ontmoe-ting met zijn vader.

Lang geleden heb ik besloten dat ik mijn leven nooit met een ac-tieve verslaafde zal delen. Ik ben niet bang voor de verslaving zelf, maar voor het ontbreken van helder besef. Ik geloof dat een mens in staat is te genezen. Ik heb meer dan genoeg dronken buien en mis-bruik meegemaakt, maar ook gezien dat mensen daarvan kunnen genezen.

De enige manier waarop ik hiermee kan omgaan, is onderzoek doen. De volgende paar weken lees ik alles wat ik over seksversla-ving kan vinden. Ik praat met mijn therapeut. (Paul bezoekt geen enkele therapeut meer.) Ik kom er algauw achter dat het percentage seksverslaafden die in hun oude gewoonte terugvallen hoger is dan dat van de meeste verslaafden aan chemische stoffen. Eerlijk gezegd heb ik geen idee hoe ik zal kunnen merken dat míjn seksverslaafde zich opnieuw te buiten gaat, maar ik houd mezelf voor dat ik elke verslaving aankan. Ik hoop gewoon dat ik zal weten wanneer hij 'nuchter' is.

Het duurt niet lang voordat ik erachter ben dat Paul en ik het huis de-len met de geesten van zijn ouders. Zijn vader is inmiddels ruim an-derhalf jaar geleden overleden, dus vind ik dat ik mag zeggen dat ik het niet prettig vind dat zijn portret nog in onze slaapkamer hangt.

'Het heeft iets onnatuurlijks,' zeg ik op een dag.

Paul lacht. 'Als je je al ergert aan dat schilderij, zou je de beeltenis die hij van mij in zijn huis had nog veel erger vinden.'

Ik kan mijn nieuwsgierigheid niet onderdrukken: 'Hoe zag die er dan uit?'

Hij beschrijft een bronzen beeld, naakt en bijna levensgroot, dat zijn vader van hem had laten maken.

'Het heeft allemaal iets erg onnatuurlijks,' herhaal ik.

'Door een bekende beeldhouwer.'

'Ik heb het niet over kunst, maar over het leven.'

Hij weigert het schilderij weg te halen. Toch geef ik het niet op. Ik vraag of we niet kunnen verhuizen, zodat we niet langer de schaduw van zijn ouders over ons heen zullen hebben.

De enige plek waar hij naartoe wil, is een appartementencomplex vlak buiten het centrum. Ik herken de naam. De vriendin die hij vóór mij had, woont er. Hij heeft me haar huis een keer aangewezen. Ik zeg dat dat wreed zou zijn, voor ons alle drie, voeg ik eraan toe.

Nou ja, dan houdt het op, zegt hij.

Kunnen we niet gaan kijken naar een huis aan het meer, ook vlak buiten het centrum, vraag ik.

Hij zegt dat hij die buurt haat.

Op een andere avond, wanneer we in bed liggen, zegt hij dat hij als kerstcadeau een kleine vleugel voor me wil kopen. Hij weet dat ik thuis bij mijn ouders graag pianospeel.

'Ik wil niet dat je een piano voor me koopt,' zeg ik.

'Heb je liever een auto?' vraagt hij.

'Hè?' zeg ik, niet-begrijpend.

'Als je geen piano wilt hebben, zal ik dan een auto voor je kopen?'

'Nee, ik wil niet dat je een auto voor me koopt. Ik heb geen nieuwe auto nodig.'

Een mooiere dan die je nu hebt, zegt hij.

Aan mijn Honda Accord mankeert helemaal niets, zeg ik.

Zo gaan we een paar minuten door. 'Hoor eens,' zeg ik ten slotte, 'je hoeft geen dingen voor me te kopen die ik zelf niet kan betalen.'

Maar hij weet niet van ophouden. 'Laat het me weten als je van gedachten bent veranderd.' Hij omhelst me en drukt me even tegen zich aan. 'Ik hou van je, hoor,' zegt hij. 'Ik wil je alles geven wat je maar wilt hebben.'

Voordat ik me losmaak, zeg ik: 'Zo'n soort leven wil ik niet.'

Ik kijk hem aan en hij glimlacht alleen maar, alsof ik een dom kind ben.

Op een andere avond zegt hij, vlak voordat we in slaap vallen: 'Waarom stop je niet met werken en ga je niet verder studeren? Ik zal het wel betalen.'

'Ik heb mijn master en ik wil niet promoveren,' antwoord ik.

Hij blijft aandringen en ik vraag waarom hij dat zo belangrijk vindt. Als ik niet hoef te werken, kunnen we meer tijd samen doorbrengen, zegt hij. Maar dat zou me te benauwd worden, en ik kan me een leven zonder mijn werk niet voorstellen.

Een week later komt het blijkbaar bij hem op dat hij op een wat bescheidener niveau moet beginnen. 'Ik wil graag een mobiel voor je kopen,' zegt hij.

Als ik blijf weigeren, wordt hij boos. Ik vraag waarom hij wil dat ik een mobiel heb.

'Zodat ik je altijd kan bereiken,' zegt hij.

Pauls belangstelling voor seks neemt weer af. In bed wil hij me voortdurend vasthouden alsof zijn leven ervan afhangt, maar als ik hem dan wil liefkozen, wordt hij kwaad. Op een avond haalt hij een oude koe uit de sloot. 'Ik wilde dat ik me nog seksueel tot je aangetrokken voelde,' zegt hij zomaar ineens. 'Ik hou van je,' gaat hij door, 'meer dan ik ooit van iemand heb gehouden. Maar ik voel me niet meer tot je aangetrokken.'

Ik voel zijn adem langs mijn nek strijken. Ikzelf krijg bijna geen adem meer, alsof ik zal stikken. Ik zeg niets. Ik heb geen zin meer om hier met logische argumenten op in te gaan.

'Ik hoop dat het op een dag zal veranderen,' vervolgt hij in de stilte die ik laat vallen, 'maar ik weet het niet. Ik weet niet of het ooit nog zal veranderen.'

Ik worstel me los uit zijn greep, stap uit bed en ga met mijn rug tegen het houten platform op de grond zitten. Hoe meer ik over seksverslaving te weten kom, hoe voorspelbaarder dit is. Ik moet het niet persoonlijk opvatten. Dat zegt iedereen, maar het voelt persoonlijk. Ik weet niet wat ik moet doen. We hebben dit al vaker meegemaakt, ik weet niet eens meer hoe vaak. Ik haal diep adem. 'Vind je het niet vreemd, Paul,' begin ik voorzichtig, terwijl ik mijn pijn en verwarring probeer te onderdrukken, 'dat je je, hoe meer je van me zegt te houden, steeds minder seksueel tot me aangetrokken voelt?'

'Ik kan er niets aan doen dat ik me zo voel.'

'Denk je dat het iets met je seksverslaving te maken heeft?' vraag ik. 'Misschien wil je geen seks hebben met vrouwen met wie je een hechte band hebt.' Of met vrouwen die niet van alles van je nodig hebben, denk ik, maar dat zeg ik er niet bij.

Ik vraag hem mee terug te gaan naar de therapeut. Dat doet hij, en daar zingt hij weer hetzelfde refrein: hij heeft nog nooit met iemand zo'n hechte relatie gehad als met mij. Hij houdt van me. Hij wil alleen niet met me vrijen.

Al ben ik uitgeput van dit eeuwige heen en weer kaatsen van de bal, ik wil hem nog wat tijd geven. En ik wil niet erkennen dat ik een fout heb gemaakt toen ik van hem ging houden.

Want tenslotte doet hij in die tijd ook waarop ik heb gewacht: hij verandert zijn dromen in een zinvol leven. Binnenkort zit het eerste deel van zijn studie erop en hij is al op zoek naar een geneeskundige faculteit. Ik help hem, wanneer hij daar om vraagt, met het invullen van formulieren en met problemen met zijn thesis.

Woede jegens zijn ouders kruipt door alle openingen van dit proces, alsof alles waarmee hij moeite heeft, daarop afketst. Als ik erop aandring dat hij erover praat, vertelt hij me een verhaal dat bij mij de vraag oproept wat hij nog meer voor zich houdt.

Op een zomeravond, toen hij nog te jong was om naar school te gaan, kocht zijn vader een roze met witte jurk voor hem en liet hem daar in het bijzijn van de buren in rondlopen. Hij weet nog dat het een warme, benauwde avond was en dat de jurk ruw aanvoelde op zijn huid. Hij weet ook nog dat zijn vader erom lachte.

Ik vraag me af wat zijn moeder ervan vond. Lachte zij ook of zat ze er zwijgend bij? Misschien was haar angst voor haar man groter dan haar onwil om haar zoon aan hem op te offeren. Had zij niet moeten ingrijpen?

17

Ik geef nooit de hoop op dat we buitenshuis aan de donkere schaduw van het verleden kunnen ontsnappen. Daarom stel ik vaak een
reisje voor. Paul beschouwt zichzelf als een wereldreiziger, een
avonturier. Zo ziet hij er dan ook uit: kaki broek, wandelschoenen,
verwarde haardos en een bruin gezicht. Hij probeert me nog steeds
over te halen zes weken met hem op safari in Afrika te gaan, maar als
ik mijn ogen sluit en eraan denk dat ik dan al die tijd op een conti-
nent zit waar hij de enige is die ik ken, verkrampen mijn nek- en
schouderspieren. Dus zeg ik nee. Ik leg niet uit waarom niet, ik weiger botweg.

In plaats daarvan gaan we naar Straatsburg om bij een vriendin
van me te logeren. Ze haalt ons van het vliegveld en ziet er in een
witte overhemdblouse en een bruine kokerrok uit als het toonbeeld
van de Franse zakenvrouw. Bij haar thuis nemen we een douche en
doen we een dutje voordat we met haar het traditionele glas champagne drinken. Ze heeft de tafel gedekt in de tuin en we eten gegrilde biefstuk met sla, met als dessert de chocolademousse waar ze in
haar familie- en vriendenkring beroemd om is.

De volgende dagen zie ik Paul veranderen in een afschuwelijke
Amerikaan. Hij bedankt haar nooit, hoewel mijn vriendin op haar
vrije dagen met veel zorg allerlei uitstapjes heeft bedacht en een
lijstje heeft gemaakt van dingen die we kunnen doen wanneer zij
moet werken. Wanneer we op een avond uit eten gaan, moet ik er bij
hem op aandringen dat hij betaalt, terwijl hij het hele restaurant
had kunnen kopen. Ik moet hem er voortdurend aan herinneren
dat hij haar de complimenten geeft die elk verstandig kind zelfs zou
geven, en de dankbaarheid toont die elke fatsoenlijke volwassene
zou voelen. Hij gedraagt zich alsof hij in een hotel logeert en uitste-
kende service verwacht.

Emilie en ik kijken elkaar minstens één keer per dag met opgetrokken wenkbrauwen aan, maar ze heeft te veel tact om me te vertellen hoe ze over Paul denkt en ik schaam me te zeer om het haar te vragen. Bovendien kan ze zien hoe gênant ik het vind.

Paul kijkt meestal verveeld, al doen we nog zo veel. Het komt bij me op dat hij gewoon een bedrieger is. Waarom zou iemand zeggen, vraag ik me af, dat hij dol is op kunst terwijl hij in een museum door de zalen rent zonder ook maar één keer aandachtig naar iets te kijken? Alsof daar alleen dingen staan of hangen die hijzelf ook zou kunnen maken, of laten maken – zoals dat grote abstracte schilderij in onze slaapkamer.

'Neem alle tijd die je nodig hebt,' zegt hij, maar hij laat zijn ongeduld duidelijk merken. Kunst. Het landschap. Mensen. Zijn reactie is altijd hetzelfde. Hij geniet niet van het moment, maar wil meteen door naar wat volgt, met onlesbare dorst. Maar hoeveel geld je ook hebt, het is nooit genoeg om heden én toekomst te vatten in hetzelfde moment. Al wil je dat nog zo graag.

Inmiddels zie ik in dat wanneer we op reis zijn, ik de enige ben die dat bewust ervaart. Maar ik ga veel liever alleen op reis.

Paul en ik rijden door het Franse land. Ten zuiden van Straatsburg volgen we de wijnroute. Na twee nachten in bescheiden hotelletjes logeren we in een duur hotel in Basel, vlak over de Zwitserse grens. Die avond gaat Paul zich tijdens het avondeten in het restaurant onbehoorlijk gedragen wanneer de kelner niet al zijn vragen in het Engels beantwoordt. De kelner legt spijtig uit dat hij geen vloeiend Engels spreekt. 'Als je zo veel voor het eten moet betalen als hier,' zegt Paul kwaad, 'hoort iedereen Engels te spreken.'

Terwijl hij aan het woord is, streel ik het dikke witte linnen tafelkleed en betast het zilveren bestek, dat zwaar en onberispelijk op zijn plaats ligt. Wanneer hij zijn zegje heeft gedaan, glimlach ik verontschuldigend tegen de kelner en zeg tegen Paul: 'We zijn in Zwitserland. Ze spreken hier Frans en Duits. En wanneer Europeanen door Amerika reizen, verwachten ze niet dat de mensen daar hun taal spreken, hoeveel ze ook voor iets moeten betalen.'

Paul gaat ertegenin. Ik negeer hem geërgerd, kijk weer naar de kelner – een man van een jaar of zestig met dunner wordend haar

en een kaarsrechte rug – en zeg in het Frans tegen hem: 'Hij gedraagt zich schandelijk. Ik wil me graag namens hem verontschuldigen.' Het kan me niet schelen of Paul daar iets van begrijpt of niet.
'Ik zou hem eigenlijk moeten verlaten,' voeg ik eraan toe.

Ik heb een andere taal nodig om dat voor het eerst hardop te zeggen.

De volgende avond moeten we kiezen tussen een hotel in een bos en
een hotel in een dorp. Ik kies voor het dorp, waar veel toeristen lopen. We eten in een traditioneel Aziatisch restaurant op de eerste
verdieping. Paul gedraagt zich afstandelijk, hij kijkt naar iedereen,
behalve naar mij. Wanneer ik hem vraag of hij wil praten, zegt hij:
'We hebben niets om over te praten.'

Ik kijk om me heen naar de andere gasten onder het balkenpla-
fond en vraag me af of ik de enige ben die zou willen dat ze met
iemand anders was. Ik probeer de avond te redden door te doen alsof ik alleen ben. Dat is minder pijnlijk dan proberen zijn keiharde
woede te doorbreken. Terwijl ik geniet van de romige, zoete uien-
taart en de droge witte wijn die ik heb besteld, denk ik aan mijn favoriete uur van die dag, toen ik op de Mont Sainte Odile boven de
wolkengrens stond, de zoveelste toerist op zoek naar een heilig moment. Paul zat alweer in de auto, ik kon hem niet zien.

Vanaf die avond probeer ik niet meer met Paul alleen te zijn. Ik
weet eigenlijk niet precies waarom – er is geen reden om bang voor
hem te zijn, dus hoe kom ik daarbij? – maar ik vertrouw op mijn lichaam en dat vertelt me dat het altijd verstandiger is het dorp te ver-
kiezen boven de berg.

Op weg naar huis overnachten we in Londen. Ik blijf er tien dagen,
en ik ben blij dat ik die research in de British Library heb geregeld.
Ik moet een tijdje alleen zijn, ver bij hem vandaan, om na te denken.
De volgende morgen maakt Paul me voordat hij vertrekt vroeg
wakker en gaat op de rand van het bed zitten. 'Blijf je in dit hotel logeren?' vraagt hij.

'Dat weet ik nog niet.'

'Waarom blijf je hier niet,' zegt hij. 'Ik wil weten waar je bent.'

'Ik heb nog niets besloten,' zeg ik.

'Blijf hier,' herhaalt hij nadrukkelijk en hij streelt mijn arm.

'Misschien wil ik liever wat dichter bij de bibliotheek slapen. Daar beslist ik later wel over.' Ik slaap nog half, maar ik ben wakker genoeg om zijn geërgerde blik te zien.

'Bel me dan zodra je het weet. Ik wil weten waar je bent.'

Als ik alleen op reis ga, vraagt hij zelden waar ik zal logeren. Bij dat besef trekt de voor-de-koffie mist abrupt op. Terwijl ik hem nakijk wanneer hij de kamer verlaat, besluit ik naar een ander hotel te gaan.

Wanneer ik een paar uur later op zoek ga naar een ander hotel, merk ik dat ik word gevolgd. In al mijn jaren van alleen reizen is dat nooit eerder gebeurd. De volgende paar uur glip ik herhaaldelijk een winkel in om te proberen mijn achtervolger van me af te schudden, en uiteindelijk denk ik dat het me is gelukt. Ik ga mijn bagage halen en boek een kamer in een hotel op loopafstand van de British Library. Het is te laat om daar nog naartoe te gaan, dus besluit ik naar Silver Moon te wandelen, mijn favoriete boekhandel in Charing Cross Road. Terwijl ik de drukke Oxford Street oversteek, komt me een onbekende man tegemoet die me met zijn donkere ogen strak aankijkt. Vlak voordat we elkaar passeren, stompt hij me met zijn vuist hard in mijn borst.

De volgende avond bel ik Paul en vertel hem wat er is gebeurd. Hij probeert me over te halen naar huis te komen. Ik zeg dat ik eerst mijn research wil afmaken. In plaats van met me mee te leven, wordt hij boos.

Na mijn thuiskomst neemt Pauls getreiter toe. Hij doet het op een rustige, zorgvuldige manier, door middel van vragen die me beschaamd moeten maken en me het zwijgen opleggen. Op een dag zeg ik tegen hem dat ik niet de enige wil zijn die zo haar best doet voor onze relatie. Als hij wil dat ik blijf, moet hij weer met me mee naar de therapeut. (Hij is er opnieuw mee opgehouden.) Ik zie dat als de enige weg uit de doolhof waarin ik ben verdwaald.

'Ik zal het op jouw manier proberen,' zegt hij. 'Ik weet dat jij denkt dat het, als ik niet ga, veel verschil maakt. Maar ik denk dat het nauwelijks verschil maakt.'

Mijn therapeut beveelt een man aan die is gespecialiseerd in seksverslaving. Ik wilde dat Paul het belangrijk genoeg vond om zelf die man te bellen, maar zoals gewoonlijk schuift hij het op de lange baan. Dus weet ik dat als ik wil dat we naar hem toe gaan, ik dat zelf zal moeten regelen.

Nadat we aan de nieuwe therapie zijn begonnen, zegt Paul dat hij nog nooit zo graag heeft gewild dat een relatie slaagt als deze keer met mij. 'Ik heb nog nooit zo veel van iemand gehouden,' zegt hij tegen de therapeut.

'Ga alsjeblieft niet weg,' smeekt hij wanneer we alleen zijn. 'Ik heb je nodig.' Het klinkt alsof hij het meent. En ik ben zo dom om te denken dat nodig hebben hetzelfde is als liefhebben.

18

Onze therapiesessies hebben thuis nauwelijks veranderingen tot gevolg. Paul is bijna altijd in een kritische bui. Op een middag, vlak voordat we naar een bijeenkomst gaan om geld in te zamelen voor de politieke partij van mijn vriend Alex, kijkt Paul naar mij en zegt: 'Trek je dát aan?' Zijn nieuwe aanvalstactiek. Ik kijk naar mijn broekpak en dan naar zijn coltrui en oude kaki broek. Geen spoor meer van de mooie wollen broeken en jasjes, of de complimenten – of van de man die moeite deed.

Wanneer ik tegenwoordig lipstick opdoe, zegt hij dat hij vindt dat een opgemaakte vrouw eruitziet als een hoer.

'Bedoel je dat ik eruitzie als een hoer?' vraag ik.

'Dat zei ik niet,' antwoordt hij. Geen enkel argument kan zijn wrede conclusies aan het wankelen brengen. Ik draag zelden iets chics, maar wanneer ik er ook maar iets formeler uitzie dan hij, vraagt hij op wie ik indruk wil maken. Ik weet best dat ik me daar niets van moet aantrekken, maar toch voel ik me gekwetst.

Wanneer ik hem op de bijeenkomst aan Alex voorstel, zegt Alex bij het handen schudden: 'Je boft met zo'n vrouw als zij.'

'Ach, het is in elk geval interessant,' zegt Paul.

Als hij me zou slaan, zou ik weten wat me te doen stond. Daar heb ik een strenge regel voor. Maar aan wrede woorden ben ik gewend, daar heb ik een hoge tolerantie voor. Mijn familieleden schuiven de verantwoordelijkheid voor wrede woorden van zich af door het slachtoffer ervan te beschuldigen dat ze te gevoelig is – of door te ontkennen dat ze een grievende opmerking hebben gemaakt. Toch neem ik me deze keer voor er iets van te zeggen. De volgende dag zeg ik tegen Paul dat ik niet meer met hem mee wil als hij me zo behandelt. Zijn reactie verbaast me.

'Dat vind ik jammer,' zegt hij.

Ik vraag of hij weet waarom hij me steeds bekritiseert. Hij antwoordt met een vraag: 'Waarom wil jij een relatie met me hebben terwijl je meestal zo ontevreden bent?' Dit is het rationeelste moment van het volgende uur. Ik weet niet wie van ons tweeën het kwaadst is. Ik ga naar bed en val in slaap. Ik word doodmoe van Paul. Halverwege de avond komt Paul binnen en kust me in mijn nek.

In de nacht maakt hij me wakker uit een diepe slaap. Ik voel dat hij seksueel opgewonden is en draai me naar hem toe. Het is de meest bevredigende seks sinds onze eerste keer.

De volgende morgen bij zijn gebruikelijke pythonomhelzing zegt hij: 'Dat was fijn. Vond jij dat ook?'

'Ja,' zeg ik. Ik vraag niet wie hij dacht dat ik was, en ik weet dat het voor mij alleen maar zo fijn was omdat ik niet klaarwakker was en aan Jim dacht. Maar ik zeg het niet, al weet ik niet of Paul het verdient dat ik hem ontzie.

Paul geeft een feestje voor een vriendin die een vaste aanstelling aan de universiteit heeft gekregen. Het is iemand die ik volgens Paul sympathiek zal vinden – jullie zijn allebei overtuigd feministe, zei hij – maar ze maakt me nerveus. Als Paul in de buurt is, gedraagt ze zich alsof ze zijn ex is en ik hem van haar heb afgepakt. Zoals gewoonlijk hoeven we het feest niet zelf voor te bereiden. Het huis wordt eens per week schoongemaakt en het eten komt van de caterar. Na het feestje weet ik dat Paul een lange lijst vrouwen financieel onderhoudt. Sommige stuurt hij elke maand een cheque, sommige heeft hij eenmalig een som geld gegeven voor bijvoorbeeld een huis of een opleiding, sommige geeft hij aan de lopende band dure cadeaus en weer andere geeft hij zo nu en dan geld.

Wanneer we alleen zijn, vraag ik hem ernaar.

'Ik heb veel geld en de meeste mensen hebben niet genoeg,' antwoordt hij.

'Jawel, maar komt het nooit bij je op dat dat een ontspannen vriendschap onmogelijk maakt?'

'Hoe bedoel je?'

'Ik bedoel dat als iemand financieel afhankelijk van je is, dat niet wil zeggen dat die persoon altijd even eerlijk tegen je is. Hij of zij doet en zegt wat je wilt horen, zodat de geldkraan niet wordt dicht-gedraaid. Je wordt gebruikt.'

'Dat is een afschuwelijke manier om ernaar te kijken.'

'Een realistische manier. Ik heb sommige van je vriendinnen wel eens nadrukkelijk in jouw bijzijn horen zeggen dat ze iets dolgraag willen hebben, maar het niet kunnen betalen. Ik heb gezien dat je dat soms later voor ze koopt. Ik heb het alleen niet eerder met elkaar in verband gebracht.'

Ik noem de naam van een van zijn vriendinnen. 'Ik weet dat je haar onderhoudt, Paul. Dat heeft je tante me verteld. En ik hoor hoe je nu over haar praat, dat ze niet weg wilde toen je haar vertelde dat jullie relatie voorbij was. Je klinkt alsof je haar een zielig geval vindt.'

'Wat droevig als je zo cynisch bent,' zegt hij en hij loopt de kamer uit.

Hij gaat naar boven en ik breng het vuile serviesgoed naar de keuken. Laat de werkster dat toch opruimen, heeft hij gezegd, maar ik kan niet een paar dagen tegen die rommel aan kijken. Wanneer ik de borden in de vaatwasser zet, hoor ik boven gebons. Ik roep naar boven om te vragen of er iets is. Hij antwoordt niet en het gebons gaat door. Ik ga naar de slaapkamer om te kijken wat hij aan het doen is en zie dat hij naast mijn kant van het bed vlak voor de muur staat. Hij leunt er met zijn voorhoofd tegenaan en zijn rechtervuist gaat ritmisch op en neer.

'Wat is er?' vraag ik vanaf een van de bovenste treden van de trap.

'Ik doe dit om mezelf te beletten dat ik iets doe waarvan ik later spijt heb,' zegt hij, zonder naar me te kijken.

'Maar wat is er dan?' vraag ik nog een keer. Ik heb het gevoel dat ik naar een vreemde kijk die zichzelf pijn wil doen. Of iemand anders, denk ik erachteraan. Het lijkt alsof alles in mijn lichaam tot stilstand is gekomen, behalve mijn hart, dat bonkt als een gek, alsof het er werk bij heeft gekregen. Ik voel me zwaar, vol nieuw inzicht. Vergeet niet dat je weet wat dit is, houd ik mezelf voor.

'Ik kan er niet tegen,' zegt hij.

'Waar kun je niet tegen?' vraag ik niet-begrijpend.

'De manier waarop jij tegen de dingen aan kijkt,' antwoordt hij. 'Dat haat ik.'

Plotseling komt de hele kamer me onbekend voor, alsof ik de verkeerde deur heb genomen. Ik ga naar mijn badkamer, was mijn gezicht en trek mijn pyjama aan. Ik neem schone kleren mee naar beneden, om daar in de logeerkamer te gaan slapen.

19

In Londen, waar we Pauls voorjaarsvakantie doorbrengen, komt hij opnieuw met een onaangename verrassing. We hebben geen leuke middag gehad, want hij heeft voortdurend aanmerkingen gemaakt op de kleren en make-up van vrouwen die ons voorbij lopen. Ik ben zo dom geweest er steeds tegenin te gaan, alsof dat zin heeft. Ten slotte ga ik in mijn eentje iets doen. Wanneer we die avond naar bed gaan, zegt hij, alsof we een eerder begonnen gesprek voortzetten: 'Ik hou op met het slikken van mijn antidepressivum.'

Ik wist niet eens dat hij zoiets slikte en kan bijna niet geloven dat hij zoiets belangrijks voor me heeft verzwegen. 'Waarom heb je me nooit verteld dat je dat slikt?' vraag ik.

'Het heeft niets met jou te maken,' zegt hij.

Ik begrijp niets van zijn manier van denken. 'Natuurlijk wel, Paul.'

'Nee. Ik slik al minder, maar nu hou ik ermee op.'

'Heb je daar met degene die je dat middel heeft voorgeschreven over gepraat?' vraag ik, in een poging tot logisch overleg.

'Dat zal ik nog wel een keer doen, maar ik vind het niet prettig dat ze mijn seksleven beïnvloeden.'

Dat is wel het laatste waar je je zorgen over moet maken, denk ik meteen, maar ik streel zwijgend zijn arm. Om hem en ook mezelf te troosten. Daarom doe ik het, maar hij begrijpt het verkeerd.

'Ga je gang,' zegt hij op koele, vlakke toon. 'Doe waar je zin in hebt. Ik zal kijken, als je wilt.'

Dat is het moment waarop mijn leven in tweeën breekt. Wat ik hierna doe, moet het begin van iets anders zijn. Alsof mijn lichaam instinctief zuinig wordt op mijn energie, zakt mijn temperatuur. Ik heb het kouder dan ooit, zelfs kouder dan op de avond die ik tot nu toe als de ergste van mijn leven heb beschouwd: toen mijn vader stomdronken was en me sloeg. Ik stap uit bed, loop naar de badkamer en ga op de rand van de witte badkuip met klauwpoten zitten. Ik kan niet eens meer huilen. Mijn hart heeft Paul eindelijk buitengesloten.

Ik ben een van die vrouwen geworden die mensen op televisie zien en niet kunnen geloven. Ons verleden bereidt ons op onze situatie voor en zorgt ervoor dat we die handhaven. Toen we opgroeiden, leerden we onszelf ervan te overtuigen dat het gevaar waarin we ons bevinden niet bestaat. Maar diep vanbinnen weten we dat het wel degelijk bestaat. Wat we niet weten, is dat we onze monsters elke keer als we hun toestemming geven nog gevaarlijker maken.

Ik ga terug naar de slaapkamer, pak mijn koffer en bel de receptie, maar ze hebben geen andere kamer meer vrij. Gelukkig staat er een extra bed in onze kamer, dus neem ik dat. Wanneer hij 's nachts een paar keer mijn naam roept, hoor ik zijn stem alsof die niets met mij te maken heeft. Eindelijk ben ik sterk genoeg om zijn wreedheid met mijn eigen stilzwijgen te beantwoorden. Bovendien heb ik maar één ding te zeggen: ik ben er klaar mee. Hoe langer ik bij Paul ben, hoe smeriger ik me voel. Als ik hem niet gauw verlaat, ben ik misschien niet meer in staat om de draad van mijn eigen leven weer op te pakken.

Maar ik wil hem nog niet vertellen dat ik wegga. Ik weet niet wat hij dan zal doen.

Het lijkt wel alsof hij het al weet. 'Vind je het vervelend dat ik hier een revolver heb?' vraagt hij een paar dagen na onze thuiskomst wanneer we in bed liggen.

Ik ben in dat voorstadium van de slaap waarin nog iets moeten zeggen verschrikkelijk veel moeite kost, maar opeens ben ik weer klaarwakker – en bang. Ik dwing mezelf kalm, alsof ik wil weten hoe laat het is, te vragen: 'Wat voor soort revolver?'

'Een pistool,' zegt hij.

'Waar ligt dat dan?'

'In mijn kleerkast.'

'Hier in de slaapkamer?'

Ja, zegt hij.

'Waar liggen de kogels?' vraag ik.

Beneden, antwoordt hij.

Oké, dan hoef ik niet bang te zijn, denk ik. Het pistool ligt boven, de kogels liggen beneden. Dan zeg ik: 'Ja, dat vind ik vervelend. Ik wil geen pistool in huis hebben. Waarom heb je er een?'

'Dat vind ik prettig. Dan voel ik me veiliger.'

'O, nou, ik wilde dat je er geen had.' Dan noem ik alle redenen waarom het helemaal niet veiliger is. 'Ik heb liever dat je het weg-doet,' zeg ik.

'Nee, ik hou het,' zegt hij, op een toon die duidelijk maakt dat hij er niet over piekert me mijn zin te geven.

Een paar dagen later zeg ik tegen Paul dat ik, als ik met een pistool in huis moet leren leven, wil leren ermee te schieten. 'Wil jij me mee-nemen naar een schietbaan of moet ik iemand anders zoeken?' vraag ik.

Hij reageert verheugd. Op zaterdagmiddag rijden we naar een schietbaan in een buitenwijk een paar kilometer bij ons vandaan. Vanbuiten ziet het pand er net zo uit als de andere winkels langs de straat – videozaak, pizzeria, drankwinkel – binnen zie je het ver-schil. Ik denk dat wij de enigen zonder tatoeages zijn.

Voordat ik het pistool laad, houd ik het vast om aan het gewicht te wennen. We blijven er een paar uur en schieten om de beurt. Het verbaast Paul dat ik het zo goed kan.

'Ik heb op mijn dertiende met schietwapens leren omgaan,' zeg ik. Mijn vader en mijn broers jagen, en ik wilde niet bang zijn voor hun geweren. Ik ben niet bang voor de schietwapens zelf, maar wel voor mensen die niet zonder kunnen.

Na afloop huren we een paar video's en kopen bij de pizzeria iets voor het avondeten. Alsof we iets heel gewoons hebben gedaan, bij-voorbeeld naar de film gaan.

Daarna vraagt Paul om de paar dagen, elke keer als we in het don-ker in bed liggen om te gaan slapen, alsof het voor het eerst is: 'Vind je het vervelend dat ik hier thuis een pistool heb?'

Ik geef altijd hetzelfde antwoord. Het is altijd hetzelfde gesprek. Er verandert niets, behalve dat ik me klaarmaak om te vertrekken. Ik ga op zoek naar een appartement.

20

Op een vrijdagmiddag komt het pistool weer ter sprake. Wanneer ik thuiskom van een bespreking heeft Paul gezelschap. In de woonkamer is hij met zijn vriend Brad een potje aan het biljarten. Ik heb Brad al eens eerder ontmoet en ik mag hem niet. Hij is klein van stuk en compact gebouwd; hij ziet eruit alsof hij in het leger is geweest. Hij heeft waakzame, onvriendelijke ogen. Brad is de man die door Paul is gebeld toen Greenwood had geprobeerd de kinderen van mijn zus te ontvoeren. Een van de beste hackers in het hele land – ik hoor het Paul nog zeggen.

Ik neem Paul even apart om hem eraan te herinneren dat ik me moet voorbereiden op een lezing die ik vanavond moet houden op een literaire bijeenkomst. Het huis heeft bijna geen deuren en stemgeluid reikt er ver, en dat geldt ook voor het geklik van biljartballen.

'Hij belde nadat je weg was gegaan,' zegt Paul, 'en toen heb ik hem uitgenodigd voor een spelletje biljarten. Hij wil mijn pistool lenen.'

'Pistool?' herhaal ik.

'Ja, mijn pistool.'

'Waar heeft hij een pistool voor nodig?'

Een klus, zegt Paul.

'Een klus?'

Ja, een klus, zegt Paul.

Ik dwing mezelf niet steeds zijn woorden te herhalen. 'Wat is dat voor klus dat hij er een pistool voor nodig heeft?'

'Hij is in dienst geweest en nu doet hij beveiligingsklussen.'

'Waarom heeft hij zelf geen pistool?'

'Hij heeft er een nodig dat niet kan worden getraceerd.'

'Getraceerd?'

Het wordt me duidelijk dat ik de waarheid niet te horen krijg en ook zonder de details weet ik dat die me absoluut niet zal bevallen. Ik ga naar boven, naar mijn badkamer, die gelukkig wél een deur heeft. Met een slot. Dat ik gebruik. Dan ga ik met mijn rug tegen de deur op de grond zitten, sluit mijn ogen en oefen mijn lezing van die avond.

Een tijdje later hoor ik Paul de slaapkamer binnenkomen en naar zijn kleedkamer gaan. Om het pistool te pakken, vermoed ik. Hij roept me. Ik geef geen antwoord. Hij roept me weer, en weer houd ik mijn mond.

Ik heb genoeg te zeggen, maar niets wat enig verschil zal maken.

Een paar uur later, na mijn lezing, ga ik op zoek naar mijn plaats in de zaal. Wanneer ik naast Paul ga zitten, draait hij zijn hoofd niet naar me toe. 'Ik was nerveus,' fluister ik. 'Daar had ik jammer genoeg last van.'

Zonder de moeite te nemen me aan te kijken, zegt hij: 'Ik heb het je wel eens veel beter horen doen. Veel beter.'

Ga bij hem weg. Nu. Dat gaat er door mijn hoofd. Ik ben geworden wat ik nooit had willen worden: de emotionele bokszak van een ander. Ik moet de innerlijke stem die me vertelt dat weggaan laf is negeren en bedenken hoe ik Paul zal verlaten.

Na afloop van het programma krijg ik van enkele toehoorders een compliment voor mijn lezing. Een gepensioneerde Engelse leraar zegt tegen me: 'Zoals altijd weet jij de dingen op een heel mooie, nieuwe manier te formuleren. Ik kan er altijd op rekenen dat je me van een andere kant naar iets laat kijken.' Ik ben dankbaar voor de lof – en ik vind het zielig van mezelf dat ik er zo'n behoefte aan had.

Ik geloof in een betrokken leven en dat brengt risico's met zich mee: de kans op falen, op fouten, op domme dingen zeggen, op minder doen dan je van plan was. Ik wil niet bij een man blijven die van een afstandje naar anderen kijkt en zich superieur voelt.

Later lig ik op mijn helft van het lits-jumeaux en probeer met de vriendelijke woorden van die avond te doen wat ik de toehoorders heb aangeraden met een kort verhaal te doen: houd het in je hand en koester het alsof het een prachtige zilveren bal is. Ik ben zo in gedachten verdiept dat hij me met zijn praatje-voor-het-slapengaan overvalt: 'Vind je het eng dat ik hier thuis een pistool heb?'

Ik zeg dat ik dacht dat hij het aan Brad had gegeven.

'Dat weet ik, maar dat is maar voor even. Ik wilde je er gewoon aan herinneren.'

Ik zeg niets meer, maar ik ben bang geworden, wat zijn bedoeling was.

En dan komt zijn volgende mantra: 'Ik hou meer van je dan ik ooit van iemand heb gehouden.' Tegenwoordig zegt hij dat alleen in het donker.

Het deel van me dat dit soort liefdesverklaringen koesterde, is gekrompen tot er bijna niets meer van over is. Ik houd van woorden. Ik respecteer ze. Ik vind dat ze iets betekenen en ik meen de woorden die ik uitspreek. Maar ik moet erin oefenen zijn woorden niet meer te horen. Ik moet alleen aandacht besteden aan zijn daden. Dat is mijn uitweg.

21

Ik houd de schertsvertoning dat we een stel zijn nog steeds vol. Ik wil niet dat Paul weet wat ik van plan ben en ik voel me het veiligst als ik net doe alsof er niets is veranderd. Op een zondagmiddag gaan we naar een winkelcentrum om boodschappen te doen. Ik zie hem staren naar jonge meisjes in blote topjes. Hij geeft commentaar op hun schaarse kleding en hun lichaam. 'Vind je meisjes die net borsten krijgen niet mooi?' zegt hij.

Ik walg van hem. 'Besef je wel wat je aan het doen bent?' vraag ik.

'Wat dan?' zegt hij, alsof hij zich in de verste verte niet kan voorstellen wat ik bedoel.

'Het zijn kinderen, Paul,' zeg ik. 'Ik denk dat ze nog geen dertien zijn.'

Maar kijk toch eens hoe hun lichaam zich al begint te vormen, zegt hij. 'Ik vind het een spannend idee dat ze seksueel volwassen aan het worden zijn.'

'Wat een zieke gedachte,' zeg ik en ik loop weg.

Het weekend daarop gaat hij voor een paar dagen naar Chicago. 'Ik moet er even uit,' zegt hij. 'Ik moet een poosje alleen zijn. Ik ben maandagavond weer thuis.' Hij vertrekt op vrijdag in de namiddag. Opgelucht kijk ik hem na. Nu heb ik wat meer tijd om een appartement te zoeken. Tijdens de rit van zeven uur belt hij een paar keer. 'Ik weet nog niet waar ik logeer en ik zal er pas laat aankomen. Ik bel je morgenvroeg om je te laten weten waar ik ben.'

Maar ik hoor pas zondag in de namiddag weer wat van hem, dan belt hij me vanuit de auto. Hij is op weg naar huis.

'Je komt een dag eerder thuis,' zeg ik.

'Ja,' zegt hij. 'Ik heb gehad wat ik nodig had. En ik mis je.'

'Je zei dat je zou bellen,' zeg ik.

Hij zegt dat hij dat is vergeten. 'Blijf maar niet op,' voegt hij eraan toe.

Ik weet zeker dat hij het weekend niet alleen heeft doorgebracht, maar ik ben niet van plan ernaar te vragen. Het doet er niet meer toe. Bovendien zou hij me toch niet de waarheid vertellen. Een paar uur later hoor ik hem thuiskomen en de trap op lopen. Ik doe alsof ik slaap. Ik lig op mijn zij met mijn rug naar hem toe. Hij stapt in bed, gaat tegen me aan liggen en slaat zijn armen om me heen. Heel vast. Ik rol met mijn schouder en schuif bij hem weg, alsof hij me stoort in mijn slaap. Hij schuift achter me aan en slaat opnieuw zijn armen om me heen.

'Laat me met rust,' zeg ik. Ik prop een hoek van het dekbed in mijn mond om niet te kokhalzen. Wanneer aan de behoefte van zijn verslaving is voldaan (dat weet ik, zoals je diep vanbinnen de waarheid niet kunt ontkennen) heeft hij mij nodig om hem weer het gevoel te geven dat hij een fatsoenlijk mens is. Ik werk er niet meer aan mee.

'Wat is er?' Hij klinkt eerder schuldig dan niet-begrijpend.

'Laat me nou maar gewoon met rust,' herhaal ik.

Er is maar één ding om over te praten en dat weiger ik te doen in bed.

Ik kies de eerste voorjaarsachtige avond uit om Paul mijn voorwaarden te noemen, wat volgens mij de gemakkelijkste manier is om hier een eind aan te maken. Ik verwacht dat hij zal weigeren. 'Als ik blijf en je nog een kans geef, moet je de volgende dingen doen,' zeg ik wanneer we in de keuken staan. 'Je doet je best om van je seksverslaving af te komen. Je gaat met me mee terug naar de therapeut en vertelt hem alles. Maar dan ook álles.' Ik bedoel zijn medicatie, zijn uitstapje naar Chicago en die meisjes in het winkelcentrum. Ik zeg dat hij in een neerwaartse spiraal zit en dat ik niet van plan ben met hem mee af te zakken.

Nog dieper dan ik al ben gezakt, denk ik erbij.

Ik sta voor de hordeur naar de patio om me te warmen in de lentezon. Hij leunt voor zijn vakjes tegen het bureau.

'Je overvalt me hiermee,' zegt hij.

Daar moet ik zelfs om lachen. 'Ik denk het niet,' zeg ik en ik voeg eraan toe dat we hier al maandenlang op af hebben gekoerst. 'En ik zoek al sinds onze terugkeer uit Londen naar een appartement.'

'Zonder dat tegen mij te zeggen?' Zijn stem klinkt beheerst, maar kwaad.

'Schei uit,' zeg ik. 'Alsof ík degene ben met geheimen.'

'Het enige wat er mis is tussen ons, is dat ik me niet meer tot je aangetrokken voel. Jij wilt dat dat aan mij ligt. Jij denkt dat er iets mis is met mij.' Hij slaat zijn armen over elkaar.

'Er ís ook iets mis met jou, Paul,' zeg ik. 'Je bent seksverslaafd. Dat heb je me zelf verteld. Je was op weg naar genezing, maar nu niet meer. Dus ga ik weg.' Zodra ik mijn spullen heb ingepakt en een appartement heb gevonden, zeg ik erbij.

Zo snel ging het: ultimatum, reactie, einde. Ik dacht dat het veel langer zou duren en voel me opgelucht.

'Je hoeft niet op stel en sprong weg,' zegt hij. 'Blijf de zomer nog hier.'

'In elk geval bedankt,' zeg ik.

'Als je wilt, zal ík weggaan,' zegt hij. 'Dan kun jij hier de hele zomer nog blijven wonen.'

'Nee.' Ik kom niet eens in de verleiding.

'Maar ik wíl een poosje weg,' dringt hij aan. 'En ik wil dat je net zo lang blijft als nodig is.'

'Doe niet zo mal,' zeg ik. 'Ik ben niet van plan een van die vrouwen te worden over wie je het zo graag hebt.' Ik hoor hem al over me liegen tegen zijn vrienden, ook al probeert hij me zelf over te halen om te blijven, en ik citeer wat ik hem tegen anderen heb horen zeggen: 'Je gelooft nooit hoeveel tijd het me heeft gekost om haar het huis uit te krijgen. Máánden.'

De huid naast mijn rechteroog trilt. De laatste maanden heb ik deze tic wanneer ik met Paul praat. Tik, tak. Tik, tak. Het trilt verschrikkelijk. Ik wil wegrennen, de keuken uit, het huis uit.

'Ik wil hier zo gauw mogelijk weg,' zeg ik.

'Ik ga een eind wandelen,' zegt hij.

Ik raap het restje waardigheid dat ik nog heb bijeen en loop de keuken uit. Zodra ik hem mijn rug heb toegekeerd, begin ik weg te drijven van de ankerplaats waar ik heb geprobeerd me thuis te voelen.

22

Als het mijn huis was, denk ik terwijl ik naar boven loop, zou ik de sloten laten veranderen en daarna het slaapkamerraam openen en al zijn eigendommen in de voortuin gooien. Nou ja, ikzelf zou dat niet doen, maar als ik een filmscenario zou schrijven over een vrouw met minder zelfbeheersing dan ik, zou ik haar dat laten doen. Daar zou ik intens van genieten. Ik vind het al geweldig erover te denken.

Maar het is mijn huis niet, dus in plaats daarvan haal ik al mijn spullen uit onze slaapkamer en breng ze naar de logeerkamer, waar mijn eigen slaapkamermeubels staan. Wanneer ik naar mijn badkamer ga om de dingen te pakken die ik nodig heb, zie ik op de plank die langs een hele muur loopt vergrote foto's van mezelf liggen. Ik kan me niet herinneren dat hij die foto's heeft genomen. Hij moet ze daar hebben neergelegd toen hij, voordat hij ging wandelen, nog even naar boven liep. Ik verscheur ze en laat de snippers liggen op het koele marmer.

De spullen in de slaapkamer inpakken is zo gebeurd. Mijn werkkamer is een ander verhaal. Een nieuwe woon- en werkplek vinden en tegelijkertijd doorgaan met mijn werk zal ook niet meevallen. Voordat ik ga slapen, haal ik lege dozen uit de kelder en zet ze klaar in de bibliotheek, zodat ik meteen de volgende morgen kan beginnen met het inpakken van mijn boeken.

Tegen de tijd dat Paul terugkomt, lig ik in de logeerkamer in bed en de deur is dicht. Ik hoor hem naar boven gaan. Ik vermoed dat hij in de kasten en laden kijkt om te zien of ik het echt heb gedaan. Even later staat hij voor mijn deur.

'Mag ik binnenkomen?'

Op een toon die net zo onvriendelijk is als ik me voel, vraag ik wat hij wil.

'Met je praten.'

'Ik heb niets meer te zeggen.'

Toch komt hij binnen en vraagt waarom ik beneden ben gaan slapen. Ik antwoord dat ik niet meer in zijn slaapkamer wil slapen terwijl hij een vervangster voor me zoekt. Want ik weet dat hij dat gaat doen, als hij er niet al mee begonnen is. Wanneer het tot hem doordringt dat ik echt van plan ben om beneden te blijven slapen, probeert hij me over te halen toch weer mee naar boven te gaan.

'Nee,' zeg ik. 'Laat me met rust.'

'Je had niet het recht die foto's te verscheuren. Dat was gemeen van je.'

'Laten we het niet over gemeen hebben,' zeg ik, 'want dan praten we niet over mij en kom jij er niet best van af.'

Waarschijnlijk kijk ik net zo kwaad als ik me voel, want hij smijt de deur dicht en gaat naar boven.

Wanneer ik de volgende dag mijn ouders bel om te zeggen dat ik bij Paul wegga, heeft mijn vader maar één vraag: 'Ben je veilig?'

'Ja,' antwoord ik. 'Het is een ander soort mishandeling.'

'Weet je wel zeker dat je veilig bent?' gaat hij door. 'Want als je het niet zeker weet, moet je nu weggaan. Meteen. Er is niets wat je niet kunt achterlaten.' Ik ben dankbaar voor zijn verstandige raad, maar de ironie dat ik die krijg van de man die me zelf voor zo'n soort man als Paul heeft klaargestoomd, ontgaat me niet.

Ik voel me vreemd getroost door het feit dat mijn vader vierkant achter mijn beslissing staat. Hij had kunnen zeggen dat hij dit heeft zien aankomen, maar dat doet hij niet. Wanneer hij nuchter is, ziet hij de dingen scherp. Hoewel hij het niet zegt, weet ik dat hij mijn relatie met Paul afkeurde, niet dat ik hem verlaat. Maar ik weet ook dat hij een foute liefde hoger aanslaat dan geen liefde.

Mijn vader is niet de enige die het gevaar waaraan ik gewend ben geraakt beter kan inschatten dan ik. Mijn vriend Phil komt op een dag bij me langs en geeft me een sleutel van zijn huis. 'Als je je onveilig voelt, moet je naar ons toe komen. Overdag of 's nachts, dat maakt niet uit,' zegt hij. 'Je hoeft niet eerst te bellen. Kom meteen.'

23

Ik geef les op het college en ik moet deadlines halen voor cliënten, dus heb ik wat tijd nodig om alles te organiseren en mijn eigendommen in te pakken. Bovendien ben ik voorzitter van het bestuur van een non-profitorganisatie, waarvan een aantal mensen weggaat die ik moet vervangen. Het appartement dat ik heb gevonden, in de wijk vlak bij het centrum die Paul beweert te haten, is pas per 1 september beschikbaar, dus logeer ik zolang bij een vriendin. Maar omdat zij het grootste deel van de zomer doorbrengt in een huis een paar uur rijden de stad uit, zal ik meestal het rijk alleen hebben.

Doordat ik niet rechtstreeks naar mijn nieuwe appartement kan gaan, is het een ingewikkelde verhuizing. Ik ben niet van plan om, nadat ik over een paar weken uit dit huis ben vertrokken, er ooit nog terug te komen, maar vrienden hebben gul aangeboden om op de dag dat de verhuizers de meubels en de zware dozen komen halen, toezicht te houden. Voorlopig neem ik mee wat ik in mijn auto en de pick-up van een vriend kan stouwen.

Bijna elke avond klopt Paul bij zijn thuiskomst op de deur van de logeerkamer en probeert me over te halen weer boven te komen slapen. 'Kom mee naar boven, alsjeblieft,' smeekt hij. Ook al mis ik het lichamelijke contact waaraan je gewend raakt als je elke nacht samen met een ander in bed ligt, ik kom niet in de verleiding. Ik mis de warmte van blote huid tegen mijn rug, maar ik mis hem niet.

Sommige avonden geef ik geen antwoord. Sommige avonden ben ik zwak en laat ik hem even binnenkomen. Dan gebeurt altijd hetzelfde: Paul knielt naast mijn bed, legt zijn hoofd op mijn borst en zegt: 'Ga alsjeblieft mee naar boven.'

Ik geef altijd hetzelfde antwoord. Na een paar minuten zeg ik dat hij me met rust moet laten.

Het verbreken van de gewoonte om iemand lief te hebben, kost tijd. Je moet erin oefenen, zelfs als de redenen om iemand te haten uiteindelijk de redenen waarom je van iemand bent gaan houden volledig verstikken. Ik voel knagende spijt. Zal ik ooit in staat zijn herinneringen te kiezen die ik pijnloos kan koesteren?

Nog steeds probeert hij me, wanneer we elkaar in huis tegenkomen, over te halen de zomer in zijn huis te blijven, maar ik doorzie hem. Hij wil de sympathieke man zijn die me niet zijn huis uit jaagt, en hij wil dat ik ook een van die vrouwen word die geld van hem aannemen en daardoor geen hekel aan hem kunnen hebben zonder ook een hekel aan zichzelf te hebben.

Ik niet, denk ik. Ik niet.

Een paar dagen voor mijn vertrek word ik wakker omdat er iemand in de voortuin staat te graven. Op blote voeten loop ik over de koele witte tegels naar de voordeur en open die. Een vrouw die vermoedelijk in de veertig is, maar die eruitziet alsof de jaren haar gezicht meerdere malen hebben aangedaan, haalt het gras weg aan weerskanten van het pad. Ze draagt een witte short met rafelige randen en een fel turkooisblauw topje, en ze heeft een baseballpet op met haar paardenstaart door de opening getrokken.

'Kan ik iets voor u doen?' vraag ik.

'Ik wil een paar dingen planten,' antwoordt ze. 'Als bedankje voor Paul.' Ze stelt zich voor. Ik herken haar naam. Ze was Pauls vriendin toen hij in de twintig was.

'Weet hij dat je dit doet?' vraag ik.

'Ja hoor,' zegt ze. 'Wil je me helpen?'

'Nee, liever niet.'

Ze vraagt of ik nog steeds van plan ben om weg te gaan.

'Natuurlijk,' zeg ik.

'Jammer,' zegt ze. 'Hij houdt echt van je. En je bent goed voor hem.'

Ik ga er niet op in. 'Waar wil je hem voor bedanken?'

Ze legt uit dat Paul haar opnieuw geld heeft geleend en dat ze daarom iets terug wil doen. 'Hij betaalt de aflossing van mijn hypotheek al,' voegt ze eraan toe. 'Als hij me niet had geholpen, was ik mijn kinderen waarschijnlijk al lang geleden kwijtgeraakt.'

Daar ga ik ook niet op in. 'Een nieuwe lening?' vraag ik.

'Nou ja, je weet wat een lening van Paul betekent,' zegt ze lachend. 'Je hoeft hem nooit terug te betalen.'

Nee, dat weet ik niet, zeg ik.

'O ja, dat is waar ook, jij wilt geen geld van hem aannemen,' zegt ze. Paul heeft me verteld dat ze al jarenlang met tussenpozen drugs gebruikt. Wanneer hij over haar praat, laat hij merken dat hij haar een meelijwekkende vrouw vindt, afhankelijk en eindeloos dankbaar.

Voor Paul is geld het bindmiddel. Als je geld van iemand aanneemt, kun je die persoon niet vergeten. Ik wil Paul zo gauw mogelijk vergeten.

Later die dag vertelt Paul me dat hij een bepaalde vrouw wil ontmoeten. Ze werkt in een vrouwenkliniek in de stad. Hij wil dat ik haar namens hem een flinke donatie geef en dat doe tijdens een lunch met ons drieën. Ik heb hem meteen door.

'Ik ben je pooier niet,' zeg ik.

Hij wordt zo boos dat hij stottert bij zijn protest.

'Bewaar dat maar voor iemand die je nog gelooft,' zeg ik.

24

De dag waarop ik het huis van Paul verlaat, is het buiten warm, maar door de tegelvloeren en de zonneschermen voor de ramen is het binnen te koel. Met sokken en een trui aan loop ik door de kamers. Ondanks mijn inspanningen om er een thuis van te maken, is het altijd alleen een huis gebleven – zijn huis, met donkere hoeken en niet genoeg deuren.

Ik breng dozen en tassen met kleren, boeken en mappen naar de hal – de dingen die ik meeneem. De rest, voornamelijk meubels, staat in de logeerkamer te wachten op de verhuizers. Paul heeft steeds aangeboden te helpen, maar ik wil alleen maar dat hij me met rust laat en op mijn laatste dag in het huis ergens anders naartoe gaat. Hij doet alsof dat hem krenkt, waar ik me ook weer aan erger. Alsof híj de benadeelde partij is.

Ik zeg dat ik om acht uur weg zal zijn, maar ik wil ervoor zorgen dat ik al om zeven uur vertrokken ben, om een afscheid te vermijden. Ik spreek met vrienden af om om half acht naar de film te gaan. Vlak voordat ik de deur achter me dichttrek, ga ik nog een keer naar boven om te controleren of ik echt alles heb. Voor de laatste keer ga ik op de blauwe dekbedhoes zitten die ik kort nadat ik bij Paul ben komen wonen, heb gekocht. Paul heeft gezegd dat ik hem mee moet nemen, maar ik wil niets hebben wat me aan onze tijd samen herinnert.

Naast zijn kant van het bed staat een onlangs ingelijste foto, van mij. Van alle foto's die hij van me heeft genomen, is dit de enige die hij heeft ingelijst. Tot op dit moment heb ik het altijd de leukste gevonden. Vlak nadat ik bij hem ben ingetrokken, zijn we een keer naar het noorden gereden en hebben daar een weekend in de bossen doorgebracht. Door het ahorngebladerte achter me werpt de namiddagzon een schaduw op de geweven sjaal die ik om mijn hoofd heb gebonden, maar de camera heeft vooral mijn zachte, liefhebbende blik vastgelegd.

Het is echt iets voor Paul om te verlangen naar iets onbereikbaars in plaats van te waarderen wat er, als hij er moeite voor zou willen doen, binnen zijn bereik ligt.

Ik open de ingebouwde kast aan mijn kant van het bed. Ik heb er op de avond dat ik naar de logeerkamer verhuisde alles uit gehaald, maar ik wil zeker weten dat ik niets ben vergeten. Ik vind nog een stapel getypte vellen, terwijl ik dacht dat ik die al had ingepakt. Eronder liggen een paar met de hand beschreven vellen van Paul. Ik weet dat ik ze niet hoor te lezen, maar ik doe het toch. Het zijn aantekeningen over de vrouw met wie hij vóór mij een relatie heeft gehad, de vrouw die hem heeft verlaten nadat hij haar had verteld dat hij in Thailand een prostituee had bezocht.

Zij en ik vormen een speciale categorie: vrouwen die hem hebben verlaten. Hij heeft heel gedetailleerd zijn eerste afspraakjes met haar beschreven. Hij heeft zichzelf seksueel beheerst en is meteen nadat hij bij haar weg is gegaan, naar een prostituee gegaan. Gek genoeg is dit een van de meest geruststellende dingen die ik bij mijn vertrek had kunnen vinden. Ook al walg ik ervan, het doet me beseffen dat ik de juiste beslissing heb genomen. Ik vind ook aantekeningen over afspraakjes die hij de afgelopen maanden heeft gehad. Het zijn bijna wetenschappelijke notities, met steeds de naam, data, bijzonderheden en een conclusie. Ik weet dat ik die ook niet hoor te lezen, maar ik kan het mezelf niet beletten. De eerste is van een week nadat we overeen waren gekomen uit elkaar te gaan. Naast haar naam staat: 34, blond haar, lange benen, dochter van 12. Nog eens bellen.

Achter het stapeltje papieren ligt een zwarte leren riem, net zo'n riem als waarmee zijn vader is gewurgd.

Aan het voeteneind van het bed staat een kast zonder deuren, met het televisietoestel erop. Op de plank eronder staan videobanden. De mijne zijn allemaal van *Masterpiece Theatre* en *Mystery*, dus vermoed ik dat die met *Nova* erop van hem zijn.

Ik stop een van de naamloze banden in het apparaat om te zien of hij van mij is. Tenminste, dat maak ik mezelf wijs. Eerlijk gezegd vraag ik me na de aantekeningen die ik net heb gevonden af wat ik in onze slaapkamer nog meer over het hoofd heb gezien. Maar wat ik nu zie, heb ik in de verste verte niet verwacht: Pauls vader in bed met een jongeman. Met trillende handen haal ik de band uit het apparaat en zet hem weer op zijn plaats. Ik neem aan dat de andere naamloze banden hetzelfde soort beelden zullen opleveren. En Paul heeft die banden bewaard en in zijn slaapkamer – onze slaapkamer – laten staan!

Maar wat ik dan vind, slaat alles. Op een van de banden in de achterste rij staat 'eigendom van de politie'. Dat moet de band zijn waarover Jen me heeft verteld, die met de moord op Pauls vader erop. Ik raak hem zelfs niet aan. Ik verlaat de slaapkamer en loop voor het laatst langs het schilderij van Pauls vader. Aju paraplu, denk ik opgelucht.

Wanneer ik om tien voor zeven de laatste tas in mijn auto zet, zie ik de auto van Paul de hoek om komen, ruim een uur eerder dan de afspraak was. Ik stap gauw in de auto en start de motor. Paul parkeert naast me en komt naar me toe. Hij doet verbaasd over mijn volgeladen auto, alsof hij niet wist wat ik de hele dag heb gedaan, alsof ik me niet de hele maand heb voorbereid op mijn vertrek. 'Waar ga je naartoe?' vraagt hij.

Hij kan het niet uitstaan dat ik popel om uit zijn leven te verdwijnen. 'Je weet toch dat ik wegga?' zeg ik.

'Maar ik wil niet dat je vanavond weggaat,' zegt hij.

'Ik heb geen tijd meer,' zeg ik. 'Ik ga met vrienden naar de bioscoop.'

Welke vrienden, wil hij weten.

Dat doet er niet toe, zeg ik.

Dan kun je het me ook wel vertellen, dringt hij aan.

'Nee.'

'Welke bioscoop?'

'Dat doet er niet toe,' herhaal ik. Ik weet dat dit hem niet bevalt, maar hij heeft niets meer met mijn leven te maken. Ik wil hem niet vertellen dat ik naar het huis van mijn oudere broer ga en dat hij en zijn gezin een paar dagen de stad uit zijn. Daarna ga ik voor de rest van de zomer naar het huis van mijn vriendin.

Alsof hij mijn auto wil tegenhouden, haakt hij zijn vinger over het raampje, dat bijna helemaal openstaat. Hij laat zich op zijn hurken zakken en legt zijn gebruinde, gespierde armen op de deur. Hij glimlacht. 'Kom alsjeblieft vanavond terug,' zegt hij en hij steekt zijn hoofd door het raampje naar binnen. 'Dan is het te laat om nog ergens anders naartoe te gaan.'

Ik schud mijn hoofd. Zijn emotionele gedrag stelt niets voor, hij doet alsof. 'Ik kom vanavond niet terug, ik kom nooit meer terug.'

Hij steekt een hand uit naar mijn gezicht. Ik deins achteruit. Dan streelt hij mijn blote arm en herhaalt: 'Blijf vanavond alsjeblieft hier.' Opnieuw probeert hij mijn gezicht aan te raken. 'Je zult me nooit vergeten,' zegt hij.

Ik leun nog verder bij hem vandaan.

'Ik zal altijd bij je zijn,' vervolgt hij en hij streelt de rug van mijn hand.

Ik ril en probeer mijn gezicht in de plooi te houden. Ik sluit het raampje, doe de portieren op slot en rijd weg.

DEEL 2

1994-2003

25

Ik ben geboren in een stad aan een van de Grote Meren en grootgebracht in een stad aan de Mississippi. Beide watermassa's zijn over-
blijfselen van een gletsjer. Toen we van ons stadje naar een grote
stad verhuisden, lag die aan dezelfde rivier. In de vierenveertig jaar
van mijn leven heb ik maar twee keer meer dan een paar kilometer
bij de Mississippi vandaan gewoond, daarom voel ik me het meest
thuis op een plek waar die rivier vlak langs mijn huis stroomt.

Vanaf het huis van mijn vriendin is het een korte wandeling ernaartoe, en het college ligt verderop in de straat. Dat ik tijdelijk in
een buurt woon die me in twee opzichten vertrouwd is, vermindert
de stress van een verhuizing met een tussenstop. Maar het belangrijkste is dat ik, nu ik Paul heb verlaten, het gevoel heb dat ik mezelf
het leven heb gered.

Het is een oud, rommelig huis, en de inrichting is eerder prak-
tisch dan esthetisch verantwoord. Voordat ik de eerste avond naar
bed ga, pak ik genoeg spullen uit om me er thuis te voelen. Ik zet een
witte aardewerken mok en een donkerblauw blikje met Earl Grey
thee op het aanrecht in de keuken. Ik pak een paar boeken uit en leg
ze op de oude eiken tafel die ik als bureau zal gebruiken. In een van
de slaapkamers boven zet ik een lamp naast het bed, en ik zet mijn
schilderij van de vliegende zwanen op een hoge ladekast.

Sinds de dag dat ik uit Pauls huis ben vertrokken, vermijd ik
plaatsen waar ik hem zou kunnen tegenkomen, wat zelfs in een grote stad niet meevalt. Bijna elke keer als ik een van de gelegenheden
binnenga waar ik regelmatig kom, krijg ik te horen dat hij er onlangs ook is geweest, en dat geldt zelfs voor de plekken waar hij
vroeger niet kwam. Op een avond ga ik in een restaurantje waar ik
vaak kom, Niko's, een hapje eten met een vriendin en ga daar aan
mijn favoriete tafeltje zitten, halverwege de zaal.

'Wat jammer dat jullie uit elkaar zijn,' zegt Niko wanneer hij me komt begroeten. Hij ziet eruit als een succesvolle restauranteigenaar: donkere broek met een fris wit overhemd zonder das. Zijn heldere, donkere ogen staan vriendelijk.

'Hoe weet je dat?' vraag ik.

'Van Paul,' antwoordt hij. 'Hij komt hier tegenwoordig een paar keer per week. Hij was hier gisteravond nog. Hij gaf een feestje voor een aantal vrienden.' Niko zwijgt even en vraagt dan: 'Jullie zijn op een vriendschappelijke manier uit elkaar gegaan?' Een vraag vergezeld van opgetrokken wenkbrauwen.

'Wie zegt dat?' vraag ik.

'Paul,' antwoordt hij. 'Maar ik vroeg het me af.'

'Hij is niet de man die ik dacht dat hij was,' zeg ik alleen en ik voeg eraan toe dat hij op al mijn favoriete plekken opduikt.

'Dat vond ik ook al vreemd,' zegt Niko. 'Vroeger kwam hij hier alleen samen met jou. Nu loopt hij de deur plat.' Hij zegt dat mij dat niet moet beletten gewoon te blijven komen.

Dit overkomt me nog heel wat keren en natuurlijk belet het me wél om naar mijn favoriete plekken te gaan. Voorlopig is het een-nul voor hem. Ik wil mezelf elke ontmoeting besparen, al is het in het voorbijgaan. Het is waarschijnlijk zijn straf voor mijn weigering me aan te sluiten bij de lange rij vrouwen die hem iets verplicht en dankbaar zijn.

Maar ook al doe ik nog zo mijn best om hem te ontwijken, hij blijft in mijn leven. Hij belt me een paar keer per dag. Hij wil het opnieuw proberen, beter zijn best doen, er een succes van maken. Ik kom tot de conclusie dat hij me maar om één reden terug wil hebben: zodat híj de breuk kan organiseren en zichzelf de rol kan toekennen van degene die weggaat, maar zich desondanks aardig en ruimhartig gedraagt. En dan zou ik degene zijn die werd verlaten. Behalve dat de geschiedenis dan zou worden herschreven, gun ik hem die voldoening niet.

Een tijdje neem ik de telefoon niet meer op. Dan komt hij regelmatig langsrijden. Ik blijf uit de buurt van de ramen en parkeer mijn auto achter het huis, zodat hij niet kan zien of ik thuis ben. Af en toe staat hij voor de deur. Ik laat hem niet binnen terwijl hij vertelt wat hij komt doen. Hij komt voor niets, natuurlijk.

Maar meestal rijdt hij blokjes om en belt vanuit de auto. Op een dag belt hij twaalf keer. Zijn gebrek aan zelfbeheersing staat in vreemd contrast met zijn gebruikelijke koele afstandelijkheid. Ik beleef er zelfs een beetje genoegen aan.

26

Ik ga naar mijn ouders om een poosje de stad uit te zijn. Wanneer ik binnenkom, zijn mijn vader en de jongste dochter van Liz in de woonkamer. 'Ga gauw naar je tante,' zegt mijn vader tegen de opgetogen peuter. 'Ze wil graag een kusje van je.' Mijn nichtje gilt van blijdschap, rent naar me toe en werpt zich in mijn armen.

Daarna omhelst mijn vader me op een kalmere manier. 'Je hebt een gebroken hart,' zegt hij. 'Je hield van hem, dus heb je een gebroken hart.' Hij denkt even na. 'Je zult ongeveer een jaar een gebroken hart hebben,' vervolgt hij. 'Ongeveer een jaar.' Hij omhelst me nog een keer. 'Daarna zal het weer goed gaan met je, want je bent een doorzetter. Dat ben je altijd geweest.' Ik vraag me af welke ervaring uit zijn verleden hem heeft geleerd dat een hart een jaar nodig heeft om te genezen en voel me getroost door de tederheid van mijn trotse oude Ierse vader.

Voor mijn moeder ligt het iets ingewikkelder, want zij heeft zich altijd vastgeklampt aan de simpele regel dat je, als je van iemand houdt, die persoon alles vergeeft.

Alcoholisme is een ziekte die aan beide kanten van onze familie voorkomt, haar kant en de zijne. Doordat mijn moeder nooit iemand heeft verlaten (al dacht ze er soms voor óns bestwil over na) is ze getraind in vergeven. Haar lijfspreuk is 'nog één kans'.

Ik heb haar overdreven optimisme nooit gedeeld. Toen ik achter in de twintig was, heb ik de hoop dat mijn vader ooit zou genezen opgegeven. En ook de hoop dat mijn moeder zou inzien dat ze, door niet tegen haar man in opstand te komen, faalde in het beschermen van haar kinderen. Ik verwachtte niet langer dat ik ooit weer van mijn vader zou houden en het mijn moeder zou vergeven. Maar mijn ouders kwamen allebei tot inzicht en bewezen dat ik me had vergist. En toen leerde ik geloven – zowel in theorie als in de praktijk – in verlossing en boetedoening. Niet in verlossing als een soort wonder, maar door stug vol te houden en langzamerhand te leren de verantwoordelijkheid voor je leven te nemen en daardoor een heel andere geestesinstelling te krijgen.

Ik vraag me af of mijn moeder het feit dat ik Paul heb verlaten beschouwt als verraad aan haar overtuiging. Misschien denkt ze dat ik niet genoeg mijn best heb gedaan. Ze ontvangt me hartelijk, zoals altijd, maar een paar dagen later zegt ze: 'Je bent niet de enige die een verbroken relatie meemaakt.'

'Dat weet ik,' zeg ik. 'Waarom zég je dat eigenlijk?' Ik zit niet somber in een hoekje. Vanbinnen voel ik me een wrak, maar ik doe mijn best om opgewekt te zijn.

Ze wil niet zeggen wat ze bedoelt. Misschien vindt ze het dom van zichzelf dat ze hem zo graag mocht. Zo voelen we ons allemaal. Hoe dan ook, het duurt niet lang voordat ze van gedachten verandert.

Terwijl ik bij mijn ouders logeer, worden zij overstelpt met Pauls telefoontjes. Ik neem niet op, dus moet mijn moeder steeds zeggen dat ik hem niet wil spreken.

'Moet ik een keer opnemen en er een eind aan maken?' vraagt mijn vader op een dag nadat Paul weer heeft gebeld.

'Nee, dat doe ik wel,' zegt ze. En dat doet ze. De volgende keer dat hij belt, zegt ze dat ik niet met hem wil praten en dat zij dat ook niet willen. Ze eindigt ferm, wat niets voor haar is: 'Hou op met naar ons te bellen.'

Hij belt niet meer naar het huis van mijn ouders, maar zodra ik terug ben in het huis van mijn vriendin, belt hij daar weer naartoe.

Op een middag laat hij op het antwoordapparaat de boodschap achter dat ik wat hem betreft de hoop niet mag opgeven. Hij wil een manier proberen te vinden om weer bij elkaar te komen. 'Ik wil iemand worden die een liefdevolle relatie met een vrouw kan hebben,' zegt hij. 'Ik weet dat ik dat nu nog niet ben.' Dat dankt je de koekoek, denk ik wanneer ik dat hoor.

Misschien is hij toch in staat om te veranderen. Dat was mijn vader immers ook. Wat hem betreft, had ik de hoop opgegeven en me vergist. Ik vind het vreselijk dat ik mijn oog op zo'n maniak heb laten vallen. Maar ik heb mezelf beloofd dat ik niet naar hem terugga, wat er ook gebeurt.

Ik ben wel sterk, maar niet perfect, dus laat ik me drie keer – niet vaker – overhalen om Paul te ontmoeten. Altijd in het openbaar en nooit lang. Ik heb er elke keer spijt van.

Wanneer ik me daarna zwak voel, denk ik aan de raad van de laatste therapeut die we samen hebben bezocht. Meteen nadat ik bij Paul weg was gegaan, had ik hem gebeld. Hij heeft me voor de gek gehouden, zei de therapeut toen. Hij zei dat hij Paul had geloofd toen die tegen hem had gezegd dat hij alles wilde doen om de relatie te laten slagen. 'Hij zal je terug willen hebben,' zei de therapeut toen we afscheid namen. 'Doe het niet.'

27

Sommige mensen besteden geen enkele aandacht
ving. Ze kunnen overal wonen. Zo ben ik niet. Het gaat niet om de
grootte, maar om het esthetische aspect, de charme van een woonplek, binnen en buiten. Het opgeknapte appartement dat ik huur
ligt op de tweede verdieping (de bovenste) en een deel van de eerste
verdieping van een groot huis aan de rand van het centrum. Wat ik
vooral leuk vind, zijn de spits toelopende plafonds, die in elke kamer knusse hoekjes creëren. Mijn neefjes en nichtjes zullen die
kant-en-klare vestingen prachtig vinden. Het appartement ligt
maar een paar straten bij een meer vandaan en dicht bij een theater
en kunstcentrum, een aantal restaurants en een grote bioscoop. Ik
vind dat ik er reuze mee bof.

Zodra de verhuizers en de vrienden die me hebben geholpen weg
zijn, begin ik aan het uitpakken van de dozen om mijn nest in te
richten. Ik vul de boekenkasten, zet schemerlampen neer, organi-
seer mijn bureau en zet de spullen in de keuken die ik nodig heb om
de volgende morgen te kunnen ontbijten: de elektrische waterketel,
de broodrooster en mijn oude Sadler-theepot. Ten slotte hang ik
drie schilderijen op. Eerst de zwanen. Ik ben van plan hier lang te
blijven wonen.

De boeken die ik regelmatig herlees zet ik bij elkaar in een van de
kasten, met de namen van de auteurs in alfabetische volgorde:
Brookner, Byatt, Cather, Dickinson, Durrell, Eliot, Fairstein, Fy-
field, Grennan, Hardy, Jouve, de Leon, Oliver, Sanford, Sayers,
White. In het huis van Paul had ik mijn boeken soort bij soort gezet,
maar nu ik weer alleen woon, doe ik dat niet meer. Misschien deed
ik het daar om in elk geval een deel van mijn leven op orde te hebben.

Paul begint me 's avonds laat te bellen. De telefoon die het nummer van de beller vermeldt bestaat nog niet, dus weet ik na het op-

pas wie het is. Op een avond zit ik aan mijn bureau, met
n rug naar het raam dat uitkijkt op de achtertuin. Ik probeer de
aantekeningen te ordenen die ik vorig jaar in Londen heb gemaakt
en schrik van het gerinkel van de telefoon. Ik kijk op mijn horloge.
Het loopt tegen middernacht.

'Ik ben het,' zegt hij op de zachte, verleidelijke toon waarmee hij
me belde toen we pas een relatie hadden. 'Je zit nog te werken, hè?'

Ik kijk naar buiten om te zien of daar iemand staat. 'Wat is er?' zeg
ik.

'Ik wil je alleen maar gedag zeggen,' zegt hij en hij voegt er meteen
aan toe dat hij op dat moment naar mijn foto kijkt. 'Hij staat naast
mijn bed, zodat ik je nooit zal vergeten.'

Ik zwijg. Ik weet niet wat ik moet zeggen. Hij gaat verder: 'Ik heb
je vanmiddag gezien.' Alsof hij de aflossing van een stel bewakers re-
gelt, vertelt hij me precies waar en hoe laat.

Ik leg de hoorn met een klap op het toestel. De volgende keer als
hij belt, vraag ik of hij weet waar ik woon. Hij lacht. Hij weet precies
waar ik woon, zegt hij. Bovendien, voegt hij eraan toe, kan hij me
zien wanneer hij wil. Van nu af aan maakt het geen verschil meer of
ik de telefoon opneem of niet. Hij zal me altijd kunnen bereiken.

Dat maakt me eerder boos dan bang. Ik heb hém al wekenlang
niet gezien. Ik bel vrienden en familie en vraag of ze Paul niets meer
over mij willen vertellen. Mijn zus Liz zegt dat hij haar heeft gebeld
en tegen haar heeft gezegd dat hij weet waar ik woon en dat hij me
vaak ziet.

Op een dag staat er bij mijn thuiskomst een doos voor de deur. In
de doos zitten dingen die ik, toen ik uit Pauls huis vertrok, had weggegooid: verscheurde papieren, een zwarte leren handschoen met
een gat in de middelvinger, een lege cartridge voor de printer... Allemaal dingen die in de vuilnisbak thuishoren.

Een paar weken na de verhuizing dringt het tot me door dat ik me
niet kan herinneren wanneer ik voor het laatst post heb gehad. In
mijn brievenbus vind ik alleen reclame. Ik bel het postkantoor en
de man die ik aan de lijn krijg vertelt me dat de opdracht voor het
doorsturen van de post die ik in juni had ingevuld, is ingetrokken.

Ik zeg dat ík dat niet heb gedaan. Hij zegt dat mijn handtekening op het formulier staat. Ik zeg dat ík die handtekening niet heb gezet. Ik ga naar het postkantoor en dien opnieuw een verzoek tot doorsturen in.

De volgende keer als Paul belt, vraag ik hem of hij daar iets van weet.

'Je post ligt hier,' zegt hij op pesterige toon. 'Die stapelt zich al wekenlang op. Als je je post wilt hebben, moet je die komen halen.'

'Dit is een misdaad,' zeg ik. 'Ik wil mijn post onmiddellijk hebben. Ik wil dat die morgen voor mijn deur ligt.' Wanneer ik de volgende dag thuiskom, ligt er een enorme berg post op mijn eettafel. Hij weet dat een gezamenlijke vriendin de sleutel van mijn appartement heeft en heeft haar de post laten brengen. Ze dacht dat ze me een plezier had gedaan. Ik zeg dat ik haar nergens van beschuldig, maar dat ik toch liever heb dat ze me mijn sleutel teruggeeft. We zijn bevriend geraakt, maar ze werkt tegenwoordig parttime voor Paul en ik vertrouw er niet op dat hij mijn sleutel niet een keer 'leent' en er een kopie van laat maken.

Wanneer hij een paar avonden later belt, heb ik hém iets te zeggen. Hij begint met me te vertellen hoe blij hij is dat hij medicijnen studeert. Alsof mij dat nog iets kan schelen. 'Dat heb ik aan jou te danken,' zegt hij. Natuurlijk vraag ík me inmiddels af hoeveel kwaad hij als arts zal kunnen doen.

'Denk je dat ik nog van je hou?' vraag ik.

'Dat weet ik wel zeker,' antwoordt hij.

'Daar vergis je je in. Bel me niet meer. En als je me ooit ergens ziet lopen, kun je je maar beter meteen omdraaien en maken dat je wegkomt. Want als je naar me toe komt en tegen me praat, spuug ik je in je gezicht.'

'Dat durf je niet,' zegt hij.

Misschien heeft hij gelijk. Zo voel ik me wel, maar ik weet niet of ik het echt zou doen. Maar vastberaden zeg ik: 'Dat zullen we dan wel eens zien.' Ik wacht even en voeg eraan toe: 'Ik zie er veel aardiger uit dan jij, dus iedereen zal geloven dat jij een rotzak bent.'

Dat zijn de laatste woorden die ik tegen hem zeg.

28

Een van Pauls vrienden, die beweert alleen maar te bellen om een praatje te maken, vertelt me dat Paul tegen hem heeft gezegd dat hij me de vorige dag nog heeft gezien. Dit wordt een bekend refrein, want elke keer als ik een vriend van Paul tegenkom, krijg ik hetzelfde te horen. Deze man zegt dat het in de videowinkel bij mij in de buurt was, in een doodlopende straat. Wanneer ik daar of waar dan ook ben, kijk ik altijd of ik Pauls witte auto ergens zie staan, maar dat is nog nooit gebeurd. Paul kan me alleen maar hebben gezien als hij zijn auto ergens verdekt heeft geparkeerd en speciaal is gekomen om me te bespieden. Maar hij kan het niet altijd zélf zijn. Hij kan me niet de hele dag zélf in het oog houden. Daar is hij bovendien te lui voor. Hij moet mensen in dienst hebben genomen om zijn spionagewerk te doen. Ik vind het een angstaanjagende gedachte.

Voordat deze vriend ophangt, herhaalt hij wat ze allemaal zeggen: dat Paul woedend is omdat ik geen contact meer met hem wil hebben. 'Híj wil degene zijn die weggaat,' zegt de man.

Een voor een verbreek ik het contact met mensen van wie ik weet dat ze Paul ook zien. 'Voor mijn veiligheid,' zeg ik erbij, met de bedoeling dat ze dat onthouden. Maar ik bedoel voor mijn privacy. Ik weet nog niet hoe bang ik moet zijn. Het enige wat ik wél weet, is dat hij alle grenzen van mijn leven heeft overschreden. Volgens zijn vrienden wil hij zelfs dat zijn nieuwe vriendin zich net zo kleedt als ik.

Paul belt nog steeds broers en zussen van me die buiten de stad wonen, zelfs degene met een tot dan toe voor Paul onbekend geheim nummer. Vaak belt hij vlak voordat ik bij hen op bezoek ga; dan vertelt hij hun waar hij me heeft gezien en probeert dingen over me te weten te komen. Ze zeggen allemaal dat het hem moeite kost me te vergeten.

Dan gaat hij me achtervolgen met stilte. Wanneer ik 's avonds de telefoon opneem, blijft het regelmatig stil aan de andere kant van de lijn. Ik neem niet meer op, maar ik ben er kwaad om, omdat anderen me dan ook niet meer kunnen bereiken.

Ik weet zeker dat hij er op een bepaald moment genoeg van krijgt. En ik vind het niet de moeite waard de politie in te lichten.

29

Jen en ik doen ons best om onze vriendschap te handhaven, maar dat valt niet mee. Doug en zij proberen me over te halen weer in hun appartementencomplex te komen wonen. 'Dit was je thuis,' zeggen ze, maar ik weet dat het niet kan.

'Ik wil je in je nieuwe appartement komen opzoeken,' zegt Jen op een dag door de telefoon.

Een paar dagen later zitten we in mijn nieuwe woonkamer en proberen op dezelfde manier met elkaar te praten als vroeger. Maar algauw komt het gesprek op Paul. 'Ik heb Paul maar twee keer in zijn leven zien huilen,' zegt ze. 'Hij huilde toen zijn vader was gestorven en hij huilde toen hij ons kwam vertellen dat jij bij hem weg was.'

Ik weet niet wat ik daarop moet zeggen, dus zeg ik niets. Paul speelt altijd toneel, houd ik mezelf voor. Hij weet hoeveel Jen van me houdt. Het zou niet goed zijn voor zijn imago als hij niet laat merken hoe erg hij het vindt dat hij me kwijt is.

'Jij was de enige vrouw in zijn leven die hij niet met zijn geld kon manipuleren,' zegt ze.

'Dat viel niet mee,' zeg ik. 'Jullie dachten altijd dat ik wél van zijn geld leefde.'

'In het begin wel,' zegt ze. 'Want dat hadden de anderen ook gedaan. Maar nu weten we wel beter.'

'Ik heb van hem gehouden,' zeg ik. Dat vind ik nu erg dom van mezelf, maar ik weet dat het aardiger is om dat voor me te houden.

Ze kijkt me spijtig aan. 'Dat weet ik, en ik denk dat jij hem beter kent dan wie ook. In geval beter dan wij. Hij deed altijd vreselijk geheimzinnig, al van jongs af aan.' Ze zwijgt even en voegt eraan toe: 'Ik geloof niet dat hij het prettig vindt als iemand hem te goed kent.'

We zitten naast elkaar op de bank, dezelfde bank als die morgen toen ze me vertelde dat Roger was vermoord. 'Ik heb een verrassing voor je,' vervolgt ze. 'Hij heeft zijn huis verkocht. We hadden nooit gedacht dat hij zijn ouderlijk huis zou verkopen. Hij gaat naar een appartement in de stad. Hij zegt dat hij niet in het huis kan blijven waar hij samen met jou heeft gewoond.'

Ik schrik ervan. 'Waar is dat appartement?' vraag ik. Ze noemt het adres. Ik word er misselijk van. Het ligt maar een paar minuten met de auto bij mijn huis vandaan.

'Weet jij iets van die videobanden van Pauls vader?' vraag ik. 'Ik bedoel niet alleen die met de moord erop.' Ik was niet van plan daar met haar over te praten, maar nu lijkt het me een goed idee.

'We hebben geprobeerd hem ervan te overtuigen dat hij die banden moet wegdoen,' zegt ze. 'De politie wilde ze vernietigen.'

'Ik heb ze pas op de dag dat ik wegging gevonden,' zeg ik. 'Ik wist niet dat hij ze had.'

Ze bijt op haar lippen alsof ze overweegt iets te zeggen en wanneer ze dat doet, kijk ik haar verbaasd aan. Ze vraagt me of Paul me ooit heeft verteld dat zijn vader een keer is gearresteerd omdat hij twee jongens had aangerand.

'Nee,' antwoord ik. Ik weet hoe moeilijk ze dit vindt en ik wil haar niet de mond snoeren. 'Dat heeft hij me niet verteld.'

De jongens waren een jaar of twaalf, zegt ze, en Paul was toen achttien.

'Dat heeft hij me nooit verteld,' herhaal ik en ik zeg dat ik wél weet dat er jaren geleden twee jongens uit Thailand bij Roger in huis hebben gewoond. Hij had ze op vakantie ontmoet en geregeld dat ze bij hem mochten wonen. Bij hun terugkeer naar Thailand hadden ze te horen gekregen dat het erg dom en ondankbaar van hen was om de kans op een beter leven te verspelen. Dat was me verteld. Nu vraag ik: 'Jen, heeft niemand ooit vragen gesteld over die jongens uit Thailand?'

Nee, zegt ze, maar ze ziet nu in dat ze dat wél hadden moeten doen. Dan gaat ze door met wat ze eigenlijk wilde zeggen: 'Paul is toen met zijn moeder meegegaan om Roger van het politiebureau te halen. Ik weet niet wat er voor nodig is geweest, maar de families van die jongens hebben de aanklacht laten vallen.'

Ik denk dat ze het over zwijggeld heeft. Ik kan mezelf er niet toe brengen haar te vragen of het wel eens bij haar is opgekomen dat Paul een slachtoffer van incest is. Ik weet niet of ze wat haar neef betreft zo ver heeft durven denken.

Nou ja, nu hoeven we geen geheimen meer te hebben, denk ik, en ik vertel haar over de reis van Paul en mij naar de oostkust een jaar geleden. Op een van die avonden hadden we gegeten met Hal, Pauls metgezel op fotoreizen. Hal was twintig jaar ouder dan Paul en hij was ervan uitgegaan dat ik wist wat er op die reizen was gebeurd. Paul ging als onbetaalde assistent met hem mee en betaalde voor de hele reis. Hal verdiende er extra aan door de door Paul betaalde onkosten toch nog te declareren. Niemand had het ooit doorgehad, had hij lachend gezegd.

Ik moest er niet om lachen en zei dat ik dat bedrog vond.

Niemand leed er schade door, zei de vriend. En ze hadden samen veel plezier gehad.

Toen Paul en ik daarna alleen waren, had ik gezegd: 'Jij denkt dat niemand met je mee wil als je niet alles betaalt, hè? Is er volgens jou ook nog iets wat je niet voor geld kunt kopen?'

'Nee, eigenlijk niet.' Hij schudde zijn hoofd. 'Zo zijn mensen nu eenmaal.'

'Nee,' zei ik. 'Zo ben jij, en zo zijn blijkbaar de meeste mensen om je heen. Maar niet iedereen is zo.'

Wanneer ik Jen dit verhaal heb verteld, zegt ze: 'Ik heb me altijd afgevraagd waarom zijn naam in dat tijdschrift nooit werd genoemd. Hij heeft tegen mij gezegd dat hij dat niet wilde, dat hij wilde dat alleen de naam van zijn vriend werd genoemd, zelfs als hijzelf de foto's had genomen. Dat zei hij.' Ze denkt na. 'Zie je wel, dat bedoel ik nou. Jij bent een heleboel over hem aan de weet gekomen. Dat vindt hij niet leuk.'

Wanneer ze weg is, probeer ik me voor te stellen hoe het is gegaan toen Paul en zijn moeder zijn vader van het politiebureau haalden. Ik zie voor me hoe ze naar binnen gaan. Ik zie voor me hoe zijn vader woedend doet alsof híj de gekrenkte partij is. En ik zie voor me hoe er geld wordt betaald om de reputatie van de succesvolle zakenman veilig te stellen. Het heeft blijkbaar gewerkt. Tot op zekere dag, natuurlijk.

30

De rotsen in het Acadia National Park in Maine hebben brede, vlakke hellingen en vragen erom als glijbaan te worden gebruikt. Ik volg het pad hoog boven de kustlijn en kan duidelijk zien waarom de indianen van de Wabanaki-stam dit eiland 'Pemetic' hebben genoemd: 'het schuin aflopende land'.

Mijn uitstapje naar Maine is een onderdeel van mijn reis terug naar alleen zijn zonder me eenzaam te voelen. Ik beschouw het als mezelf opnieuw ijken: het opnieuw rangschikken van de kleuren in mijn leven zodat ik niet alleen rood zie. Wat me na mijn breuk met Paul het meest heeft geërgerd, is dat ik niet meer wist hoe ik in mijn eentje tevreden moest zijn. Vóór Paul heb ik nooit met iemand samengewoond en toen vond ik het prettig mijn eigen huis te hebben. Ik mis Paul niet, maar ik mis het patroon van mijn leven vóór hem, toen ik onafhankelijk en niet bang was.

Ik logeer bij een jongere broer en zijn vrouw, die een huis hebben gehuurd aan de kust, in de buurt van Blue Hill. Vlak voordat ik aankwam, had Paul hen gebeld. We weten niet hoe hij aan hun geheime telefoonnummer is gekomen. Inmiddels proberen we allemaal elk contact met hem te vermijden. Mijn broer heeft de telefoon niet opgenomen en niet teruggebeld. De hele week voelen we Pauls schaduw over ons heen hangen: ik weet altijd waar ze is en ik kan haar, en jullie, altijd bereiken.

We zijn met z'n drieën naar Acadia gereden, maar vroeg in de middag zijn we uit elkaar gegaan. Nadat ik een eind heb gelopen, ga ik op een rots zitten die zo grijs is als de lucht. Plotseling heb ik het gevoel dat ik word bespied. Ik kijk om en zie dat de wandelaar die zojuist een paar meter bij me vandaan stil is blijven staan, niet doorloopt. Hij loopt al vanaf het parkeerterrein achter me aan, hij wachtte toen ik bleef staan om naar een landschapsschilder te kijken en ook steeds wanneer ik naar de golven keek die tegen de kust slaan. Nu kijkt hij mijn kant op. We zijn de enigen op dit deel van het pad.

Ik kijk weer voor me en staar naar een strook staalgrijze wolken die vlak boven de horizon hangt. Even later kijk ik weer om. De man staat er nog steeds en nu zegt hij: 'Je bent hier alleen, hè?' Het klinkt eerder als een constatering dan als een vraag. Hij draagt een bruine broek, stevige wandelschoenen en een donkerbruin fleece jack. Hij is jong en ziet er fit en sterk uit.

'Nee,' antwoord ik stug.

'Vind je het goed dat ik bij je kom zitten?' vraagt hij, en alsof mijn antwoord niet belangrijk is, komt hij naar me toe en doet zijn rugzak af.

'Nee, dat vind ik niet goed,' zeg ik. 'Laat me met rust.' Ik sta op. 'Anders roep ik een boswachter.'

'Doe niet zo flauw,' zegt hij.

'Ik meen het,' zeg ik nadrukkelijk.

'Laat dan maar zitten,' zegt hij. Hij hangt zijn rugzak over een schouder en rent weg in de richting waar hij vandaan is gekomen. Ik heb een sterk vermoeden dat Paul hem heeft gestuurd.

Plotseling flitst er een beeld door mijn hoofd van een lichaam dat van het klif wordt geduwd en beneden op de rotsen te pletter valt. Het is mijn lichaam. Ik ben niet bang van nature, maar nadat ik al maandenlang in de gaten ben gehouden, voel ik me kwetsbaar voor onzichtbaar gevaar. Bovendien komt er ook nog de afschuwelijke herinnering bij me boven aan de vrouw die jaren geleden uit een raam van mijn appartementencomplex is gesprongen. Haar lichaam lag voor mijn auto. Wat ik me vooral herinner, is dat ze maar één schoen aanhad, een bont geborduurde zijden pantoffel. De andere moest tijdens de val van het balkon op de zeventiende verdieping, één verdieping lager dan de mijne, van haar voet zijn gegleden. Om absoluut zeker te weten dat alle spatten van mijn voorruit waren verdwenen, was ik die dag drie keer naar de autowasserette gegaan.

Daardoor weet ik hoe een lichaam eruitziet na een sprong of een duw, en zo wil ik er zelf niet uitzien. Ik loop door en blijf zo ver mogelijk bij de rand van het klif vandaan. Als er vandaag iemand in de diepte tuimelt, ben ik dat niet, denk ik.

Ik dwing mijn lichaam zwaar en solide te zijn. Ik dwing mezelf me veilig te voelen, mijn verstand erbij te houden.

31

Zwelgen in spijt doet je geen goed, integendeel, het put je uit. Dus richt ik al mijn aandacht op het opnieuw inrichten van een leven zonder man. Nou ja, niet ál mijn aandacht, want ik wil er ook achter proberen te komen waarom Paul me met zijn charme en manipulatieve gedrag zo lang in zijn greep heeft kunnen houden. Een van de eerste dingen die ik nadat ik bij hem weg ben gegaan heb gedaan, is een wekelijkse afspraak maken met mijn eigen therapeut. Ik wil begrijpen waarom ik van Paul ben gaan houden. Ik beschouw het leven als een reeks verhalen die inzicht geven. Ik kijk terug en vertel mijn therapeut de verhalen die me naar Paul toe hebben geleid.

In de zomer voordat ik voor het eerst naar school ging, werd in ons gezin het vijfde kind – de vierde zoon – geboren. Ik was het derde kind, de enige dochter, dus had ik toen twee oudere en twee jongere broers. Ik hoor nog steeds wat mijn vader op de dag dat de baby thuiskwam zei, en wat door mijn oma van moederskant werd beaamd: je moeder rekent erop dat jij haar met al die jongens zult helpen. Jij moet haar grootste hulp worden. Het telde blijkbaar niet dat ik twee broers had die drie en vier jaar ouder waren dan ik. Het telde blijkbaar niet dat ik nog niet eens naar de kleuterschool ging. Ik kreeg mijn rol in het gezin toebedeeld en daar legde ik me bij neer.

Het was me niet helemaal duidelijk of die rol alleen met mijn broers te maken had, maar toen op mijn twaalfde mijn oma in het voorjaar overleed, werd het me duidelijk gemaakt. Ik had mijn ouders horen zeggen dat mijn opa niet met zijn verdriet kon omgaan en al hield ik erg veel van hem, ik zag er vreselijk tegen op dat ik die zomer een maand bij hem moest gaan logeren. Maar ik wist niet hoe ik daartegen moest protesteren, dus deed ik het.

'Ik wil ook dood,' zei mijn opa een paar keer per dag. 'Ik vraag God elke avond of Hij mij ook wil laten sterven.' Elke morgen was hij kwaad omdat hij nadat hij met behulp van een slaapmiddel was ingeslapen, toch weer wakker was geworden. De hele dag schold hij op de God die zijn gebed niet wilde horen. Hoe kon een twaalfjarig meisje hem tot een ander inzicht brengen? Ik kon het niet. Maar ik wist dat ik hem in dat sombere, treurige huis, waarvan alle gordijnen dicht bleven, gezelschap moest houden. Ik moest hem zelfs in leven houden door erop toe te zien dat hij niet te veel slaappillen nam, dat was me op het hart gedrukt.

Daar vierde ik mijn dertiende verjaardag – een gedenkwaardige dag, omdat ik toen mijn eerste paniekaanval kreeg. De enige tot ik ging samenwonen met Paul. Terwijl mijn opa nog lag te slapen, ging ik in de kerk in onze buurt naar de mis. Ik kleedde me er zorgvuldig voor aan, in een poging om mezelf een feestelijk gevoel te bezorgen, in de vrolijk gebloemde jurk die mijn oma me vlak voor haar dood had gestuurd. Maar plotseling, net toen de priester de kelk met wijn hief, kreeg ik het koud en voelde ik me zwak worden, alsof het bloed uit mijn lichaam wegstroomde. Ik was bang dat ik zou flauwvallen als ik geen frisse lucht kreeg, dus rende ik naar buiten en ging daar op het stenen bordes voor de kerk zitten. Ik drukte de katoenen rok tegen mijn gezicht om mijn gehuil te dempen. Toen ik mijn grootvader een paar uur later vertelde wat er was gebeurd, zei hij alleen maar: 'Je had in bed moeten blijven.'

Die zomer was mijn trainingskamp. Ik werd voorbereid op een van mijn taken in het leven: ervoor zorgen dat anderen niets overkwam. Mijn opa, mijn moeder, mijn broers... Toch besefte ik dat ik zo'n leven niet wilde. Hoe meer ik zag welke offers mijn moeder en mijn grootmoeder hadden gebracht, jarenlang, vooral hun hart, hoe vaster ik me voornam een ander soort leven te gaan leiden dan zij.

Door Paul uit te kiezen, gooide ik mijn eigen ruiten in.

Als je opgroeit te midden van de diepgroene noordelijke wouden en kristalheldere blauwe meren, lijken de zandtinten van de woestijn een slap aftreksel van de natuur. Ik heb er altijd een paar dagen voor nodig om mijn verwachtingen bij te stellen en het zuidwesten te gaan waarderen. Ik ben naar Arizona gevlogen om met mijn ouders mee terug te rijden naar huis. Ze hebben daar een paar maanden doorgebracht en mama betwijfelt dat papa sterk genoeg is om de rit te kunnen volbrengen. Hijzelf betwijfelt het ook.

Eerlijk gezegd verbaast het ons allemaal dat papa na zijn ernstige beroerte bijna zestien jaar geleden nog zo lang heeft geleefd. Hij was toen zestig en was net een paar maanden aan het afkicken van zijn alcoholverslaving. Hij heeft een sterke overlevingsdrang, maar zijn gezondheid gaat achteruit.

'Als ik het feest nog maar mag meemaken...' zegt hij wanneer we na mijn aankomst voor het eerst alleen zijn. Hij maakt de zin niet af, maar ik weet wat hij bedoelt. Over een paar weken vieren we het vijftigjarig huwelijksfeest van mijn ouders.

We vertrekken vroeg in de morgen uit Rio Verde en nemen Highway 17 naar het noorden tot de Interstate 40, die ons oostwaarts naar Albuquerque, Amarillo en Oklahoma City brengt. Daarna rijden we weer naar het noorden. Ik vind het leuk dat ik mijn ouders voor mezelf heb en ik wil zo veel mogelijk prettige herinneringen aan mijn vader verzamelen. Ik ben ook blij dat ik even van huis ben en niet meer voortdurend in de gaten word gehouden. Paul belt niet meer om te zeggen waar hij me heeft gezien, maar nog steeds krijg ik, wanneer ik iemand tegenkom die hem kent, te horen dat Paul me gisteren, vorige week of eerder diezelfde dag heeft gezien. Het spreekt vanzelf dat ik hém dan nooit heb gezien.

Wanneer we door New Mexico rijden, wijst papa, die op de passagiersstoel naast me zit, naar een veld met hoog, okergeel gras. 'Ze planten weer inheemse grassoorten,' zegt hij.

'Weet je hoe dat gras heet?' vraag ik.

'Nee, ik weet alleen dat ik dát gras het mooist vind,' antwoordt hij.

Mama heeft bijna de hele morgen gereden en ze is op de achterbank ingedut. Papa klapt het zonneschermpje omlaag om te checken of ze nog slaapt. 'Dit zie ik allemaal voor het laatst,' zegt hij, 'dus vind ik het nog mooier dan anders.'

Geen misschien of waarschijnlijk, alleen een constatering. Een paar dagen later zetten ze me thuis af en twee weken na onze thuiskomst vieren we feest. Drie dagen daarna heeft papa weer een zware beroerte, en daarna ligt hij zeven dagen in coma. In die week belt Paul Andy, de man van Liz. Hij zegt dat hij alleen maar even een praatje wilde maken, maar Andy vermoedt dat Paul heeft gehoord wat er met papa is gebeurd en de details wil horen. Andy houdt zijn mond stijf dicht.

Op de avond van de zevende dag overlijdt mijn vader, op hetzelfde tijdstip als toen ik een jaar geleden bij Paul in de keuken stond en tegen hem zei dat ik wegging. Een jaar geleden op dezelfde datum en precies dezelfde tijd. Ik beschouw de toevalligheid als een zegen.

'Je zult een jaar lang een gebroken hart hebben,' had mijn vader voorspeld. In dat jaar heeft mijn vader gezien dat mijn hart langzaam genas. Ik denk niet dat het tijdstip van zijn overlijden een bewuste daad was, maar diep vanbinnen beschouw ik zijn waakzaamheid over de staat van mijn hart in dat jaar als zijn laatste boetedoening.

Wanneer ik naar de ziekenkamer ga om afscheid te nemen van het lichaam waarin het hart niet meer klopt, streel ik zijn voorhoofd en ga met mijn vinger over de rimpels in zijn gezicht. Ik heb zijn hoge jukbeenderen en de sterke kaaklijn die een gezicht bepaalt. En net als hij kan ik de dingen zien zoals ze zijn en ze benoemen. Ik bedank hem omdat hij dat jaar bij me is gebleven en voor de jaren dat hij zijn best heeft gedaan om het weer goed te maken. Ik denk aan de keer dat hij tegen me zei: 'Jouw leven is heel anders dan het mijne. Ik kan me er zelfs geen voorstelling van maken. Vertel me eens hoe een normale dag er bij jou uitziet, van het moment dat je wakker wordt tot het moment dat je gaat slapen.' Toen heb ik hem verteld over mijn lesgeven en mijn schrijven, mijn vrijwilligerswerk en mijn vrienden. Daarna zei hij: 'Geen wonder dat je zo'n gelukkig mens bent. Je hebt een goed leven.'

Tijdens de wake in het gebouw van de begrafenisonderneming waar mijn vader ligt opgebaard kijken mijn broers om beurten uit het raam. Ik vraag een van hen waarom en hij zegt dat ze opletten of ze de auto van Paul zien aankomen. Ze denken dat hij zal komen en ze willen hem niet binnenlaten. Ik ben blij dat ik niet de enige ben die Pauls zogenaamd meelevende houding doorziet.

Op de begraafplaats zegt mijn jongste broer het gedicht van Yeats op dat perfect uitdrukt hoe papa, die het gelukkigst was aan de rand van een meer, zich de hemel voorstelde: 'Ik sta nu op en ga naar Innisfree, waar ik een hut zal bouwen... Daar zal ik vrede vinden, want vrede nadert traag...'

33

Het komt regelmatig voor dat mijn telefoon het 's morgens niet meer doet, en het telefoniebedrijf kan het probleem niet oplossen. Op een dag merk ik wanneer ik de hoorn opneem dat er iemand aan de lijn is. Ik vraag wie het is. Drie keer. Dan antwoordt een mannenstem dat onze lijnen elkaar blijkbaar kruisen. Ik vraag waar hij woont. Hij noemt de straat. Dat is hier vlakbij, zeg ik. Opeens ben ik eerder bang dan geërgerd en ik leg gauw de hoorn neer.

Beneden vraag ik of ik de telefoon van de eigenares van het huis mag gebruiken om het telefoniebedrijf te bellen en opnieuw een afspraak te maken. Wanneer ik daarna boven nog een keer de hoorn opneem, hoor ik helemaal niets meer.

Op de dag van de afspraak om mijn telefoon te komen repareren, wacht ik tot lang na de afgesproken tijd. Als ik op een gegeven moment uit het raam kijk, zie ik het busje van het telefoniebedrijf staan. Omdat ik aanneem dat de monteur ook bij iemand anders moet zijn, wacht ik tot hij daarna bij mij komt, maar wat later zie ik dat hij gewoon in de auto zit. Ik ga naar buiten en vraag waarom hij niet binnenkomt. Hij kijkt me glimlachend aan.

Ik vermoed dat de monteur betaald is om niets te doen. Waarschijnlijk is het de bedoeling dat ik kwaad word en op die mooie zomerdag woest tegen die man tekeerga, maar ik ga weer naar binnen en doe de deur achter me dicht. Verdomde maniak, zeg ik hardop, maar beheerst. Verdomde maniak. Je zult het níét winnen. Je zult het niet winnen.

Ik ga weer naar beneden en vraag de huiseigenares of ik nog een keer mag bellen. Wanneer ik het servicecentrum aan de lijn heb, zeg ik: 'Ik ben de hele dag thuisgebleven en ik zie jullie auto voor de deur staan. Waarom is mijn verbinding niet gerepareerd?'

De vrouw vraagt naar mijn nummer. Ik geef het haar en wacht. Ze vraagt of ik het nummer wil herhalen en zegt dan dat dit nummer bij hen niet geregistreerd staat. Ze vraagt naar mijn naam en zegt dan dat die naam ook niet in hun systeem staat. 'Kan het zijn dat er een andere naam is opgegeven?' vraagt ze.

Nee, er is verdomme geen andere naam opgegeven, denk ik. Maar ik zeg het niet, want ik heb me voorgenomen kalm en verstandig te blijven. Niet door te slaan. Ik ben al twintig jaar abonnee, zeg ik tegen de vrouw, en ik heb dit nummer al ruim vijftien jaar. Ik neem het bij elke verhuizing mee, zeg ik.

'Maar u staat niet in ons systeem,' herhaalt ze.

Wanneer ik vraag of ze me wil doorverbinden met haar baas, zegt ze dat het waarschijnlijk een fout van de computer is. 'Zoiets als dit is nooit eerder gebeurd, maar dat wil niet zeggen dat het niet kán gebeuren.'

Ik denk terug aan de dag dat Paul me voorstelde aan zijn vriend Brad, 'een van de beste hackers van het hele land'. De vriend die de man die de kinderen van mijn zus wilde ontvoeren, kon opsporen. Te snel om waar te zijn, besef ik nu.

Ik begin me zelfs af te vragen of de monteur voor de deur mijn telefoontje heeft doorverbonden met een ander. Misschien heb ik het servicecentrum helemaal niet aan de lijn. Onder normale omstandigheden zou dat een paranoïde gedachte zijn, maar in mijn geval moet ik de mogelijkheid overwegen.

Ik hang op. Ik weet niet hoe lang ik het op deze manier kan volhouden.

34

'Ik wil niet dat we elkaar uit het oog verliezen,' zegt Jen op een morgen wanneer ze belt. 'Hoe gaat het met je?'

Ik vertel haar over het voorval met mijn telefoon en hoe bedreigend ik het vind dat Paul wil dat ik weet hoe vaak hij me ziet, maar ik vertel haar niet alles. Ik vind het niet eerlijk haar daarmee lastig te vallen, vooral omdat ik niets kan bewijzen.

Wanneer ze me vraagt of ik bang voor Paul ben, weet ik dat ze daarom heeft gebeld. Het verbaast me en ik vraag me af waarom ze dat wil weten, maar ik wil haar niet voor de gek houden, dus ik antwoord: 'Ja. Denk je dat dat terecht is?'

'Ik wil natuurlijk "nee" zeggen,' antwoordt ze vlug, 'want hij is mijn neef. Ik wil niet geloven dat hij in staat is om iemand kwaad te doen.' Ze zwijgt even en vervolgt: 'Maar hij doet altijd erg geheimzinnig, dat weet jij ook. En hij heeft een paar vrienden' – ze haalt diep adem – 'die me angst aanjagen.' Ze weidt er niet over uit. 'Hij neemt niet veel mensen in vertrouwen, maar dat heeft hij met jou wél gedaan. Jij kent hem waarschijnlijk beter dan wie ook.'

Ik besluit niet te vragen waarom ze me op deze manier wilde waarschuwen. Het is genoeg dat ze het heeft gedaan.

Maar ze is nog niet klaar. 'Als jij denkt dat je een goede reden hebt om bang voor hem te zijn,' gaat ze verder, 'dan heb je waarschijnlijk gelijk. Ik wil het niet geloven, maar ik wil het wél zeggen. Ik denk dat je op je intuïtie moet vertrouwen.'

Dit is de laatste keer dat we over Paul praten.

Maar hij laat zich niet wegduwen uit mijn leven. Op een dag kom ik thuis en zie dat mijn voordeur openstaat. Ik ben níét slordig. Ik controleer altijd of ik wanneer ik wegga alles op slot heb gedaan, vooral tegenwoordig. Ik vraag de huiseigenares of ze voor het een of ander in mijn appartement moest zijn. Nee, dat zou ik altijd eerst tegen je zeggen, zegt ze. Zoals we hebben afgesproken, voegt ze eraan toe.

Ik loop door beide verdiepingen van mijn appartement en vind een stuk zeep uit de badkamer op de eerste verdieping op het aanrecht in de keuken op de tweede. Midden op mijn bed ligt een theelepel uit de keukenla. Op een andere plek op het aanrecht ligt een boek dat op mijn bureau lag. Ik kan niet denken dat ikzelf zo verstrooid ben geweest. Op andere dagen staat de deur open, maar ligt alles nog op zijn plaats. Ik houd mezelf een tijdje voor dat ik gewoon pech heb, maar na een paar maanden accepteer ik dat het niets met pech te maken heeft, tenzij je het pech kunt noemen dat ik Paul ooit heb ontmoet.

Op een dag word ik wakker en heb ik geen elektriciteit. Dat is niet voor het eerst. Het kan gebeuren dat er ergens in je huis iets kapot is gegaan wat de storing veroorzaakt, maar na de tweede en derde keer weet ik (omdat in de huizen om me heen het licht blijft branden) dat het een onderdeel is van zijn spel. Ik laat de sloten veranderen, maar dat is geen beletsel voor hem – of liever, voor de mensen die hij inhuurt. Hij zorgt ervoor dat hijzelf buiten schot blijft. Ik loop met opeengeklemde kaken van woede door mijn huis. Zijn plaatsvervangers doen net genoeg om me te laten weten dat er iemand in mijn huis is geweest. Ik heb geen idee hoe ze binnenkomen, want het slot wordt niet geforceerd. Ik praat er met bijna niemand over, alleen met een paar heel goede vrienden, maar het verandert mijn leven. Mijn rust is verstoord en ik voel me kwetsbaar. Maar als ik bedenk hoeveel genoegen Paul eraan beleeft dat hij mijn leven binnenstebuiten keert, ben ik vooral kwaad.

Een paar dagen later kom ik in een restaurant twee bekenden van Paul tegen. De ene is zijn therapeut geweest, de andere zat in zijn groepstherapie. Ze vragen me of ik nog contact heb met Paul. Ik antwoord ontkennend en vertel een paar dingen die hij me aandoet. De therapeut zegt dat hij vanwege zijn beroepsethiek niet veel mag zeggen, maar dat Paul volgens hem gevaarlijk kan zijn. Dat hij dat ronduit zegt en dat de andere man instemmend knikt, verbaast me niet, maar ik schrik er wel van.

Ik snijd nog meer banden met Paul door, al zijn ze nog zo los, maar het maakt geen verschil. Paul blijft binnendringen in mijn leven, zodat ik hem niet kan vergeten.

Wanneer mijn therapeut oppert dat ik de politie moet waarschuwen, aarzel ik. Ik oefen voor mezelf wat ik dan zou moeten zeggen, en zelfs ík vind dat het allemaal nogal hysterisch klinkt. Ik hoor beide kanten van het gesprek. De elektriciteit in mijn appartement is een paar keer uitgevallen, maar niet in de rest van het huis of in de buurt. (Waarschijnlijk ligt dat aan de bedrading.) Mijn telefoon is afgesloten. (Hebt u de rekening wel betaald?) De voordeur stond open. (Dan was u zeker vergeten die op slot te doen.) Spullen worden verplaatst. (Daar is waarschijnlijk ook een logische verklaring voor.)

Het klinkt ook allemaal heel raar. Maar het gebeurt wel.

35

Hoewel ik verbaasd ben over de vele manieren waarop Paul me het leven zuur maakt, komt het woord 'stalken' nog steeds niet bij me op. Ik zie het als uitingen van zijn woede, jegens mij en bijna iedereen die ik ken. Ik kom tot de conclusie dat ik me alleen innerlijk moet beschermen.

Het ligt in mijn aard me in het leven voor honderd procent te geven, wat erg vermoeiend is. Lezen is voor mij een soort dimschakelaar. Lees een boek, gebied ik mezelf wanneer ik gek word van de situatie met Paul. Voor de boekenkast zeg ik tegen mezelf dat ik een verstandige keus moet doen. Niet Thomas Hardy. Als je op zo'n moment Hardy leest, ga je verlangen naar de dood. Van bijna elk personage in een boek van Hardy kun je je voorstellen dat hij of zij vanaf een klif in het Kanaal springt. Lawrence Durrell heeft hetzelfde effect, hoewel hij je wel het gevoel geeft dat wat er ook aan de hand is, het erger zou zijn als je een Engelsman was die in het begin van de twintigste eeuw in Egypte woonde.

Misschien Anita Brookner, die je keer op keer moet herlezen. In haar boeken heeft alles een betekenis en elke keer weet je dat je de volgende keer nog eens goed over deze alinea of die zin moet nadenken. Haar eenkennige personages denken meer na dan goed voor ze is en zijn veel te zorgvuldig met hun hart. Ze maken me duidelijk dat je nog eenzamer kunt zijn dan ik. En timide. Wanneer ik Brookner lees, ben ik altijd blij dat ik niet timide ben.

George Eliot biedt zekerheid. Ik vind vooral *Middlemarch* een bijzonder boek, en niet alleen omdat je er als het nodig is erg lang over kunt doen. Ik heb drie exemplaren: een in de slaapkamer, een in de woonkamer en een in de auto. Ik geef Eliot liever haar eigen naam: Mary Anne Evans, maar ik begrijp waarom ze een pseudoniem gebruikte.

Tegenwoordig is *Middlemarch* nog belangrijker voor me, omdat

Dorothea een slechte keus heeft gedaan, een heel slechte keus. Haar echtgenoot was een gemene, wrede man, en hij werd nog erger toen hij besefte dat ze hem doorhad. Maar ze bofte, want hij leefde niet lang genoeg om haar de rest van haar leven te straffen. Anne Brontës Helen in *Wildfell Hall* bofte ook, doordat iemand overleed. Ik herinner me de eerste regel van een brief die ze schreef aan het eind van het verhaal: 'Hij is eindelijk weg.'

Ja, door aan Dorothea en Helen te denken, kan ik blijven hopen.

36

Hoewel we ons best hebben gedaan, is mijn vriendschap met Jen de afgelopen paar maanden minder hecht geworden. Dat betreuren we allebei, maar het lijkt onvermijdelijk, wat nauwelijks troost biedt wanneer een van haar beste vriendinnen, een vroegere buurvrouw van mij, me belt. 'Ze heeft kanker en ze heeft niet lang meer te leven,' zegt ze. 'Ze wil je graag zien.' Ze vertelt me niet wat voor soort kanker het is.

Meteen bel ik naar het huis van Jen en Doug, en ik krijg hun oudste dochter aan de lijn.

Mama wil je echt erg graag zien, zegt ze.

Ik zeg dat ik Jen ook graag wil zien. Bel me wanneer ze ertoe in staat is, zeg ik. Dan kom ik meteen.

Ze belt me niet, maar ik begrijp het. Vanwege Paul is het een pijnlijke situatie. Nog geen week later staat Jens overlijdensadvertentie in de krant. Ik vraag me twee dagen af of ik naar de begrafenis zal gaan en doe het niet.

De dag van haar begrafenis word ik vroeg wakker en denk er opnieuw over na. Maar ook al vind ik het heel erg dat ik er niet bij kan zijn, ik wil Paul niet meer zien. Ik houd niet van dutjes doen, maar laat in de morgen ga ik toch weer even liggen. Even maar, zeg ik tegen mezelf. Ik val in slaap en schrik twee uur later wakker: er strijkt een koel, fris briesje door de haartjes op mijn blote armen. Ik ga zitten en kijk door het raam vlak naast mijn bed. De bovenste takken van de eik verroeren zich niet. Ik kijk op de klok. Ze moeten inmiddels op de begraafplaats zijn aangekomen.

Jen is me voor haar vertrek gedag komen zeggen. Dat denk ik. Ik weet zeker dat geen van de begrafenisgangers begrijpt waarom ik er niet bij ben, maar ik weet ook dat zij het wél begrijpt. In mijn eentje rouw ik oprechter om haar dood dan ik in het openbaar had kunnen doen.

Mijn vriendin Ellen zit in het bestuur van een nieuwe, lokale non-profituitgeverij. Ze vraagt me of ik de parttimefunctie van directeur en uitgever wil aannemen. In eerste instantie weiger ik, maar nadat ze me dringend een paar keer heeft gevraagd of ik ernaar wil solliciteren, stem ik toe in een gesprek met Jane, de medeoprichter en voorzitter van het bestuur. We maken een lunchafspraak in een trattoria een paar straten bij mijn huis vandaan. Bij een salade nemen we elkaar op. Ze is jonger en serieuzer dan ik had verwacht.

'We zouden heel erg met je boffen,' zegt ze een paar keer tijdens de twee uur durende lunch. Ten slotte zeg ik dat ik het zal doen.

Kort nadat ik de baan heb aangenomen, gaat Ellen een jaar in Lissabon wonen. Ze heeft het plotseling besloten en het verbaast me dat ze zich dat kan veroorloven. Ze heeft het er al jaren over gehad en betreurde het altijd dat ze niet genoeg geld had om het te doen.

We vergaderen in mijn appartement. Algauw is Jane het met veel van mijn beslissingen oneens. Ik begrijp er niets van, want ik kom met precies dezelfde ideeën als tijdens ons interview en het begin van onze samenwerking. Als blijkt dat we het niet eens kunnen worden, zeggen de andere bestuursleden dat zij het met mij eens zijn. 'Je maakt er een persoonlijk conflict van,' zegt een van hen tegen Jane. Ze stemmen en zijn het op Jane na met mijn beslissingen eens.

Het frustreert me dat Jane zich opeens tegen me heeft gekeerd, maar ik laat me er niet door uit het veld slaan.

37

Ik doceer parttime aan het college en ben adviseur van het studentenblad. Ik kan me nauwelijks voorstellen dat het al twintig jaar geleden is dat ikzelf in de klaslokalen zat waar ik nu lesgeef in vrouwenstudies en schrijven.

Het is een warme middag, de zon schijnt fel en er zijn geen wolken om af en toe even koelte te bieden, dus laat ik me verleiden om in mijn kantoor te blijven, waar het wél lekker koel is. Ik bof met een groot kantoor aan het eind van de gang op de begane grond. Het heeft een heleboel ramen en buiten staan een heleboel bomen die schaduw bieden. Ik heb deze benijdenswaardige plek alleen toegewezen gekregen omdat de vaste gebruiker, een romanschrijver, een jaar vrij heeft genomen.

Maar al is het erg warm, ik moet tussen het lesgeven door mijn benen strekken, dus laat ik de boeken en opstellen voor wat ze zijn, stop wat geld in de zak van mijn blouse en doe de deur achter me op slot. Ik ga niet ver, alleen naar het restaurantje op de hoek. Maar net voordat ik het gebouw verlaat, word ik geroepen door het hoofd van de Engelse faculteit – een non (ondanks haar kaki broek en witte T-shirt zie je dat meteen).

Ik loop met haar mee naar haar kantoor en neem plaats in de bewerkte eiken schommelstoel voor haar bureau. Ze weet drommels goed dat bijna iedereen kalm wordt van schommelen. Net als ik heeft ze een gezicht dat haar emoties verraadt, dus zie ik aan de manier waarop ze op haar onderlip bijt dat ze nerveus is. Ze zegt dat de secretaresse van de faculteit een paar keer is opgebeld door een man die naar mijn lestijden vraagt. Elke keer dringt hij meer aan. De laatste keer dat hij belde, wilde hij zich voor een van mijn cursussen laten inschrijven. Het kon hem niet schelen dat die al een paar weken geleden was begonnen. Hij was bereid om voor het hele semester te betalen of anders wilde hij slechts één les bijwonen, als dat mocht. Ze zegt nadrukkelijk dat ze hem geen informatie over mij hebben verstrekt en dat ze hem geen toestemming hebben gegeven om mijn lessen te volgen. Ze slaakt een diepe zucht, duidelijk opgelucht omdat ze de boodschap heeft doorgegeven. Zijzelf zou even in de schommelstoel moeten gaan zitten.

Ik vraag of hij zijn naam heeft genoemd. Ze zegt van niet, maar dat de secretaresse zeker weet dat het steeds dezelfde stem is. De laatste keer heeft ze tegen hem gezegd dat hij niet meer mocht bellen.

'Dank je,' zeg ik en ik hoor hoe gespannen ik klink. Ik wil er niet meer over praten en ik wil alleen zijn. Ik dwing me om haar kalm nogmaals te bedanken en zeg dat ik er later op terug zal komen.

Ik loop het bruine bakstenen gebouw uit en weersta de verleiding om in de koele Engelse tuin tot rust te komen. Ik kan beter in beweging blijven en loop door naar de Dauwdruppelvijver, die er al was lang voordat iemand op het idee kwam op dit terrein jonge vrouwen op te leiden. De campus ligt op de op één na hoogste heuvel van de stad. De hoogste heuvel was al bezet: daar staat de kathedraal.

Zoals altijd kom ik tot rust als ik naar water kijk. De vijver is niet groot, maar er ligt een druppelvormig eilandje in. Vandaar de naam. Ik loop langs de eiken en wilgen aan de oever naar het bruggetje, en aan de overkant draai ik me om en kijk naar het collegegebouw, waar ik me tot een paar minuten geleden nog veilig voelde. Er lopen altijd mensen rond: overdag zijn dat studenten, docenten en ander personeel, 's nachts bewakers. Ik loop over het bruggetje en door de laan terug naar de ingang en aan de schaduwkant van de straat door naar het restaurant.

Snel passeer ik het lage bakstenen gebouw dat is omgebouwd tot verzorgingstehuis voor de nonnen die voor het succes van het college verantwoordelijk zijn geweest. Glimlachend zwaai ik naar het in een nonnenpij geklede vrouwtje dat bij de voordeur onkruid wiedt. Ze ziet er koel en tevreden uit, met opgerolde mouwen en haar lange zwarte rok in een cirkel om haar knieën. Ze moet een jaar of negentig zijn, maar ze heeft een zacht, onschuldig gezicht.

Ik versnel mijn pas, in een poging om mijn gedachten bij te houden. Het is Paul. Ik weet het zeker. Hij is niet degene die heeft gebeld, maar hij zit erachter, dat staat vast.

In het restaurant zet ik mijn zonnebril af en ga in de rij staan. Het is een vrolijke omgeving met gele muren, tafels en stoelen in bonte kleuren, en een schoolbord met grote witte sterren bij de specialiteiten van de dag. Ik ga zo staan dat ik zowel de toonbank als de deur kan zien, en kan het ongemakkelijke gevoel dat ik heb gekregen niet van me af zetten.

Er komt een man achter me staan die zijn hand op mijn rechterschouder legt. 'Hallo,' zegt hij en hij noemt me bij mijn naam. Ik heb hem nooit eerder gezien, dat weet ik zeker. Ik vergeet namen, maar ik onthoud gezichten, en de laatste twee jaar let ik nog beter op fysieke kenmerken dan vroeger. Zelfs met een zonnebril op ziet de man er niet opvallend uit: een gebruind gezicht, geen littekens, kort bruin haar, van gemiddelde lengte. Hij draagt een verbleekte spijkerbroek en een poloshirt. Een doodgewone man, die ik niet ken.

'Ken ik u?' vraag ik desondanks. Ik probeer me los te trekken, maar hij houdt me nog iets steviger vast.

Hij glimlacht.

'Ik geloof niet dat ik u ken,' zeg ik strak.

'Nee,' antwoordt hij en hij glimlacht nog breder. 'Maar ik ken iemand die jóú kent.' Ik kan zijn ogen niet zien, maar de rest van zijn gezicht maakt geen vriendelijke indruk. Hij heeft zijn werk gedaan en loopt weg.

Met bonzend hart ga ik naar buiten en kijk hem na. Hij steekt de kleine parkeerplaats over en rent de andere kant op, weg van het collegegebouw. Ik zie kinderen die op een grasveld in een voortuin door waterstralen uit een sproeier rennen en waakzame jonge moeders op de veranda van een huis in tudorstijl. Opeens vind ik de idyllische wijk helemaal niet leuk meer.

Het spreekt vanzelf dat hij geen naam hoefde te noemen om me te laten weten over wie hij het heeft, wie hem hiervoor heeft betaald en wie heeft gezegd dat hij zijn auto uit het zicht moest parkeren zodat ik het nummerbord niet kan laten natrekken.

Had ik het maar geweten, denk ik. Maar wat had ik dan moeten weten? Wat had ik dan kunnen doen? Wat had ik moeten doen? Op welk moment had ik genoeg moeten weten om dit te voorkomen? En wat moet ik nu doen? Ik barst van de vragen, maar, wat ongewoon is voor mij, ik weet de antwoorden niet.

Ik weet wel dat ik tot kort geleden alleen vaag wist wat angst was, maar dat angst nu mijn dagelijkse metgezel is.

38

Het huis op de hoek staat al bijna de hele zomer te koop. Wanneer ik op een middag in september de stad uit rijd, zie ik er een verhuiswagen voor staan. Tien dagen later kom ik 's avonds in het donker terug en zie dat er licht brandt. In het voorbijgaan vang ik een glimp op van een bekend schilderij en een man die eronder zit. Ik trap op de rem en moet me bedwingen om niet terug te rijden om nog eens te kijken. Maar dan rijd ik vlug door, zet de auto in de garage, haal mijn tassen uit de kofferbak en loop zo vlug mogelijk naar boven. Ik doe de deur achter me op slot en doe geen licht aan.

Ik ga in het donker op de grond zitten en haal me het beeld voor de geest. Er zijn natuurlijk genoeg mannen die eruitzien zoals Paul, maar het zou wel erg toevallig zijn als zo'n man precies hetzelfde schilderij had als dat wat vroeger in onze slaapkamer hing, het schilderij dat Paul heeft laten schilderen. Ik probeer mezelf ervan te overtuigen dat ik me allerlei onzin in mijn hoofd haal, dat hij nooit zo ver zou gaan.

Kort na de dood van Jen hoorde ik dat Paul is getrouwd met een vrouw die hij vlak voordat ik bij hem wegging heeft ontmoet. Beschermd door zijn recente huwelijk en nu Jen er niet meer is, kan hij de verleiding blijkbaar niet weerstaan om alleen maar uit het raam te hoeven kijken om mij te kunnen zien.

Tot nu toe heb ik al deze dingen alleen als een ziek spelletje beschouwd, eerder om me te ergeren dan om me bang te maken. Maar door wat hij nu heeft gedaan, denk ik er anders over. Paul, die zijn duistere kant alleen in het geheim de vrije teugel geeft, doet dat met zijn obsessie in het openbaar. Hij weet dat het voor mij heel belangrijk is dat ik me thuis veilig voel. Dat dateert uit de tijd dat mijn vader ons in een dronken bui nogal eens het huis uit joeg. Soms alleen mij, soms een van mijn broers. Je wist nooit wie er aan de beurt was. Het was geen straf voor iets wat je had misdaan, het overkwam je omdat je toevallig in zijn buurt was wanneer hij zijn woede op iemand wilde botvieren. Als jij niet het slachtoffer was maar wel voor het slachtoffer wilde opkomen, werd je ook buiten de deur gezet.

Plotseling snap ik het, hoe krankzinnig het ook is: toen we nog bij elkaar waren, heb ik me tegen al zijn pogingen om me in zijn macht te krijgen verzet. Sinds ik hem heb verlaten, heb ik al zijn inspanningen om me terug te winnen genegeerd. Nog steeds heb ik niet gereageerd op alles wat hij me de afgelopen tijd heeft aangedaan. Het enige wat hij nog kon bedenken om tot me door te dringen, was verhuizen naar de buurt waar ik woon, al wilde hij daar vroeger voor geen goud wonen.

Ik sta op en schuifel langs de muur naar het raam. Een voor een trek ik de gordijnen dicht en dan controleer ik of alle deuren op slot zitten.

Het zou natuurlijk het verstandigst zijn meteen weer te verhuizen. Maar ik laat me niet opjagen. Elke verhuizing heeft ook invloed op mijn werk, en ik ben bezig aan een reeks belangrijke opdrachten. Gelukkig geef ik geen les of advies meer op het college, want na die telefoontjes en het incident in het restaurant heb ik tegen het hoofd van de faculteit en de studentendecaan gezegd dat ik het voor mezelf – en voor de studenten – beter vind voorlopig geen vaste werktijden meer te hebben.

Ik heb tijd nodig om over de situatie na te denken. Ik weet niet wat ik moet doen of waar ik naartoe moet. Ik weet wel dat ik niet zomaar moet verhuizen, want dan kan Paul me weer volgen. Voordat ik naar bed ga, zoek ik in het telefoonboek een loods waar ik mijn spullen kan opslaan. Daarna haal ik mijn reistas uit de kast en doe er ondergoed, sokken, een pyjama en mijn juwelen in. Een begin.

De volgende morgen zeg ik vanaf de maand na de volgende de huur op en leg mijn hospita uit waarom. Ze zegt dat ze het huis te koop zet en dat ze dat alvast tegen de buren wil zeggen. Ik zeg dat Paul dan zal vragen of hij het huis mag bekijken, want ik weet zeker dat hij dat zal doen. 'Ik ben bang voor hem,' voeg ik eraan toe. Ze belooft dat ze me zal waarschuwen als hij wil komen.

Boven pak ik dozen in en schrijf erop waar ze moeten worden uitgepakt: slaapkamer, keuken, kantoor, badkamer. Ik troost mezelf met de gedachte dat ik deze keer dingen inpak die hij niet heeft aangeraakt. Ik heb alles wat hij me heeft gegeven weggegooid, weggegeven of verbrand. Een paar weken nadat ik bij hem weg ben gegaan, heb ik midden in het bos een groot vuur gestookt en de asvlokken van mijn leven met hem zien wegzweven.

Dat dacht ik tenminste.

39

Wanneer ik mijn therapeut vertel dat Paul nu vlak bij me woont, raadt ze me opnieuw aan naar de politie te gaan. Ze zegt dat hij is begonnen met me psychologisch te stalken, maar dat hij dat nu fysiek doet. Ik weet dat ze gelijk heeft, maar ik volg haar raad niet op. Wat moet ik dan zeggen? Mijn ex-vriend is bij me in de straat komen wonen, kunt u iets doen om hem daar weg te krijgen? Ik kan me niet voorstellen dat ze daarop zullen ingaan. Het is een belachelijk verzoek, vind ik.

Dus concentreer ik me op het inpakken van mijn spullen en mijn volgende verhuizing. In mijn vrije tijd vul ik dozen. Elke keer als ik in een andere buurt een appartement bekijk, zie ik voor me dat Paul me volgt. Intussen houd ik me thuis aan mijn normale routine: koffie, baden, werken. Maar buitenshuis ben ik voorzichtiger; ik ga niet meer naar restaurants of de bioscoop in de buurt en niet meer naar mijn vaste winkels. Als ik wegga, rijd ik nooit langs zijn huis, al moet ik ervoor omrijden.

Ik roep het bestuur van de uitgeverij bijeen en vertel dat ik ga verhuizen en misschien een tijdje de stad uit ga. Ik leg kort uit waarom en als een van de bestuursleden naar Pauls naam vraagt, noem ik die. Nog geen uur nadat iedereen weg is belt Jane. De vrouw van Paul is een van haar beste vriendinnen, zegt ze. Ik herken de naam: ze is de vrouw van de vrouwenkliniek met wie Paul via mij een lunchafspraak had willen maken. Hij heeft ervoor gezorgd dat ze haar baan opgaf en betaalt een vervolgstudie voor haar, zegt Jane. Haar vriendinnen maken zich zorgen om haar, omdat ze is veranderd. En als klap op de vuurpijl vertelt ze me dat Paul al maandenlang vragen over me stelt. Hij heeft haar verteld dat we jaren geleden wel eens met elkaar uitgingen, dat ik belangstelling voor hem had maar hij niet voor mij. Volgens hem waren we met ruzie uit elkaar gegaan. Nou ja, dat klopt in elk geval. Ik vermoed dat ze me lang niet alles vertelt, maar dit is eigenlijk wel genoeg. Ik maak zo gauw mogelijk een eind aan het gesprek.

Twee dagen later belt ze weer. Ze vertelt me dat Paul, toen ze hem had verteld dat we niet op dezelfde lijn zaten, haar een groot bedrag had aangeboden voor de uitgeverij, zodat zij die kon runnen en ze mij kon ontslaan. Ze zegt erbij dat ze zijn aanbod heeft afgeslagen. 'Hij gebruikt zijn geld om er mensen mee in zijn macht te krijgen, dat zie ik nu in. Ik maak me zelfs zorgen om de invloed die hij heeft op mijn man. Ze zijn bevriend geraakt.'

En dat is nog niet alles. Pauls vrouw, vertelt ze verder, maakt zich steeds bezorgder over zijn belangstelling voor kinderpornografie op het internet. Ze wil me de details geven, maar die wil ik niet horen. Het lijkt wel of ze mij om hulp wil vragen, maar ik wil dat we het weer over ons oorspronkelijke onderwerp hebben.

'Is het niet bij je opgekomen dat hij zijn uiterste best doet om mijn leven te verpesten omdat ik bij hem weg ben gegaan?' vraag ik. 'En begrijp je nu dat je hem daarbij hebt geholpen?'

Deze keer maakt Jane gauw een eind aan het gesprek, maar een paar dagen later belt ze weer. 'Ik besef nu dat hij me altijd meteen nadat ik van een vergadering thuis was gekomen belde,' zegt ze. Hij wilde weten hoe mijn appartement eruitzag, waar de slaapkamers waren en de deuren en zo.

Ik kan bijna niet geloven dat ze me dat niet onmiddellijk heeft verteld en dat zeg ik.

Ze gaat vlug door: 'Het was zíjn idee om bij jou in de straat te gaan wonen. Zij wilde dat niet.'

Nou en? Ze heeft het wel gedaan, denk ik. Ik denk aan de telefoon die het niet deed, de uitgevallen elektriciteit, de open deur... Jane zegt niet dat het haar spijt, maar voert verontschuldigingen aan voor zichzelf. 'Ik dacht niet dat ik er verkeerd aan deed hem antwoord op zijn vragen te geven,' zegt ze.

Opnieuw betreur ik dat ze met hem heeft meegewerkt.

'Ik zie nu in dat ik wantrouwig had moeten worden.' Ze begint klaaglijk te klinken, alsof het háár overkomt in plaats van mij en alsof ze vindt dat er misbruik van haar is gemaakt en zij er dus niets aan kan doen.

Plotseling denk ik dat ik gemanipuleerd ben toen ik die functie bij de uitgeverij aannam. Ik heb ruimschoots de capaciteiten voor het werk, maar nu vermoed ik dat ze me hebben aangenomen zodat Paul me in de gaten kon houden en ook via die weg mijn leven kon verstoren. Ik ben woedend, maar dat laat ik niet merken. Ik vertrouw Jane voor geen cent, maar dat laat ik ook niet merken.

Nadat ik heb opgehangen, besef ik dat ik mijn volgende verhuizing nog voorzichtiger moet aanpakken dan ik dacht.

Behalve toen ik studeerde en toen ik met Paul samenwoonde, heb ik sinds mijn vijftiende in hetzelfde bed geslapen. Het heeft een walnotenhouten frame met knoestig inlegwerk, in de stijl van Lodewijk xv, en het is van mijn moeder en ook van haar moeder geweest. Meteen na het telefoongesprek met Jane haal ik het uit elkaar en breng het naar de logeerkamer op de eerste verdieping, die aan de tuinkant ligt in plaats van aan de straat. Bovendien ligt hij dichter bij mijn voordeur, wat me een veiliger gevoel geeft nu ik weet dat Paul weet hoe mijn huis is ingedeeld. Daar zal ik de laatste paar nachten slapen.

Elke morgen bij het wakker worden denk ik, zelfs voordat ik opsta, aan wat het belangrijkste in mijn leven is geworden: hoe ik voorgoed van Paul af kan komen.

40

Er zijn dagen dat ik het gevoel heb dat de gesprekken met mijn therapeut mijn enige houvast zijn. Misschien hebben ze dezelfde uitwerking als een bloedtransfusie: het ene moment ben je leeg, het volgende ben je weer gevuld. Ze weet wat ik nodig heb: eerst geduld en stilte, zodat ik mijn gedachten kan verwoorden, daarna logische observaties en suggesties.

Ik zeg dat ik nu inzie dat er al vanaf het begin aanwijzingen waren naar Pauls ware aard, als ik had geweten waarop ik moest letten. Natuurlijk had ik hem wel een beetje een ongewone man gevonden, maar eerlijk gezegd ben ik een beetje een ongewone vrouw, en een zekere mate van excentriciteit vind ik wel boeiend. En natuurlijk weet ik nu dat hij niet zozeer excentriek, maar eerder pervers is, wat hij maskeert met charme. En ik zie nu ook in dat er duidelijke waarschuwingstekens waren die ik niet had moeten negeren.

Inderdaad, beaamt ze, maar doordat je bent opgegroeid in een gezin waar genegenheid en wreedheid elkaar op een onvoorspelbare manier afwisselden, dacht je dat de situatie met Paul normaal was, dat alle liefde zo was.

Toch vind ik het moeilijk mezelf geen sukkel te vinden omdat ik niet zag wat zo voor de hand lag, zeg ik tegen haar. Door de afschuwelijke aanvallen van mijn vader was ik erop voorbereid alles te accepteren van een man die zei dat hij van me hield. Door de loyaliteit van mijn moeder was ik erop voorbereid dat ik van iemand van wie ík hield alles moest accepteren. Maar als het je overkomt, voeg ik eraan toe, is het veel ingewikkelder.

Het komt erop neer dat een man als Paul een onvermijdelijke keus voor me was. In deze periode van mijn leven, waarin alles draait om manieren waarop ik me voor hem kan verbergen, zie ik in dat ik hem of iemand zoals hij nodig had om door het duister naar het licht te gaan. Sinds ik volwassen was geworden, had ik vermeden waartoe mijn opvoeding had moeten leiden: trouwen met een alco-holist of een ander soort emotioneel beschadigde verslaafde. Net als voor andere dochters en kleindochters van alcoholisten was dat niet mijn hardop uitgesproken bestemming, maar lag het wel voor de hand.

Ik was opgevoed met de instructie dat ik in naam der liefde alles moest vergeven: schelden, slaan, hatelijke blikken... Maar anders dan mijn vader is Paul ongeneeslijk pervers en manipulatief. Hij heeft me nooit geslagen, hij heeft me alleen laten zien dat hij in staat is het hart van een vrouw te vermoorden. Ik ben bij hem weggegaan voordat hij me totaal kon vernietigen, maar ik begrijp vrouwen die weten hoe gevaarlijk hun man is en toch bij hem blijven, omdat hun angst om weg te gaan groter is.

Ik schaam me ervoor dat ik, terwijl ik zo mijn best heb gedaan om bij alcoholisten uit de buurt te blijven, in plaats daarvan iemand heb gekozen die zich aan seksueel misbruik te buiten gaat. Dat ik in ruil voor dronken razernij een ander soort wreedheid heb aan-vaard.

Is het een veeg teken, vraag ik mijn therapeut, dat ik ervan droom dat een van mijn zussen Paul vermoordt? Ik vermoord hem niet zelf, verduidelijk ik, alsof ik de schuld van me wil afwentelen. Maar ik droom het regelmatig en ik geniet ervan.

Natuurlijk niet, dat is heel normaal, zegt ze. Om dit te kunnen doorstaan, onderdruk ik mijn woede en die moet er toch op de een of andere manier uit.

Maar behalve mijn therapeut is er nog iemand die me helpt aar-diger over mezelf te denken dan ik zonder hen zou doen. Mijn vriend Phil, die Paul heeft ontmoet, zegt: 'Hoe heb je dit allemaal kunnen weten? Hij zag er leuk uit. Hij klonk aardig.' En wanneer ik wil protesteren, voegt hij eraan toe: 'Meestal deed hij de juiste din-gen.' Mijn volgende protest onderbreekt hij met een lach: 'Hij kon zo charmant doen dat zelfs de grootste zuurpruim voor hem zou vallen.'

Net wanneer ik op een dag de deur uit wil gaan voor een afspraak met een cliënt blijf ik met één bruine leren handschoen al aan en de andere nog op het tafeltje in de hal opeens stokstijf staan. Ik moet vanavond niet naar huis gaan, denk ik. Ik sta roerloos op de hardhouten vloer en denk na. Dan vertrouw ik op mijn intuïtie, bel mijn cliënt en zeg dat ik een kwartier later kom.

Ik doe mijn toilettas en extra kleren in mijn al half ingepakte reistas en stop nog een paar mappen in de schoudertas met de papieren voor de afspraak. Wanneer ik buiten sta, doe ik de voordeur zorgvuldig op slot en controleer of ik het echt heb gedaan.

Na de bespreking met de cliënt ga ik naar een bank in de buurt en haal een paar honderd dollar contant geld. Daarna reserveer ik onder een andere naam een kamer in een hotel een paar kilometer bij mijn huis vandaan en betaal vooraf, zonder mijn creditcard te gebruiken. Terwijl ik daar voor de balie sta, met een stapel lokale kranten aan de ene en een glazen schaal met appels aan de andere kant, besef ik dat ik in dat heel gewone hotel doodsbang ben.

Op mijn kamer check ik mijn telefonische boodschappen en hoor dat mijn nichtje Maggie heeft gebeld. Ik bel terug en haar man neemt op. Ik leg uit waar ik ben.

'Kom maar bij ons,' zegt Greg.

'Ik wil niemand anders in gevaar brengen,' zeg ik.

Daar wil hij niets over horen. 'Bij ons ben je veilig,' zegt hij. 'Kom nu meteen naar ons toe.'

Ik wil liever alleen zijn, maar ik kom in de verleiding door het aanbod van een veilige haven. 'Ik kom morgen,' zeg ik.

Voordat ik me de volgende dag in hun logeerkamer installeer, koop ik mijn eerste mobieltje. Ik zie de ironie ervan in: Paul wilde er een voor me kopen zodat hij me altijd kon bereiken en ik koop er een zodat hij me niet kan bereiken.

Een paar dagen later ga ik naar huis om nog wat spullen in te pakken en mijn computer op te halen. De voordeur zit niet meer op slot. Ik zie nog één ander teken dat er iemand in mijn huis is geweest: een boek dat op mijn bureau lag, ligt nu halverwege de trap – alleen maar om me te laten weten dat er iemand binnen is geweest. De gedachte dat Paul aan de overkant woont en precies weet hoe mijn appartement eruitziet, maakt dit nog bedreigender. Vlug pak ik het werk in dat ik niet over kan doen, de aantekeningen over

Brontë en de zeldzame boeken die ik in de loop der jaren heb verzameld. De rest kan ik eventueel missen.

Wanneer ik weer bij mijn nichtje ben, bel ik eindelijk de politie, al vind ik het zwak van mezelf dat ik moet toegeven dat ik hulp nodig heb. Nu pas zie ik dat mijn overdreven zelfstandigheid ook een negatieve kant heeft, want door het gedrag waarop ik zo trots was – niet om hulp vragen, alles zelf oplossen – heb ik Pauls gedrag misschien erger gemaakt. Ik hoop dat de hulp niet te laat komt.

41

Ik woon in het derde politiedistrict. Paul ook. Wanneer ik het nummer draai, komt het bij me op dat het enige voordeel van het feit dat hij en ik in dezelfde straat wonen is dat we met dezelfde groep agenten te maken hebben. In de hoop dat de kans dat ik serieus wordt genomen dan groter is, vraag ik om een vrouwelijke agent. Ik heb wel eens gehoord hoe mannelijke agenten vrouwen met mijn probleem ondervragen: wat heb je gedaan om hem zo kwaad te krijgen? Hij moet wel erg veel van je houden als hij je niet met rust kan laten. Waarom ga je niet naar hem terug? Weet je zeker dat je je dit niet allemaal verbeeldt? Het is al erg genoeg als familieleden of vrienden dit soort dingen zeggen en ik zou wanhopig worden als de politie dat zou doen.

Wanneer ik aan mijn verhaal ben begonnen, onderbreekt de sergeant me en zegt vriendelijk: 'Ik kan hier een rapport van opmaken, maar u zult beter worden geholpen als u de afdeling Seksuele Misdrijven in het centrum belt. Wij houden ons vooral bezig met mannen die vrouwen in elkaar slaan en hun huis binnendringen.'

De vrouwelijke agent van de afdeling Seksuele Misdrijven vraagt of ik naar haar toe kan komen om persoonlijk mijn verhaal te doen. 'Breng een foto van uw ex mee,' voegt ze eraan toe. Ik zeg dat ik alle foto's van Paul heb weggegooid of verbrand, maar voordat ik naar haar toe ga, bel ik mijn zus Liz en vraag of ze me de foto wil mailen die ze de laatste kerst die hij bij ons heeft doorgebracht heeft genomen.

Een tijdje later zit ik in een kamer van het politiebureau tegenover drie rechercheurs. Ze kijken alsof ze niet weten of ze me moeten geloven of niet. Ik vertel hun alles over de tijd dat ik met Paul heb samengewoond en alles wat er sindsdien is gebeurd. Het duurt een paar uur en een van hen maakt voortdurend aantekeningen.

Wanneer ik vertel over de poging tot ontvoering van de kinderen van mijn zus, vragen ze of ik denk dat Paul daar iets mee te maken heeft gehad. Daar heb ik natuurlijk wel over nagedacht, maar ik weet het niet zeker.

Een van hen zegt dat ik geen tijd meer moet verspillen met erover na te denken, want het is wel heel eigenaardig dat de man die mijn nichtje en neefje wilde ontvoeren toevallig voor Paul heeft gewerkt.

Dat vind ik eigenlijk ook, maar toch kon ik destijds niet geloven dat Paul er iets mee te maken had. Het is waarschijnlijk normaal dat je niet gelooft dat iemand van wie je houdt in staat is om kinderen te laten ontvoeren. We geloofden zijn verhaal allemaal, waardoor hij voor ons aan de kant van de slachtoffers stond in plaats van aan de kant van de dader. Maar Paul kon iemand hebben betaald om de kinderen te ontvoeren, oppert een van de rechercheurs, om later te kunnen aanbieden dat hij het losgeld zou betalen om ze terug te krijgen.

Hij zou hebben gedacht dat onze familie hem daar eeuwig dankbaar voor zou zijn. Het zou nooit bij hem zijn opgekomen dat we dat aanbod niet zouden accepteren, omdat hij geen lid was van onze familie en we dat geld zelf wel bijeen konden brengen.

Een van de rechercheurs vraagt of ik denk dat Paul ook iets met de moord op zijn vader te maken heeft gehad. Hij is wel de meest voor de hand liggende verdachte. Hij was de enige erfgenaam en hij had blijkbaar een heel slechte relatie met zijn vader. Ik vertel hun iets over de man die voor de moord is veroordeeld. Hij zou niet de eerste zijn die bereid is om zich voor een bepaald bedrag wegens moord naar de gevangenis te laten sturen, zegt een van de rechercheurs. Het zal u verbazen als u hoort wat mensen allemaal voor geld willen doen, en blijkbaar heeft Paul meer dan genoeg geld.

Maar die man heeft de doodstraf gekregen, zeg ik.

Ze legt uit dat veel ter dood veroordeelden nooit ter dood worden gebracht, omdat beroepsprocedures de rest van hun leven kunnen duren.

Ik vertel over het feest dat Paul na het proces in de countryclub heeft gegeven.

Dat klinkt alsof hij iedereen voor de gek heeft kunnen houden, zegt een van de rechercheurs. Als de politie van New Mexico hem niet meteen als verdachte heeft aangemerkt, hebben ze hun werk niet goed gedaan.

De reacties van de rechercheurs dwingen me eindelijk toe te geven dat Paul een heel gevaarlijke man is. Als hij in staat is de ontvoering van mijn neefje en nichtje op touw te zetten (ik twijfel er niet langer aan dat hij dat heeft gedaan), en dat incident in Londen (dat ik nog niet met hem in verband had gebracht) en de moord op zijn vader (wat ik nu voor mogelijk houd), dan is mijn leven voor hem niets meer waard, vooral nu ik naar de politie ben gegaan.

Al voordat ik klaar ben met mijn verhaal, vragen ze waarom het zo lang heeft geduurd voordat ik naar hen toe ben gegaan. Die vraag heb ik niet verwacht. Ik ben niet geslagen, verkracht of beschoten, dus ging ik ervan uit dat ze mijn geval niet zo belangrijk zouden vinden.

Ze willen weten of ik nog contact met hem heb.

'Nee,' antwoord ik. 'Al ruim twee jaar niet meer.'

Daar zijn ze blij om. Want dat is, als je gestalkt wordt, een van de grootste fouten die je kunt maken. Een stalker wil dat zijn slachtoffer reageert, zich verzet. Dat houdt de verbinding in stand.

Dan zegt een van de rechercheurs, degene die me heeft verteld dat hij al dertig jaar ervaring met achtervolgingsmisdrijven heeft: 'Hij wil je gek maken.'

'Hij wil dat iedereen dénkt dat ik gek ben,' zeg ik, want ik wil zeker weten dat ik begrijp wat hij bedoelt. Ik kijk naar zijn verweerde gezicht. Hij ziet eruit alsof hij weet waar hij het over heeft.

'Nee,' zegt hij. 'Dat wil hij ook, maar hij wil echt dat je gek wordt.' Ter verduidelijking voegt hij eraan toe: 'Hij wil letterlijk dat je gek wordt en als zodanig wordt bestempeld. Begrijp je wat ik bedoel?' Hij zwijgt, maar alleen tot ik verbijsterd heb geknikt. 'Dat willen die mannen,' gaat hij verder. 'Ze willen hun slachtoffer gek maken. Als je dan in een inrichting belandt, weten ze waar je bent en kunnen ze je nog beter in de gaten houden. Weet je wel hoe gemakkelijk het is je te bemoeien met het leven van iemand die voor gek wordt verklaard?' vraagt hij. Ik kijk hem ongelovig aan en hij vervolgt: 'Ik heb het zien gebeuren met vrouwen die net zo intelligent, goed opgeleid en bekwaam zijn als jij.'

Alsof het van heel ver komt, hoor ik een van de anderen zeggen hoe mijn verhaal op hen is overgekomen: ik heb een vrij rustig leven geleid, toen ontmoette ik een man en opeens overkomen me allerlei dingen, veel te veel dingen om het af te doen als toevalligheid.

Ik krijg een licht gevoel in mijn hoofd, alsof ik kortsluiting heb in mijn hersens of opnieuw moet worden opgeladen. Ik haal diep adem en recht mijn rug. Ik moet mijn aandacht erbij houden. Dit is niet het moment om me door mijn emoties te laten overmannen.

Het gesprek met de rechercheurs is een ommekeer in mijn leven. Het lijkt wel een scène in een film, een slechte film. Maar het overkomt me echt en het dwingt me naar een toekomst te kijken die ik me in de verste verte niet heb kunnen voorstellen. Er loopt iemand rond die zo veel haat – of angst – voor me voelt dat hij bereid is een enorme hoeveelheid tijd, geld en energie te besteden aan pogingen om me letterlijk gek te maken. Kortom, hij wil een andere persoonlijkheid van me maken, iemand die niet meer kan werken, die niemand meer kan vertrouwen, die geen onbekommerd leven meer kan leiden en zich nooit meer veilig kan voelen.

De rechercheurs die mijn zaak op zich nemen, zeggen dat ze meteen met hun onderzoek zullen beginnen.

Twee dagen later belt de rechercheur die het onderzoek leidt me op en vraagt of ik weer naar het bureau kan komen. 'We zijn de dingen die u ons hebt verteld aan het nagaan,' zegt ze, 'en tot nu toe klopt het allemaal. Zelfs vrienden van hem beamen het. Dat maken we weinig mee.' Ze voegt eraan toe dat ik verbazend accuraat verslag heb gedaan.

Ik heb een goed geheugen, zeg ik.

Ze lacht en zegt dat mijn zus Liz dat ook zei toen ze haar ondervroegen over de poging tot ontvoering.

'Sommige mensen vinden het lastig,' zeg ik.

Ze lacht weer. 'Ja, ze zei erbij dat zij het erg vervelend vindt als jullie ruziemaken over iets wat in het verleden is gebeurd. Maar in dit geval is een goed geheugen een voordeel.' Ze zegt dat ze Liz heeft aangeraden de gebeurtenis bij de politie in haar stadje te melden en er ook de leraren van de kinderen van op de hoogte te stellen.

Zoals vaak gebeurt, komt na het goede het slechte nieuws. De politie zit ermee dat ik Paul al ruim twee jaar geleden heb verlaten en sindsdien geen contact meer met hem heb. Mannen die een vrouw lastigvallen nadat ze bij hem weg is gegaan, doen dat meestal vlak na haar vertrek en daarna neemt het af. Dat Paul zo lang woedend blijft, is geen goed teken. En omdat hij anderen bij zijn dreigementen inschakelt, kost het extra veel moeite om bewijzen tegen hem te verzamelen. Misschien lukt dat zelfs nauwelijks. Toch zullen ze alles doen wat in hun vermogen ligt, verzekert ze me.

Zo begint het. Nu wordt híj in de gaten gehouden. De politie blijft onderzoek doen en mensen bellen die mijn klachten kunnen bevestigen. Ze parkeren voor zijn huis om hem te bespieden. 'We willen dat hij weet hoe het is als iemand je voortdurend bespiedt,' legt de rechercheur uit. 'En we willen dat zijn vrouw ook weet dat we hem volgen.' Om haar voor haar man te waarschuwen, zegt ze erbij.

42

Ik kan beter niet bij naaste familie logeren, raadt de politie me aan. Want daar zal hij me het eerst zoeken. Dus is het beter dat ik bij Maggie en Greg ben. Ze hebben me hun logeerkamer gegeven en 's avonds mag ik mijn auto in hun garage zetten. Maar ze doen nog veel meer: ze nemen me op in hun leven en geven me het gevoel dat ik niet alleen sta.

De politie is van plan om, nadat ik al mijn spullen uit mijn appartement heb gehaald, Paul naar het bureau te laten komen om hem te ondervragen. Ik moet er dan voor zorgen dat ik heel ver weg ben, omdat ze denken dat hij daarna gevaarlijker zal zijn dan ooit. Ik zeg dat ik bij vrienden buiten de stad kan logeren om daar de opdrachten die ik voor het eind van het jaar moet inleveren af te maken. Ik leef van wat ik verdien, dus kan ik het me niet veroorloven mijn cliënten slecht te behandelen. Daarna kan ik vrienden in Europa gaan opzoeken.

Ik overweeg de mogelijkheden. Hij zal denken dat ik eerst naar Engeland ga. Dus denk ik aan Ellen, die nog in Lissabon woont. Toevallig belt ze me niet lang nadat ik naar de politie ben gegaan. Ik vertel haar wat er aan de hand is. Ik kan in haar appartement logeren, zegt ze. Ze gaat met de kerst een paar weken naar huis. En na mijn terugkeer kan ik hier haar huis huren, stelt ze voor. Dat heeft ze me al eerder aangeboden, toen ze besloot naar Portugal te gaan, maar toen wilde ik dat niet. Het is een groot huis van drie verdiepingen met een heleboel buitendeuren. En wat Lissabon betreft, ik ken die stad niet en naar een onbekende plaats gaan trekt me niet aan. Ellen blijft aandringen en ik merk dat mijn tegenwerpingen haar ergeren.

Ik vertel de politie over ons gesprek. Ik zeg erbij dat Ellen voor haar vertrek het huis tegenover het mijne toen dat te koop stond heeft bekeken, terwijl ik wist dat ze het niet kon betalen. Het had me verbaasd en toen ik het er met haar over had, zei ze dat een kennis haar misschien wilde helpen. Nu pas denk ik daarbij aan Paul. Ik dacht dat ze elkaar niet kenden, maar nu vraag ik het me af. De politie oppert dat Paul haar destijds geld heeft gegeven om mij over te halen een baan aan te nemen waarop hij controle kon uitoefenen, zodat ik ergens zou gaan wonen waar hij me in het oog kon houden.

Wanneer ik Ellen, zoals ik haar heb beloofd, terugbel, vertel ik wat de politie vermoedt. 'Maar dat denk ík natuurlijk niet,' lieg ik.

'Ik moet weg, ik bel je nog wel,' zegt ze en ze verbreekt de verbinding. Ik heb nooit meer iets van haar gehoord. Ze heeft niet teruggebeld en nooit gereageerd op de boodschappen die ik de paar dagen daarna heb achtergelaten.

Ik vraag inlichtingen over een plek in Ierland, in de buurt van Cork, maar dan besluit ik toch om naar Engeland te gaan. Ik zal naar Londen vliegen en bij mijn vriendin Polly logeren. Ze heeft haar B&B verkocht en is verhuisd naar een landhuisje in een dorp in het noorden.

Paul weet hoe ik denk. Hij weet dat Engeland als toevluchtsoord mijn eerste keus is. Maar die gedachte zal hij verwerpen, omdat ik vast niet iets zal doen wat voor de hand ligt. Ik reken erop dat hij zo denkt.

43

Tot nu toe ben ik nooit goed geweest in het lezen of volgen van instructies. Maar nu leef ik in een script dat iemand anders heeft geschreven en heb ik geen idee waar het verhaal naartoe gaat, dus wanneer de politie me vertelt wat ik moet doen om mijn kans op veiligheid te vergroten, volg ik hun instructies zorgvuldig op. Vertel je familie, vrienden en cliënten wat er aan de hand is. Om het veiligheidsnet om je heen te versterken. Maar zeg tegen zo weinig mogelijk mensen waar je woont of waar je naartoe gaat. Neem nooit dezelfde route naar een bepaalde bestemming. Gebruik alleen een veilige telefoonlijn of een openbare telefoon. Houd thuis een tweede agenda bij zodat we, mocht je verdwijnen, weten waar we met zoeken moeten beginnen. Verkoop je auto, voor het geval dat er een zendertje in zit dat verraadt waar je bent. Zorg voor extra beveiliging van je bankrekeningen. Praat veel met je therapeut om een trauma te voorkomen.

Van het politiebureau rijd ik rechtstreeks naar een autodealer om mijn auto te verkopen en voor elke week tot aan mijn vertrek een andere auto te huren. Zendertje of niet, ik heb geleerd dergelijke adviezen niet in twijfel te trekken. Ik heb het trouwens te druk met achteromkijken of ik word gevolgd en vooruitkijken om te beslissen wat ik vervolgens moet doen.

Wat ik het ergst vind, is die tweede agenda. Ik kan me gemakkelijk voorstellen hoe hij me kan laten verdwijnen. Ik zie het vuile, afgelegen gebouw voor me dat hij kort voordat ik bij hem wegging had gehuurd. Hij heeft het me een keer laten zien, toen hij de sloten liet veranderen. Het staat op een industrieterrein aan de rand van het centrum. Toen ik Paul vroeg wat hij ermee wilde doen, zei hij: 'Niets bijzonders. Misschien heb ik het een keer nodig.'

Het gebouw staat in een straat waar je kunt schreeuwen zonder te worden gehoord of waar waarschijnlijk niemand erop zou reageren. Ik zou daar zitten en Paul zou me ergens anders, ver weg, elektronisch bewaken. Vol leedvermaak.

De politie geeft me drie keuzes: ga wonen op een plek die uitstekend beveiligd is, ga onder een andere naam ergens wonen waar het veilig is of blijf verhuizen.

Als ze het over een vaste woonplek hebben, vraag ik: 'Jullie bedoelen dat ik daar een gemakkelijk doelwit ben?'

'Nou ja...' begint een van hen. Ik val hem in de rede: 'Maar jullie zullen me daar dag en nacht bewaken?'

Natuurlijk weet ik wat ze daarop zullen zeggen. Ze hebben nauwelijks genoeg mankracht voor hun normale werk, laat staan voor privébewaking.

Dat kunnen ze zich niet veroorloven, zeggen ze, maar ze zullen me zo goed mogelijk in het oog houden.

Dat weet ik, zeg ik, en ik verwacht ook niets anders. 'Maar omdat ik me geen eigen bewakingsdienst kan veroorloven, is dat geen optie,' zeg ik. Ik voel er niets voor een gemakkelijk doelwit te zijn en te hopen dat de politie op tijd is om me te redden. Ik heb genoeg onderzoek gedaan om te weten hoe dat zou aflopen.

Het is een deprimerend probleem. In dit land worden elk jaar ruim een miljoen vrouwen gestalkt en dat gebeurt in 87 procent van de gevallen door een man. Meestal is het een bekende – in 77 procent van de gevallen – en in 59 procent van de gevallen is het een intieme partner. Slechts 55 procent van de slachtoffers meldt het misdrijf bij de politie en slechts 13 procent van de aangeklaagde stalkers wordt vervolgd. Van hen wordt iets meer dan de helft veroordeeld.

Hoe meer ik te weten kom, hoe moedelozer ik word. Een intieme partner achtervolgt een vrouw gemiddeld ruim twee jaar. Omdat Paul zich blijkbaar alleen nog maar aan het opwarmen is, sta ik aan de verkeerde kant van het gamma. En dan wordt er nog niet eens rekening gehouden met stalkers zoals die van mij, die meer dan genoeg geld hebben. Want met dat soort stalkers, die anderen kunnen inhuren om hun prooi lastig te vallen en angst aan te jagen, kan het nog veel langer duren, zelfs een heel leven.

De rechercheurs delen hun mening over Paul met mij en daardoor raak ik er steeds meer van overtuigd dat ik het veiligst ben als ik me blijf verplaatsen, in elk geval voorlopig.

Daarvoor moet ik een karig leven leiden, met zo weinig mogelijk bezittingen, maar heb ik wel een heleboel bekwame mensen nodig die me kunnen helpen. Ik overweeg of ik een zendertje onder mijn huid zal laten plaatsen zodat ik kan worden gevonden, daar heb ik over gelezen. Ik heb altijd een tasje om mijn middel hangen met mijn paspoort, creditcards en contant geld erin. Ik ga zelfs niet wandelen zonder dat tasje en wanneer ik slaap, ligt het naast me. Ik voel me minder kwetsbaar als ik weet dat ik meteen weg kan.

44

Ik heb het merendeel van mijn spullen weggegeven aan een toe-
vluchtshuis voor mishandelde vrouwen, dus staat er niet veel meer
in mijn appartement. Toch heb ik de diensten van een verhuizer nodig om de rest op te slaan: dozen en de meubels die ik wil houden,
voor het merendeel antieke erfstukken. Een paar vrienden komen
naar het appartement om de laatste dingen te helpen inpakken.

De regen van 's morgens gaat over in natte sneeuw en buiten
wordt alles bedekt door een natte prut. Wanneer ik langs het huis
van Paul rijd – voor het eerst sinds ik hem daar zes weken geleden
zag zitten – om de verhuizer de weg naar de opslagloods te wijzen,
zie ik binnen een magere vrouw met een eenzaam gezicht. Ik zou
voor geen goud met haar willen ruilen; ik ben liever buiten en zo
bang als ik ben dan binnen terwijl ik niet weet hoe bang ik moet
zijn.

Mijn spullen worden vanuit de verhuiswagen en onze auto's in de
opslagruimte gezet en ondertussen staan mijn schoonzus Sally en ik
buiten tot halverwege onze kuiten in ijskoud water. Maar kletsnat
worden en me afvragen of de loods nog op slot zal zitten wanneer ik
terugkom, is niet mijn grootste zorg.

Ik bel de politie en zeg dat ik de stad uit ga om afscheid te nemen
van mijn moeder en van Liz en de kinderen. Voorlopig heeft de politie me niet meer nodig en wat mijn werk betreft kan ik ook een
poosje vrij nemen, dus ga ik een paar dagen weg. Mijn moeder en
Liz komen naar een motel halverwege de route tussen onze woon-
plaatsen.

Mijn moeder doet haar best om niet te huilen en dat lukt haar
goed. Maar ik zie het aan haar gezicht: haar ogen staan somber en
hebben een doffe kleur blauw. Terwijl Liz bij het zwembad op
haar kinderen let, praten we met elkaar. 'Ik kan hem wel vermoorden,' zegt ze. 'Als je vader nog zou leven, zou hij...' Ze maakt de zin

niet af. Wanneer haar woede jegens Paul de overhand krijgt, zegt ze dat altijd, op dezelfde manier. We hebben natuurlijk geen idee wat mijn vader zou hebben gedaan. In elk geval niets onwettigs, maar wel iets. We weten zeker dat hij íéts zou hebben gedaan.

Terwijl we mijn vader missen en ons hulpeloos voelen in die krankzinnige, door een ander veroorzaakte situatie, maken we grapjes. Als we tot een zekere familie behoorden, zeggen we lachend, zouden we bedenken in welke bouwput we het lichaam het beste zouden kunnen begraven. Maar zelfs als we tot zoiets in staat zouden zijn, zouden we ons daarna zo schuldig voelen dat we onszelf bij de politie zouden aanmelden. We weten ook dat we het in de gevangenis niet zouden uithouden. Wat voor soort mensen dat wél doet, weten we eigenlijk niet. Daar lachen we ook om.

We beseffen allebei dat we doen alsof we ons bij de situatie kunnen neerleggen. 'Weet je zeker dat je genoeg geld hebt?' Dat vraagt ze elke keer als we elkaar spreken en als mijn vader nog zou leven, zou hij dat ook vragen. Ik zeg dat ik genoeg geld heb.

Inmiddels begrijpt ze dat de manier waarop haar kinderen in een gezin met een alcoholist als vader zijn beschadigd, ook voor een deel aan haarzelf is te wijten. Ze ziet in dat het fout was dat ze ons steeds weer beval ons verdriet te vergeten en net te doen alsof we niet waren uitgescholden, geslagen of gekleineerd. Ze beseft wat ze van mij als haar oudste dochter heeft geëist toen ze wilde dat ik me gedroeg als een derde ouder, in plaats van papa de schuld te geven. Op dagen zoals deze laat ze opnieuw merken hoe dat haar spijt, en ze weet ook dat het voor een moeder nooit te laat is om haar kind bij te staan, hoe oud de moeder of het kind ook is.

'Ik beloof je dat ik het je zal laten weten als ik iets nodig heb,' zeg ik. En dan voeg ik eraan toe wat voor ons allebei pijnlijk is: 'Je weet dat ik je niet kan laten weten waar ik ben, maar ik zal je elke week bellen om je te laten weten dat alles goed is.' De politie vermoedt dat haar telefoon wordt afgeluisterd, dus spreken we een soort code af, iets wat waarschijnlijk alleen iemand die net als zij Engels heeft gestudeerd kan ontcijferen.

Bij het afscheid slaat ze haar armen om me heen en drukt me tegen zich aan, zoals een moeder doet die beseft dat ze haar kind niet langer kan beschermen. Het herinnert me eraan dat ik nog steeds iemands kind ben. Ik heb nog niet zo veel ervaring met verdriet als zij, en ik ben dan ook degene die huilt.

45

De politie wil dat ik tot mijn vertrek naar Engeland zo veel mogelijk buiten de stad blijf, dus regel ik dat ik bij vrienden kan logeren die een uur rijden ten westen van de stad een B&B hebben. Onderweg ernaartoe word ik gebeld door mijn neef Dan en zijn vrouw Christine. Sinds mijn tienertijd is Dan, die acht jaar ouder is dan ik, meer een broer voor me geweest dan de meeste van mijn eigen broers. En Christine is al twintig jaar mijn vriendin. Ze willen weten of ze iets voor me kunnen doen. Ik zeg dat ik de stad uit ben, maar omdat we allebei ons mobieltje gebruiken, geef ik geen details.

'Heb je een fulltime bodyguard nodig?' vraag Christine.

'Soms zou ik dat geweldig vinden,' antwoord ik, 'maar dat kan ik niet betalen.'

'Dat vragen we niet,' zegt Dan. 'We vragen of je er een nódig hebt.'

'Want als dat zo is,' zegt Christine, 'zoeken wij er een voor je. Maak je maar geen zorgen om de kosten.'

Ze menen het. Als ik dat nodig heb, zullen zij ervoor zorgen. Hoe dan ook. Maar deze situatie kan nog jaren zo doorgaan, dus moet ik leren mezelf te redden. Met tranen van dankbaarheid in mijn ogen bedank ik hen en sla het aanbod af. Maar vanaf dat moment weet ik dat ik een grote kring beschermers om me heen heb. Ik hoef alleen maar om hulp te vragen of gewoon aan te nemen wat ze me aanbieden.

De volgende paar weken stellen de vrienden met de B&B me een kamer ter beschikking met een bureau, en ze schenken me uren van hun tijd om te praten en te lachen. En wat net zo belangrijk is: ze laten merken hoe kwaad ze zijn. Ze zijn nog kwader dan ik me kan veroorloven. Als ik me laat meeslepen door mijn woede of mijn angst, verlies ik mijn geloofwaardigheid en mijn werk. En wat nog gevaarlijker is: dan verlies ik mijn zelfbeheersing. Ik moet mijn emoties onder controle houden tot ik me een poosje kan laten gaan.

Intussen helpt het dat anderen hun woede spuien.

Zodra ik me bij hen heb geïnstalleerd, bel ik de politie. De leider van het team rechercheurs vertelt me dat ze eerst een paar uur een politieauto voor het huis van Paul hebben gestationeerd en hem daarna hebben gevraagd naar het bureau te komen voor een ondervraging. Het laatste hebben ze gedaan toen ze wisten dat zowel hij als zijn vrouw thuis waren, want als zijn vrouw er niet bij zou zijn geweest, zou hij het haar waarschijnlijk niet hebben verteld.

Paul had een advocaat meegebracht naar het bureau. Hij is zo zeker van zichzelf, voegt ze eraan toe, dat het niet eens iemand was die is gespecialiseerd in strafzaken, maar een bedrijfsjurist.

Ze vertelt dat Paul iets deed wat stalkers vaak doen: het verhaal omdraaien. Hij zei dat ik hém achtervolg. Hij was rood van woede, maar ook nerveus. Hij dronk steeds water uit een flesje dat hij had meegebracht. Ik heb nooit van haar gehouden, had hij gezegd. De politie had gezegd dat ze bewijs hadden dat we bijna twee jaar hadden samengewoond.

Bovendien heeft familie van u ons verteld dat u op uw aandringen bent gaan samenwonen, had de politie gezegd. En waarom zou u tegenover iemand gaan wonen die ú achtervolgt? Uiteindelijk had Paul beseft dat niemand zijn leugens geloofde. De rechercheur zei dat volgens haar zelfs zijn advocaat hem niet geloofde.

Aan het eind van de ondervraging hadden ze Paul gewaarschuwd dat als er ooit iets met mij of met iemand van mijn familie zou gebeuren, waar ook ter wereld, hij de enige verdachte zou zijn. Opnieuw ben ik diep onder de indruk van de steun die ik krijg van een kant waarvan ik die, eerlijk gezegd, nooit had verwacht.

46

Als je maar bang genoeg bent, kost het geen moeite je gewoontes te veranderen. Meestal boek ik, als ik op reis ga, rechtstreeks bij de luchtvaartmaatschappij en betaal met mijn creditcard. Maar als je je best doet om onvindbaar te zijn, kun je het op een andere manier doen: je haalt genoeg geld van de bank voor een vliegticket en een paar nachten in een hotel. Daarna ga je naar een reisbureau en boek je een vliegticket onder een naam die zo veel op de naam op je paspoort lijkt dat je het een vergissing kunt noemen als er vragen over worden gesteld. Je gebruikt je tweede naam als voornaam of je draait je initialen om. Vóór 11 september 2001 was dat geen probleem, en dat had ik gedaan toen ik in oktober naar Maine vloog.

Maar deze keer kan ik het risico niet nemen, dus geeft de politie me een brief mee waarin wordt uitgelegd dat ik het slachtoffer van een voortdurend misdrijf ben en onder een andere naam moet reizen. Een van de rechercheurs heeft met het hoofd van de veiligheidsdienst van de luchtvaartmaatschappij gepraat. Ik hoef alleen maar naar hun kantoor in de stad te gaan en mijn ticket contant te betalen, en het staat op de naam die we hebben afgesproken. De enigen die deze naam kennen, zijn de rechercheurs, het hoofd van de veiligheidsdienst van de luchtvaartmaatschappij en ik. Ik heb het mobiele telefoonnummer van die man voor het geval dat er op de dag van mijn vertrek naar Londen nog problemen zijn.

Nadat ik de brief bij de politie heb opgehaald, loop ik naar het kantoor van de luchtvaartmaatschappij in de stad. Terwijl ik op mijn beurt wacht, let ik op wie er na mij op de blauwe plastic stoelen gaan zitten. Dat doe ik tegenwoordig overal. 'Ik ga aan vervolgingswaanzin lijden,' heb ik zojuist tegen een van de rechercheurs gezegd.

Hij antwoordde dat het een gezonde reactie is op wat er met me gebeurt, dat het bijdraagt aan mijn veiligheid.

Wanneer ik voor de balie sta, leg ik de situatie uit. Ik fluister:

'Londen, Gatwick', overhandig de brief van de politie en vraag de baliemedewerker eveneens fluisterend mijn bestemming niet hardop te herhalen.

Terwijl ze wacht tot mijn plaats van bestemming op het computerscherm verschijnt, draai ik me om en kijk nog eens om me heen. Een paar meter bij me vandaan zit de vrouw van wie ik mijn laatste appartement had gehuurd. Ze moet net binnen zijn gekomen. Een van de rechercheurs heeft me verteld dat ze, toen ze werd ondervraagd, had toegegeven dat ze met Paul had gepraat. Ze had hem verteld dat ik bang voor hem was. De politie weet niet wat er verder nog is gebeurd, maar ze had hem blijkbaar ontmoet nadat ik haar had gevraagd hem niet bij mij binnen te laten.

Ze zit dichtbij genoeg om het gesprek tussen mij en de baliemedewerker te kunnen horen. Ik draai me weer om en probeer me te herinneren wat we precies hebben gezegd. We hebben geen belangrijke dingen hardop gezegd. Ik leun naar voren en zeg zacht: 'Er zit een vrouw achter me die de man kent die me achtervolgt. Ze mag niet weten waar ik naartoe ga en wanneer ik vertrek.' Ik blijf kalm, maar waarschijnlijk heb ik een panische blik in mijn ogen. 'Help me alstublieft dit geheim te houden,' voeg ik eraan toe.

'Maakt u zich maar geen zorgen,' zegt de baliemedewerker ook heel zacht. 'Ik weet wat ik moet doen.' Als ze klaar is met haar werk, legt ze een stukje papier op de balie met daarop de prijs van het ticket. Ik betaal contant het juiste bedrag en wanneer ze me het ticket overhandigt, zegt ze hardop: 'Het is daar erg warm de laatste tijd, dus wees voorzichtig. U ziet eruit alsof u niet aan de tropenzon gewend bent.' Ze glimlacht stralend, alsof ze me een ticket geeft voor een vakantie die ik als prijs heb gewonnen.

Ik heb mijn adem ingehouden en terwijl ik die laat ontsnappen, lach ik stralend terug. 'Bedankt voor de waarschuwing,' zeg ik zo normaal mogelijk. Maar voordat ik me omdraai om weg te lopen, zeg ik geluidloos: dank u, dank u, en leg ik mijn hand op mijn hart.

Ik loop naar de deur en zorg ervoor dat ik mijn vroegere hospita niet aankijk. 'Vergeet niet een grote tube zonnecrème mee te nemen!' roept de baliemedewerker me nog na. Ik kijk om en mijn ogen staan vol tranen, maar ik kan haar duidelijk genoeg onderscheiden om te zien dat ze mijn tranen als een groot compliment beschouwt.

'Ik zal eraan denken!' roep ik terug. 'Bedankt!'

Ik loop de straat in. Nu ben ik echt op de vlucht, denk ik. Ik ben zowel doodsbang voor wat me nog te wachten staat als diep dankbaar voor de vriendelijkheid van een onbekende. Ik wil geloven dat ik zulke aardige mensen opnieuw zal tegenkomen, want de politie heeft gelijk: Paul heeft genoeg geld om me waar dan ook ter wereld op te sporen, hoe lang het ook zou duren.

47

Terwijl ik wacht tot ik in het vliegtuig naar Londen kan stappen, herhaal ik in mijn hoofd steeds mijn valse naam. Je moet er een kiezen die moeilijk te raden is, maar vertrouwd genoeg om op te reageren, zelfs wanneer je slaapt of je ontspannen amuseert (zo goed en zo kwaad als dat gaat als je wordt gestalkt). Als je een naam kiest die niets met je verleden te maken heeft, heb je de neiging er niet naar te luisteren.

Aan boord van de DC-10 zet ik mijn reistas op mijn stoel en speur langs de rijen op zoek naar een bekend gezicht. Ik ben bereid om uit te stappen als ik iemand zie die Paul kent. Maar ik herken niemand, dus zet ik mijn reistas in de bergruimte boven mijn hoofd en mijn rugzak onder de stoel voor me. Met een afstandelijke uitdrukking op mijn gezicht om mijn buren te laten weten dat ik niet in hen geïnteresseerd ben en dat ze niet moeten proberen ook maar enige interesse voor mij te tonen, wring ik me langs hen heen naar mijn plaats bij het raampje. Zo nodig doe ik net alsof ik geen Engels spreek. Ik wil met rust worden gelaten tot ik in Londen ben, met zijn bibliotheken, boekwinkels, musea en galeries. En thee. Heel veel thee. Thee heeft iets wat alleen zijn heel draaglijk maakt.

Ik wil Londen weer voor mezelf hebben, met nieuwe herinneringen alleen van mij, zonder Paul. De volgende zeven uur breng ik grotendeels dommelend door.

Op tweede kerstdag is het in het centrum van Londen niet druk. Bijna iedereen, christen of niet, ziet eruit alsof hij van het hele kerstgebeuren moet bijkomen. De mensen dragen dikke jassen, alsof het vreselijk koud is, maar waar ik vandaan kom vriest het, dus vind ik het vrij zacht. Ik knoop mijn jack los, koop een cappuccino bij een kraam op Victoria Station en ga naar het loket van Thomas Cook.

Ik boek voor een redelijke prijs een kamer in een klein hotel in de buurt van Oxford Street waar ik nooit eerder heb gelogeerd, niet met Paul en ook niet alleen. Londen is een stad die uit een groot aantal verschillende wijken bestaat. Samuel Johnson had gelijk toen hij zei: 'Degene die genoeg heeft van Londen, heeft genoeg van het leven.' Voor mij valt er in mijn favoriete stad nog heel wat te ontdekken.

Bij het inchecken in het hotel gebruik ik mijn valse naam en betaal contant voor een paar nachten vooruit. Ze willen mijn paspoort voor me bewaren, maar ik weiger het af te geven en laat de manager de brief van de politie lezen, en dan mag ik het houden. Van nu af aan kan ik overal en op elk moment meteen vertrekken.

De volgende morgen ga ik eerst naar de British Library, waar ik verwacht dat ik veilig zal zijn, me veilig zal voelen en zal kunnen werken. Nu ik een aantal opdrachten op tijd af heb gekregen, verheug ik me erop dat ik een paar dagen kan besteden aan research naar de Brontës. Ik loop door Wigmore Street langs prachtig gerestaureerde georgiaanse en victoriaanse gebouwen, steek over naar Goodge Street en vervolg mijn weg in de richting van Bloomsbury.

'Sorry,' zegt een vrouw in een donkerrode wollen cape. Ik ben degene die zich had moeten verontschuldigen, want ze botste tegen me aan doordat ik plotseling stilstond om naar een bijzonder fraai huis te kijken.

'Nee, het is míjn schuld. Sorry,' zeg ik. En met die paar woorden begin ik de last van de afgelopen weken, dat gevoel dat ik altijd word bespied, van me af te zetten.

Ik sla de hoek om naar Montague Place en loop door naar de achterkant van het British Museum, waarin de British Library is gehuisvest. Op weg naar de leeszaal kom ik langs de Egyptische afdeling, de Rosetta-steen en een bronzen beeld van de hindoegod Shiva. Ten slotte sta ik voor de deur van de zaal waar niemand toegang heeft zonder een pas, die je niet zomaar krijgt. Al is Paul nog zo slim, het zou zijn afgevaardigden de grootste moeite kosten om de vereiste introductiebrieven en bewijzen van wetenschappelijke bekwaamheid te kunnen tonen, in elk geval binnen de tijd dat ik daar zal zijn. Ik glimlach tegen de man achter het bureau en laat hem mijn lezerspas zien. Ik ben er bijna.

'Aha, u komt uit de States,' zegt hij. Sommige Engelsen noemen ons land nog steeds zo, alsof we geen echt land zijn, alleen een armzalige verzameling staten. Dus, zegt hij met een langgerekte klinker, wist ik natuurlijk niet dat er tegenwoordig een foto op de pas moet. Ik hoef die foto alleen maar mee te brengen en mijn oude pas in te leveren, legt hij uit, dan krijg ik een nieuwe.

Zo eenvoudig is het, maar opeens voel ik me verslagen. Ik heb al mijn energie en wilskracht nodig gehad om zo ver te komen en wanneer ik dan eindelijk voor de deur sta van de plek waar niemand me lastig kan vallen, mag ik niet naar binnen. Mijn spieren spannen zich. 'Nu?' zeg ik. 'Ik moet nú een foto gaan halen?'

Ja, zegt hij. Het gaat om de veiligheid. Zonder een pas met een foto mag hij me niet binnenlaten. 'Ik mag geen uitzondering maken,' voegt hij er met een verontschuldigende glimlach aan toe.

'Zelfs geen enkele keer?' vraag ik. 'Alleen vandaag?' Ik doe vreselijk mijn best om niet paniekerig te klinken, maar het lukt me niet. 'Dan breng ik morgen een foto mee.' Ik kijk strak naar zijn lange bruine haar (zo ongeveer de kleur van boombast en het moet nodig gewassen worden) en zijn scheef staande bril met schildpadmontuur.

'Sorry, meid,' zegt hij. Ik kan een foto laten maken bij een fotozaak of anders bij Boots. In Oxford Street is een Boots met een fotocabine, zegt hij opgewekt. Dat is maar een paar minuten lopen.

Ik weet waar hij bedoelt, ik ben er al eens eerder geweest. Hij heeft gelijk, het is niet ver. Maar ik heb het gevoel dat ik een enorme omweg moet maken. Ik glimlach zwakjes en mompel een bedankje.

Als een robot loop ik terug door de smalle gang en laat me op de houten bank voor de leeszaal zakken. Ik sluit mijn ogen, leun achterover en leg mijn hoofd tegen de koele stenen muur. Na een paar minuten sta ik op en loop terug naar het brede bordes voor de hoofdingang van het museum. Ik ga naar Boots. Ik wil huilen. Ik wil slapen. Ik weet verdomme niet wat ik wil. Ja, dat weet ik wel: ik wil terug naar de tijd voordat ik die maniak leerde kennen.

Op de foto's van Boots heb ik de starende ogen van een in een lichtbundel gevangen dier. Al ben ik duizenden kilometers van huis, ik voel me nog steeds opgejaagd. Ik kom in de verleiding om terug te gaan naar mijn hotel, in bed te kruipen en me daar te verstoppen – alsof ik me nog niet genoeg verstop. Maar de verleiding is minder sterk dan de wil om mijn ene voet voor de andere te zetten en me niet gewonnen te geven. Hij zal het niet winnen. Ik laat me niet verslaan. Ik zal dit overleven.

Ik stop de foto's in mijn zak, trek een vriendelijk gezicht en ga terug naar de bibliotheek. Ik dien een verzoek in voor een manuscript en wacht aan een bureau met een groen leren blad dat door veel handen vóór de mijne is versleten. Misschien heeft Virginia Woolf, Oscar Wilde, Karl Marx of Gandhi wel aan dit bureau zitten schrijven. Volgend jaar zullen we naar een nieuwe hightech bibliotheek in Euston Road, naast St. Pancras, worden gestuurd. De verhuizing is noodzakelijk, maar zal de keten van handen die boeken schrijven op deze leren bureaubladen op deze veilige plaats onder de blauw met ivoorwit en gouden koepel, die me het gevoel geeft dat ik voor de hemel schrijf, verbreken. Het zal nooit meer hetzelfde zijn.

48

Ik zou alleen al voor de treinen naar Europa willen gaan. Misschien komt dat doordat je vanuit een trein het dagelijks leven langs ziet flitsen: boodschappenkarretjes die naar huis worden getrokken, groentetuintjes die hun best doen om te gedijen, oude kastelen die langzaam in verval raken. Nadat ik een paar dagen in de British Library heb zitten werken en naar mensen heb gekeken die niet naar mij keken – in boekwinkels, galeries en cafés – neem ik de trein naar het noorden om naar Polly te gaan.

Wanneer we een paar dagen na mijn aankomst op weg zijn naar een oudejaarsavondfeestje bij haar broer vraagt Polly me of ze bij het voorstellen mijn valse naam moet noemen. 'Noem alleen mijn echte voornaam,' zeg ik, 'dan voel ik me veiliger.' Toevallig kom ik naast een man te zitten die veel zaken doet in Amerika, vooral in de stad waar een van Pauls bedrijven is gevestigd. De kans is erg klein dat hij Paul kent, maar ik ben blij dat iedereen alleen mijn voornaam weet. Voor het geval dat.

Lang na middernacht rijden we terug over een landweg die op een ansichtkaart zou moeten staan. Het sneeuwt zo hard dat het lijkt alsof haar kleine blauwe Polo de enige auto is die sporen achterlaat, terwijl er vrij veel verkeer is.

'De vrienden van mijn broer denken dat je op de vlucht bent omdat je vriend een gangster is,' zegt Polly.

'Ze kijken te veel tv,' zeg ik en we lachen.

Dan zegt ze ernstig: 'Maar je zult moeten toegeven dat het klinkt alsof je een gevaarlijk leven leidt.'

Weer terug in haar solide natuurstenen huis, dat in de vorige eeuw voor boerenknechten uit Yorkshire is gebouwd, vieren we serieus het nieuwe jaar. In de zitkamer steekt ze de haard aan en zet ze een aardewerken kom, velletjes papier en twee pennen klaar op de lage eiken tafel voor een gemakkelijke, toffeekleurige bank. 'Een nieuw begin van een beter jaar,' zegt ze. We gaan naast elkaar op de grond zitten, met de rug tegen de bank, en schrijven onze wensen voor het komende jaar op de velletjes papier. Daarna lezen we ze hardop voor en verbranden ze.

Veiligheid, werk, tevredenheid. Ik vind dat ik bescheiden wensen heb.

Om me af te leiden, heeft Polly een schema gemaakt van dingen die we kunnen doen. Ze moet in een vorig leven kinderjuf zijn geweest. Zoals een moeder die haar kinderen in de vakantie moet vermaken, heeft ze een lijst van activiteiten opgesteld die ik volgens haar leuk zal vinden. We doen elke dag iets. Het leukste uitje is Saltaire en de schilderijen van Hockney die er nonchalant in de vroegere zoutmolen hangen, alsof het niet de meest waardevolle objecten in de wijde omtrek zijn. Ik sta voor *De andere kant* en probeer te zien wat Hockney met die krachtige vormen en felle kleuren bedoelt. De ene kant van het schilderij spreekt me meer aan dan de andere – vooral door het spoor van rode cirkels – maar ik kan niet precies zeggen waarom.

Een paar dagen na Nieuwjaar verhuis ik naar een B&B dichter bij de bibliotheken in York, waar ik nog meer research wil doen naar de gezusters Brontë. De eerste morgen loop ik kilometersver door een voorstad naar de bibliotheek van de Universiteit van York. Ik had verwacht dat de universiteit net zo mooi zou zijn als de middeleeuwse, ommuurde stad zelf, maar voor het eerst van mijn leven stelt een bibliotheek me teleur. Het is een sombere dag met een loodgrijs bewolkte lucht, maar zelfs de volle zomerzon zou het gebouw geen aantrekkelijker aanzien kunnen geven. Ook binnen is het een treurige boel. Kale tafels en stoelen, fel licht en metalen boekenkasten zetten een domper op alle vreugde.

Omdat ik in bed zou blijven als ik me nog mismoediger zou voelen, ga ik naar de openbare bibliotheek in de stad. Die bestaat uit natuursteen en hout, en het licht is zowel prettig aan de ogen als helder genoeg om erbij te kunnen lezen. In kranten van mei 1848 lees ik over markten, ophangingen en concerten tijdens Anne Brontës laatste bezoek aan York, op weg naar Scarborough.

In de maand januari breng ik bijna elke dag door in die bibliotheek. Vroeg in de middag steek ik de rivier de Ouse over en ga naar
een winkel met sappig geroosterde vleesbouten in de etalage. Net als
de andere klanten bestel ik aan de toonbank een versgebakken be-
legd broodje, soms met kalkoen, soms met varkensvlees. Op de
meeste dagen is het warm genoeg om in de tuin van het museum op
een bank te gaan zitten om mijn broodje te eten en thee te drinken
uit een thermos. Op een zonnige dag doe ik mijn gestreepte zijden
sjaal af en koester me in de zon. Dikke witte wolken met een gele
buik zweven, alsof ze aan luchthaken hangen, over de stad.

Meestal zit ik in het deel van de tuin bij de ruïne van de abdij en
dan denk ik aan de verhalen over Robin Hood, die vocht tegen de
corrupte abten van St. Mary's. In deze wereld van oude legenden en
letterkundig onderzoek voel ik me thuis.

Via Polly leer ik andere vrouwen kennen, die net als ik belangstelling hebben voor literatuur, films en kunst. In die weken slaan ze,
wanneer ik me niet tussen de boeken terugtrek, hun armen om mij
en mijn verdriet heen en bieden me momenten van een normaal leven: wandelingen in de natuur, theedrinken voor de haard, gesprekken aan tafel. Ik begin te geloven in de mogelijkheid van een leven
dat niet door de waanzin van mijn stalker wordt aangetast.

Een van mijn nieuwe vriendinnen is schrijfster en docente Engels
aan de universiteit. Op een middag dat we bij haar thuis theedrinken, gaat ze wat later naar haar slaapkamer en komt terug met een
dunne, grijs met rode pocket. 'Meestal ben ik te verlegen om
iemand een exemplaar van mijn roman te geven,' zegt ze wanneer ze
me die overhandigt.

'Heb jij dit geschreven?' vraag ik. Patrice was met de naam van
haar ex-man aan me voorgesteld, dus had ik haar niet met dit boek
in verband gebracht.

Ze knikt.

'Ik heb dit boek niet alleen gelezen,' zeg ik en ik druk het tegen
mijn borst, 'maar ik heb er een lesuur aan gewijd toen ik op een
vrouwencollege literatuur onderwees.' Eindelijk eens een gelukkig
toeval! We kunnen bijna niet geloven dat we elkaar op deze manier
hebben ontmoet, niet alleen persoonlijk, maar via de letterkunde

ook al eerder. In zulke adempauzes, helemaal bevrijd van Paul, begrijp ik dat ik de truc moet leren om dit soort geweldige momenten vooral niet te missen.

49

Op een dag verander ik van lunchgewoonte en ga naar de York Minster. In al die jaren dat ik deze stad nu al bezoek, heeft het pièce de milieu, de grootste gotische kathedraal van Europa, zich nog steeds geen plaats verworven in mijn hart. Terwijl ik hem dolgraag wil waarderen zoals zo velen vóór mij dat hebben gedaan, bijvoorbeeld Anne Brontë. Dat kan ik nog steeds niet. Wanneer ik dat zeg tegen een beeldhouwster die ik onlangs heb ontmoet, antwoordt ze: 'Ga naar het kapittelhuis en bekijk de gezichten.' Dat doe ik. In de achthoekige, hoge zaal zijn de muren net boven ooghoogte en op gelijke afstand versierd met stenen gezichten. Ze zijn allemaal verschillend. Sommige zijn prachtig en kijken zelfs gelukzalig. Andere zijn afstotelijk, bijna duivels. Het zijn de gezichten van de hele wereld. Ik ben bekeerd.

Op weg naar buiten zie ik een aankondiging van een healing twee dagen later. 'Iedereen is welkom,' staat erbij. Wanneer ik twee dagen later in de bibliotheek zit, kijk ik voortdurend op mijn horloge. Ik heb een heleboel redenen om níét naar die dienst te gaan. Ten eerste weet ik niet eens of ik vertrouwen heb in zo'n manier van genezen. Bovendien ben ik net lekker aan het werk. Ik geloof toch niet in dat soort dingen?

Tegen half een leg ik mijn twijfelende kant het zwijgen op en verlaat mijn tijdelijke toevluchtsoord. In de kathedraal loop ik door naar het gedeelte dat bestemd is voor mensen die de healing willen bijwonen en kies een plaats op de achterste rij. Ik heb genezing nódig, of ik in deze methode geloof of niet.

Ik wil worden verlost van de wanhoop die mijn ondergang dreigt te worden en zoek troost in de woorden van de predikanten – leken en professionele dominees – van wie er niet één neerbuigend of arrogant doet, zoals zo vaak. Het is de bedoeling dat we na de gebeden naar een van de in een zwart gewaad geklede predikanten toe gaan.

Ik overweeg of ik van mijn plaats zal opstaan tot het bijna te laat is en sluit me dan toch maar als laatste aan bij de rij. Even later kniel ik neer voor een man met een rond gezicht en verweerde handen. Hij kijkt me aandachtig aan en vraagt aan welke ziekte ik lijd. Ik vertel hem dat ik word gestalkt en me alleen ver van huis veilig voel.

'Ben je echt veilig?' vraagt hij. 'Ben je naar de politie gegaan?' Pas als hij weet dat ik alle praktische maatregelen heb genomen die er zijn, legt hij zijn handen op mijn hoofd en zegt dat ik moet hopen op betere tijden. 'Ik zal voor je bidden,' zegt hij. 'En niet alleen vandaag.'

Wanneer ik weer op mijn plaats zit, heb ik een helder moment. In een periode dat het verstandig is om bijna niemand te vertrouwen, moet je anderen op een verstandige manier vertrouwen. In ons roerige gezin vertrouwden we iemand volledig of helemaal niet. Voor mijn veiligheid moet ik leren anderen langzamerhand te vertrouwen, zodat ik, als ik me vergis, mijn houding maar een klein beetje hoef aan te passen. Ik denk dat ik op die manier ook meer mensenkennis zal opdoen.

Wanneer ik twee weken later terugga naar Londen, trek ik me opnieuw terug in de British Library. Elke dag wissel ik mijn wetenschappelijke werk af met een lange wandeling over pleinen en door allerlei buurten, waar dan ook naartoe. Ik heb nooit een doel, behalve dat ik op die manier mijn relatie met Paul wil ontleden, omdat ik vastbesloten ben mijn ellende te verruilen voor een toekomst.

Een paar dagen later ga ik, voordat ik uit Londen vertrek, een schilderij bekijken. Ik heb van tevoren navraag gedaan en het blijkt sinds mijn vorige bezoek te zijn verhuisd. Toen hing het in de Serpentine Gallery, nu hangt het in de Tate. De schilder toont ons op een groteske manier een gezin: de dochter trekt haar vader, een generaal, zijn hoge zwarte laarzen uit, de vader zit op de rand van het bed, de moeder ligt achter hem en de zoon kijkt toe.

Ik heb het gevoel dat ik die mensen heb ontmoet, op een receptie voor een buitenlandse hoogwaardigheidsbekleder. Misschien in Portugal. Ze boeien me omdat ze er zowel energiek als gevaarlijk uitzien. Ik herinner me felblauw, rood en geel, hier en daar een veeg groen en roze stralen door een open raam.

Wanneer ik weer voor die familie sta, is het een heel ander tafereel dan ik me herinnerde. Ik heb twee schilderijen van Rego door elkaar gehaald: *De familie* en *De dochter van de politieagent*. *De familie* heeft twee dochters, met strak naar achteren getrokken haar en langwerpige, scherp gesneden gezichten. Een van de dochters drukt zich tegen de borst van haar vader, de moeder (met een roze strik in haar meisjesachtige kapsel) trekt van achteren aan zijn jasje. De andere dochter staat voor een open raam en kijkt toe, met gevouwen handen, alsof ze eerbied toont. Er is geen zonlicht, en in een hoek van de kamer hangt een icoon van sint Joris die vecht met de draak.

Op het andere schilderij poetst het meisje, de dochter van de politieagent, zijn laars. Ze heeft eveneens een langwerpig gezicht en strak naar achteren getrokken haar, waardoor ze eruitziet als iemand die geen kind meer is maar ook nog geen vrouw.

Het enige wat die schilderijen gemeen hebben, zijn de grijze en bruine tinten en een open raam. Wat ik wél had onthouden, was het briljant weergegeven groteske van beide taferelen. Omdat ik vind dat ik de twee schilderijen niet meer door elkaar moet halen, blijf ik er een poosje aandachtig naar kijken om ze goed in mijn geheugen te prenten. Terwijl ik dat doe, komt er een verband met Paul bij me op. Misschien doordat ik besef dat ik na onze eerste ontmoeting meer dan de helft van het verhaal verkeerd heb begrepen en tijdens onze relatie niet aandachtig genoeg naar hem heb gekeken.

Nu pas, nu ik tot inzicht ben gekomen, zie ik ook dat schilderij zoals het is: hij bracht me onweerstaanbaar in de verleiding om medelijden met hem te hebben en toen hij me voor zich had gewonnen, ketende hij me vast en deed zich te goed aan mijn zwakte. Maar hij maakte een fout: hij verwachtte niet dat ik sterk genoeg zou zijn om weg te glippen uit zijn bed voordat hij met me klaar was.

Ik vraag me af wat de camera van mijn verlangende hart nog meer fout heeft geregistreerd.

50

Als ik genoeg geld had, zou ik heel lang in Engeland blijven. Maar ik moet de kost verdienen en op de vlucht zijn is duur. Dus vlieg ik naar huis en probeer de draad van mijn leven weer op te pakken. Zoals ik voor mijn vertrek had afgesproken, ga ik een paar dagen later naar het politiebureau om de situatie te evalueren.

Ze vragen opnieuw of ik denk dat Paul in staat was om de moord op zijn vader zelf te organiseren. Ik antwoord dat ik dat niet weet, maar dat ik oprecht geloof dat hij tot alles in staat is, omdat hij het onderscheid tussen goed en kwaad niet kent.

'U kent hem waarschijnlijk beter dan wie ook,' zegt een van de rechercheurs. 'En hij is geen man die het prettig vindt dat iemand anders zo veel van zijn geheimen kent.'

Daar had ik in Engeland ook over nagedacht. Nee, dat vindt hij helemaal niet prettig. Zelfs Jen had dat moeten toegeven. Dus voor iemand zoals Paul ben ik een gevaarlijke vrouw.

Voordat ik wegga, willen ze nog iets zeggen. Ik zie aan hun gezichten dat ze niet verbaasd zouden opkijken als ík deze keer rood van woede zou worden. Als er iets met Paul zou gebeuren, leggen ze me uit, ben ík een verdachte. Alleen ben ik dan niet de enige. Hij is het soort man dat een heleboel vijanden heeft, voegen ze eraan toe.

Ik moet er zwakjes om lachen. Nou ja, een terechte waarschuwing, denk ik. Ik antwoord dat ik het begrijp en ik geloof dat het hen verbaast dat ik niet boos ben geworden. Maar dat zou dom van me zijn. Bovendien luister ik elke avond naar de regionale nieuwsberichten en als ze zeggen dat er ergens een ongeluk is gebeurd (autobotsing, vliegongeval), houd ik net zo hoopvol mijn adem in als mensen die wachten op de trekking van een loterij. Ja, ja, ja! Misschien heb ik deze keer geluk! O god, laat het Paul zijn, smeek ik (maar het is geen smeekbede tot God!).

Ik vermoed dat ik me voor dat soort gedachten meer hoor te schamen dan ik doe. Misschien komt het ooit zover.

51

Ik neem me voor mijn leven weer een bepaalde vorm te geven. Tenslotte is dit de stad waarin ik woon en werk. Ik besluit om in elk geval voor een poosje in het huis van een vriendin te trekken, omdat het me toch het veiligst lijkt mijn thuisbasis te blijven verplaatsen. Ik koop een nieuwe auto, deze keer een kleine suv, zodat ik mijn kleren en boeken snel kan inladen. De enige andere dingen die ik bij me heb zijn de grote kandelaar die mijn overgrootmoeder meenam toen ze per boot uit Engeland kwam, een Waterford-vaasje van mijn moeder, een armband die ik van mijn vader heb gekregen en de reiswekker die Liz me met Kerstmis heeft gegeven. Die vormen mijn verplaatsbare thuis.

Het is een eenvoudige buurt met voornamelijk bungalows met een halve verdieping erop van na de Tweede Wereldoorlog. Sommige tuinen lopen tot aan een kreek die uitmondt in de Mississippi, en dat is tenminste een vertrouwd gevoel.

Aan mijn onderzoeksmateriaal over stalken voeg ik een boek toe van Gavin de Becker en een boek van John Douglas. *Obsession* van Douglas lees ik twee keer. De titel zegt alles en de inhoud ook. 'Elk seksueel roofdier krijgt al na korte tijd een voorkeur voor bepaalde vormen en methoden. Hij weet wat voor soort slachtoffer hij moet uitkiezen en waar hij haar kan vinden. Hij weet hoe hij in haar hoofd moet binnendringen en het effect creëren dat hij wil bereiken: het manipuleren, domineren en onder controle houden van die persoon, en daarna het manipuleren, domineren en onder controle houden van de wetshandhavers die hem onschadelijk proberen te maken.'

Gift of Fear van Gavin de Becker heb ik ook meermalen gelezen en nu lees ik *The Psychology of Stalking* van J. Reid Meloy. Alles klopt. Als ik de lijst van eigenschappen van een stalker bekijk, valt Paul precies in die categorie. Bijna elke karaktertrek of soort gedrag op die lijst is te vinden bij Paul. Hij gedroeg zich al meteen te intiem. Hij was te opdringerig. Hij was te aardig. Te charmant. Te gul. Te dominant. Hij wist hoe hij iemand die niet deed wat hij zei moest straffen.

Er zijn verschillende soorten stalker en ik weet niet in welke categorie ik Paul moet plaatsen. Niet omdat de beschrijving niet op hem slaat, maar omdat alle beschrijvingen op hem slaan. Hoe meer tijd er voorbijgaat, hoe dichter ik bij de waarheid kom: als ik eerlijk tegen mezelf was geweest (en als ik meer had geweten) zou ik vanaf het begin bang voor Paul zijn geweest. Hij maakte me te overdreven het hof. Hij was ontrouw en nam op het laatst niet eens meer de moeite om dat te verbergen. Hij gebruikte mijn verleden als wapen en gedroeg zich wreed om me in het gareel te houden. Hij kon zichzelf zo goed voorliegen dat hij niet meer wist wat waar was of niet – als hij dat ooit heeft geweten.

Maar ik kon niet voorzien waar mijn vertrek toe zou leiden. Ik kon niet raden dat hij voor zichzelf een lijstje taken afwerkte die allemaal met hetzelfde werkwoord begonnen: huur iemand in om dreigende boodschappen op haar voicemail achter te laten. Huur iemand in om bij haar in te breken. Huur iemand in om haar te volgen. Huur iemand in om haar moeder te bellen en niets te zeggen. Huur iemand in om de kinderen van haar zus te ontvoeren.

Ik had nooit kunnen bedenken dat iemand me zo veel kwaad zou willen doen. Ik kon niet voorzien dat hij, omdat hij er in de tijd dat we nog bij elkaar waren niet in was geslaagd me te verpulveren, er daarna nog jarenlang voor zou zorgen dat ik nooit van hem was bevrijd.

De rol van langdurige stalker is hem op het lijf geschreven. Hij móét het voor het zeggen hebben, ook al doet hij grote moeite om kalm en gereserveerd over te komen. Hij heeft genoeg geld en middelen om de gevaren en gevolgen van zijn obsessie zelf uit de weg te blijven. Het geld van zijn familie beschermt hem tegen normale zaken zoals werk, verantwoordelijkheid en de realiteit. Uiteindelijk zal hij, net als alle aartsleugenaars, de waarheid niet eens meer herkennen. Wat ik ook loslaat, mijn nieuwe kennis probeer ik vast te houden.

Maar al die feiten en psychologie kunnen me niet vertellen hoe het voelt als je wordt gestalkt. Alleen als het je overkomt, weet je dat het lijkt alsof je gevangenzit in de manische melodie van de *Bolero* van Ravel, die steeds luider en voller wordt en steeds wordt herhaald, en waarvan de talloze crescendo's geen uitweg lijken te kunnen vinden. Maar anders dan bij dat muziekstuk van Ravel kan de waanzin van een stalker eindeloos doorgaan.

En daar kan geen enkele kennis je op voorbereiden.

52

Het voorjaar in het Midden-Westen begint met sneeuwbuien afge-
wisseld met zachte dagen. Vooral dit jaar lijkt er geen eind aan de
winter te komen. Ik geef een cursus bij een schrijversopleiding. Op
een gegeven moment begint een van de cursisten me persoonlijke
vragen te stellen, zoals de naam van mijn bank en die van mijn ver-
zekeringsmaatschappij. Ik probeer de antwoorden te omzeilen,
maar hij geeft het niet op. Heb ik een advocaat en zo ja, hoe heet hij?
Wanneer ik hem ten slotte vraag waarom hij die dingen wil weten,
gaat hij weg. En wanneer ik een uur later naar huis ga, zit mijn auto
niet meer op slot. De accu van mijn twee maanden oude Honda
CR-V is leeg. Ik vind het niet de moeite waard dit bij de politie aan
te geven, want ik weet zeker dat ze geen vingerafdrukken zullen vinden en wat kunnen ze verder doen? Niets, denk ik. Dus bel ik de we-
genwacht.

Het valt me op dat er op sommige dagen een auto geparkeerd
staat tegenover het huis van mijn vriendin. Er zit steeds een andere
man achter het stuur en hij stapt nooit uit. Wanneer ik wegrijd,
volgt hij me. Ik beschouw het als een teken dat ik weer moet verhuizen, dus laad ik mijn spullen in mijn auto: een reistas met broeken,
truien, sokken, ondergoed en pyjama's, en nog een vol met boeken
en schriften. Die zet ik achterin. Op de achterbank zet ik dozen met
mappen en nog meer boeken. Elke keer als ik mijn auto ergens parkeer, vraag ik me af of er, als ik straks terugkom, iemand heeft rond-
gesnuffeld in mijn leven.

Ik verhuis heen en weer tussen familie en vrienden. Soms kan ik
me niet herinneren waar ik op dat moment logeer. Na een bespreking met een cliënt loop ik naar mijn auto, start de motor en bedenk waar ik naartoe moet. Het gebeurt zelfs wel eens dat ik even
niet meer weet waar ik de afgelopen nacht heb geslapen en of het de
bedoeling is dat ik naar die plek terugga.

's Morgens gaat het iets beter. Dan ben ik uitgerust en hoef ik alleen maar in mijn agenda te kijken en te bedenken hoe ik van mijn tijdelijke 'thuis' naar een bepaalde plek – een kantoor voor een bespreking of de bibliotheek – zal rijden.

Maar niets is meer vertrouwd. Allerlei dingen kunnen me zonder waarschuwing van mijn stuk brengen. Niets is meer vanzelfsprekend, zelfs in de auto stappen en ergens naartoe rijden niet. Ik moet bij elk kruispunt, elk stoplicht of elke afslag van de grote weg nadenken.

De energie die ik nodig heb om me van elke stap die ik zet bewust te zijn – en dan laat ik de vraag of ik al dan niet word gevolgd buiten beschouwing – is bijna niet op te brengen. Op sommige dagen laat ik me bijna door mijn wanhoop meesleuren. Op die dagen neem ik meteen na mijn terugkeer in mijn thuis van dat moment een lange, hete douche. Terwijl ik onder het stromende water sta, vraag ik me af wat ik zou doen als ik een levensbedreigende ziekte had. Dan zou ik de werkelijkheid onder ogen zien en mezelf voorhouden dat ik weer een dag had overleefd. Ik weet niet wat er morgen, volgende week of volgend jaar zal gebeuren, maar dat weet niemand. Ik moet dankbaar zijn voor elke dag die ik krijg. Dat probeer ik.

Meer kunnen we eigenlijk niet vragen: ons leven dag voor dag. De enige manier waarop ik kan overleven, is beseffen dat ik op dít moment veilig ben. Ik ga naar bed en voel me getroost door de liefde en kracht van een groepje mensen om me heen en mijn boeken. Soms slaap ik lang en diep, soms droom ik dat ik voor hem wegren over een leeg parkeerterrein, een landweg of een doodlopende straat. Soms ben ik alleen, soms zijn mijn moeder of zus bij me. Maar we rennen altijd voor iemand weg en ik kan niet altijd zien wie het is.

53

Ik krijg steeds uitnodigingen, zelfs van neven of nichten die ik weinig zie. Vlak voor Pasen neem ik er een aan van een neef die met zijn gezin twee weken op voorjaarsvakantie gaat. Het is sinds ik een half jaar geleden uit mijn appartement ben vertrokken mijn elfde verblijfplaats.

Tussen twee seizoenen in gebruik ik hun huis om mijn spullen aan te passen aan het warmere weer. Ik stal alle plastic dozen met deksel die ik uit mijn opslagloods heb gehaald uit in de woonkamer en vervang de winterkleren in mijn reistas door T-shirts met lange mouwen, katoenen truien, dunnere broeken en jasjes. Het wintergoed gaat in de dozen: wollen truien en broeken, dikke sokken en sjaals. Op de eettafel leg ik rekeningen, bladzijden uit mijn agenda, bankafschriften en telefoonrekeningen van het afgelopen jaar, met bovenop een velletje papier met de totaalbedragen om later te verrekenen en op mijn belastingopgave in te vullen.

Met Pasen braad ik een biologische kalkoenborst en stoom verse asperges. Ik open een fles Chardonnay en doe alsof ik een normaal leven leid. Elke avond eet ik een paar plakken kalkoen, kook verse groente en drink er een glas wijn bij. Als toetje neem ik een volkorenkoekje met een laag pure chocolade, de specialiteit van een biologische bakker in de buurt. De maaltijd is een vast punt van de dag.

Ik ben er dankbaar voor dat ik in dat huis mag logeren, maar het is me veel te fleurig ingericht. Ik word omringd door bonte bloemenpatronen – op stoelen, banken, gordijnen, bedspreien – en dat geeft me het gevoel dat ik vrolijker moet zijn dan ik ben. En het lege zwembad in de achtertuin ziet er onder de maanloze lucht sinister uit. De onbedekte ramen aan weerskanten van de voordeur zijn breed genoeg om een vuist doorheen te steken als je zonder sleutel naar binnen wilt.

De grootste slaapkamer is vrij rustig ingericht (geen bloem te zien), dus ga ik daar elke avond bij zonsondergang naar bed om te lezen en na te denken. De vraag waar ik volgende week naartoe zal gaan, houdt me bezig. Op een avond doe ik de lamp naast het bed uit, staar in het donker voor me uit en probeer me voor te stellen waar ik binnenkort zal slapen. Ik val in een rusteloze slaap en word even later wakker van het gekletter van metaal. Het klinkt alsof er iemand voor de voordeur staat.

Ik laat de lamp uit, pak mijn reiswekker en schijn met het ingebouwde lichtje over het nachtkastje. De telefoons die ik daar meestal neerleg, die van het huis en mijn mobieltje, liggen er niet. Nu het belangrijk is, ben ik vergeten ze mee naar boven te nemen. Ik dwing mezelf om mijn angst om te zetten in boosheid op mezelf. Er is boven geen andere telefoon. Op de dag van mijn aankomst heb ik meteen gekeken waar de aansluitingen zitten.

In het donker sluip ik de slaapkamer uit en langs de muur op de overloop naar de trap. Ik heb het licht in de hal aangelaten, voor de veiligheid, maar daardoor kan ik niet naar beneden, want dan kan iemand die buiten staat me door de ramen naast de voordeur zien. Ik hoor dat er aan de hordeur wordt getrokken. Gelukkig heb ik die ook op slot gedaan. Elke avond voordat ik naar boven ga, controleer ik alle ramen en deuren.

Ik schuifel in het donker terug naar de slaapkamer en tast naar de stoel met mijn kleren. Ik trek mijn spijkerbroek, een T-shirt, sokken en schoenen aan en haal een trui uit mijn tas. Ik pak mijn rugzak. Daar zitten de autosleutels in en ook het zakje met mijn creditcards en paspoort.

Gelukkig ligt deze slaapkamer aan de achterkant van het huis. Ik ga voor het raam boven het dak van de garage staan en overweeg hoe ik het beste kan springen zonder mijn benen te breken. Met een beetje geluk zal me dat lukken. Met nog iets meer geluk zal ik niet hoeven springen. Op de tast schuif ik de hor omhoog en wacht naast het raam. Zodra ik hoor dat ik niet meer alleen in huis ben, zal ik springen. Ik wacht op brekend glas. Ik blijf roerloos staan, omdat het zo'n stille aprilnacht is dat ik de indringer bij het minste of geringste geluid zal laten weten waar ik ben.

Als de indringer (ik weet zeker dat het een man is) beseft dat hij aan de voorkant niet naar binnen kan, loopt hij om het huis heen naar de achterkant. Hij probeert de keukendeur en een paar ramen. Uiteindelijk geeft hij het op. Ik heb geen auto horen aankomen en ik hoor er ook geen wegrijden, maar ik weet dat hij weg is omdat het doodstil is geworden. Ik blijf nog twee uur met gespitste oren onder het raam van de slaapkamer zitten. Dat heb ik al vaker gedaan, dus ben ik daar goed in. Ik denk terug aan vroeger, toen ik als tiener in mijn kamer op de grond zat te luisteren, klaar om meteen naar beneden te rennen.

Wanneer het licht wordt, ga ik naar beneden om mijn mobiel te halen. Ik overweeg of ik de politie zal bellen, maar ik heb de hoop opgegeven dat er iemand is – dat geldt vooral voor onbekende politieagenten in een ander deel van de stad – die me kan helpen. Boven ga ik op bed liggen en probeer nog een poosje te rusten. Om zeven uur stop ik mijn toilettas in de reistas en pak de rest van mijn spullen in de dozen die beneden staan. Ik veeg de vloeren, maak de keuken en de badkamer schoon, geef de onsympathieke kat te eten, leg een cadeautje neer (drie Franse linnen gastendoekjes) en doe de deur achter me op slot.

Ik weet nog niet waar ik vervolgens naartoe zal gaan, dus rijd ik urenlang door de stad. Ik stop ergens voor een kop koffie en later om te lunchen. De rest van de dag kijk ik nog vaker in het achteruitkijkspiegeltje dan anders – als het tenminste mogelijk is iets nog vaker te doen dan voortdurend.

Terwijl ik tijdens het rijden meer naar achteren dan naar voren kijk, zie ik niemand die me volgt. Dat wil niet zeggen dat niemand me volgt.

54

Elke keer als ik tegenwoordig naar de politie ga om weer een voorval aan te geven of om advies te vragen, begin ik onderweg te hyperventileren. Steeds weer denk ik dat het niet waar kan zijn, maar het is altijd waar. Op een dag ga ik naar het politiebureau om een brief op te halen waarmee ik onder een andere naam een creditcard kan aanvragen. De afdeling Seksuele Misdrijven is op de benedenverdieping van het gemeentehuis. Ik parkeer in de ondergrondse garage. Die wordt dag en nacht bewaakt en staat via een tunnel in verbinding met het politiebureau.

Als je door die tunnel loopt, kom je langs het centrum voor huiselijk geweld. Toen ik een paar maanden geleden een verzoek voor een straatverbod indiende, heb ik daar uren doorgebracht. Maar ik kreeg te horen dat ik daarvoor persoonlijk naar de rechtbank moest en ik besefte dat Paul dát juist zou willen. Hij zou willen dat ik hem in het openbaar zou aanklagen en dat ik een advocaat zou moeten betalen om me tegen hem te verdedigen. En ik was ervan overtuigd dat hij de rechtszaal voldaan zou verlaten omdat ik geen solide bewijzen tegen hem zou kunnen aanvoeren, en dat hij me daarna op nog sluwere manieren te grazen zou nemen. Dus had ik het verzoek ingetrokken, waarmee de politie het niet oneens was. Ze gaven toe dat de pesterijen na zoiets soms nog erger worden.

En ik zal je nog iets vertellen, zei een van de agenten toen. Zelfs als hij zou worden veroordeeld en gevangengezet, wat hoogst onwaarschijnlijk is, dan zal hij achter de tralies nog gevaarlijker zijn. 'Als je denkt dat hij nu gevaarlijke mensen kent, zijn dat watjes vergeleken met de mensen die hij in de gevangenis bereid zal vinden om dingen voor hem te doen.'

Vlak voordat ik langs het centrum voor huiselijk geweld loop, begin ik te hyperventileren. Ik onderdruk mijn paniek en haal een paar keer diep adem. Ik let niet op de mensen die naar me kijken, want schaamte is niet iets waar ik me nog druk om maak. Voor de deur van de afdeling Seksuele Misdrijven drink ik een paar slokken van het vies smakende water uit het fonteintje.

Een paar minuten later sta ik bij de balie met de brief die de brigadier voor me had achtergelaten voor het geval dat ze er niet zou zijn. Maar ze is er wel. Terwijl ik op haar wacht, lees ik de brief en ben ontzettend dankbaar dat zo'n meelevende agent zich met mijn zaak bezighoudt. We maken een praatje en dan ga ik weer, en op de terugweg word ik opnieuw overmand door paniek.

Waar ik de auto ook neerzet, van welke kant ik ook kom, ik neem altijd de verkeerde weg terug naar de garage. Gedesoriënteerd en verward voel ik me dan net een bang, verlaten kind dat de weg naar huis kwijt is, maar ik houd mezelf voor dat het over zal gaan en dat het niet meer dan een moment in mijn leven is.

Ik loop snel door de tunnel, al weet ik dat ik de verkeerde kant op ga. Hoewel ik weet dat het irrationeel is, ben ik ervan overtuigd dat ik een fout zal maken als ik stilsta om me te oriënteren. Voor me op de muur zit een grote rode alarmknop met de instructie HIER DRUKKEN OM HULP. Ik overweeg of ik het zal doen. Ik weet dat de knop eigenlijk niet bedoeld is voor mensen zoals ik, maar nu ik als volwassene heb geleerd om om hulp te vragen, kom ik in de verleiding dat op dit moment ook te doen. Ik keer om en ga terug, loop de trap op naar de begane grond en door de draaideur naar buiten, de frisse lucht in. Harde regen geeft de granieten stenen van het gemeentehuis een donkerder kleur.

Ik word omringd door mensen die van hun werk komen, winkelen of naar huis gaan. Ze schuilen in een portiek of lopen onder een paraplu of met een capuchon op haastig door, maar ik hef mijn gezicht naar de lucht en laat de regen mijn angst wegspoelen. Het water druipt van mijn haar op mijn schouders en ik weet zeker dat ik eruitzie als iemand die is ontsnapt uit een psychiatrische inrichting. Het zal me een zorg zijn, want opeens schiet me te binnen waar mijn auto staat en mijn paniek glijdt van me af.

Ik ga naar de buitendeur van de garage en loop binnen rechtstreeks naar mijn auto, die daar onaangeroerd zal staan omdat hij wordt bewaakt. Zodra ik zal wegrijden van het toneel waar ik de afschuwelijke dingen meld die me door de waanzin van een ander worden aangedaan, zal ik me weer normaal voelen.

Gelukkig moet ik daarna naar mijn therapeut. Door de paniekaanvallen kan ik me bijna niet meer concentreren, laat staan functioneren, wat ik nog schrikbarender vind. Ze zegt dat ik lijd aan een posttraumatische stressstoornis.

Ik vertrouw op haar oordeel, maar ik heb er moeite mee haar diagnose te accepteren en te rechtvaardigen. Ik heb niet gevochten in een oorlog. Ik ben niet verkracht. Ik ben niet fysiek aangevallen of gemolesteerd. Ik heb geen dingen gezien die zo verschrikkelijk waren dat ze me dag en nacht achtervolgen. Ik vind eigenlijk niet dat mijn trauma groot genoeg is om mijn symptomen te vergoelijken. Maar toen ik de stoornis opzocht, las ik dat veel van de symptomen inderdaad ook bij mij voorkomen. Hoewel ik eerder geneigd ben bescheiden te zijn dan te overdrijven, moet ik toegeven dat als het een wedstrijd was, ik zou kunnen meedoen met de modellenwedstrijd voor de PTSS-poster. Toch schaam ik me voor mijn kwaal.

Hoe kun je een paar jaar gestalkt worden vergelijken met een verblijf in Vietnam, zoals mijn broer, vraag ik mijn therapeut. Ze legt het me uit. Vechten in een oorlog is verschrikkelijk, maar uiteindelijk laat je dat achter je. Je neemt de herinneringen mee naar huis, maar niet de oorlog zelf. Maar als je wordt gestalkt, blijven de verschrikkingen je achtervolgen – in je slaapkamer, telefoon, computer, in elk restaurant, elke winkel en op elke parkeerplaats. Bovendien kan de dreiging in de blik zitten van elke onbekende die je ontmoet of voorbijloopt. Je vraagt jezelf voortdurend af of iemand je volgt. Of iemand je bespiedt. Of ze je geliefden bespieden.

Als je wordt gestalkt, stapelen nieuwe verschrikkingen zich op de herinneringen aan de voorgaande. Bovendien, voegt ze eraan toe, kost het je, anders dan in een oorlog, een enorme hoeveelheid tijd en energie om jezelf ervan te overtuigen dat wat je overkomt ook echt waar is. En dat is afschuwelijk.

Een pistool aanschaffen is een verleidelijke gedachte. Een paar rechercheurs raden me aan het te doen en het bij me te dragen. Maar dan moet ik natuurlijk eerst leren schieten en daarna blijven oefenen, zeggen ze. Hun advies verbaast me, maar het bewijst wel dat ze echt denken dat ik in gevaar ben.

Elke keer als iemand het voorstelt, maak ik me er met een grapje van af. Ik zeg dat ik soms zo in mijn werk verdiept ben dat ik mijn telefoon terugvind in de koelkast en dat er dan een pak yoghurt op mijn bureau blijkt te staan. Dus kun je iemand die zo verstrooid is niet met een wapen laten rondlopen. Eerlijk gezegd is dat een geldig argument. Ik weet niet of ik wel zorgvuldig genoeg met een wapen zou omgaan. En ik zou niet weten waar ik het zou moeten opbergen. In mijn rugzak, denk ik, en 's nachts naast mijn mobiel onder mijn kussen.

Mijn oudste broer Pat, die marinier is geweest, maakt een eind aan mijn twijfel. 'Ik kan je maar één raad geven,' zegt hij. 'Draag alleen een wapen als je er honderd procent zeker van bent dat je in staat bent er iemand mee te doden.'

Als dat de maatstaf is, weet ik het antwoord. Ik weet zeker dat ik, als ik word bedreigd, iemand met een wapen zou kunnen verwonden, maar ik weet niet zeker of ik iemand zou kunnen doodschieten. Bovendien zou ik dat wapen nooit op Paul zelf kunnen richten, maar alleen op iemand die hij voor het vuile werk betaalt.

Je moet me niet verkeerd begrijpen. Ik ben kwaad genoeg, maar ik heb een rijke fantasie, vooral in mijn slaap. In mijn dromen wil ik hem vermoorden of minstens meemaken dat hij dood is. Maar als ik wakker ben, probeer ik alleen te hopen dat hij een keer met die waanzin stopt. Wel vind ik het verontrustend dat ik alleen in mijn slaap mijn woede de vrije teugel kan geven.

We bevinden ons met zijn tweeën in een kamer, zijn vroegere

slaapkamer. Er staan geen meubels, alleen de rechte stoel waarop hij zit. Ik sta tegenover hem met een pistool in mijn hand en we weten allebei dat ik hem kan vermoorden, ook al is hij niet vastgebonden. Ik schiet, maar in de muur in plaats van in zijn hoofd. Om hem angst aan te jagen. Het komt bij me op dat ik hem niet hoef te doden, omdat hij zichzelf wel iets zal aandoen. Wanneer ik me omdraai om weg te gaan, zie ik buiten een vrouw als een dolle wesp die steroïden heeft geslikt heen en weer lopen, popelend om Paul te pakken te krijgen. In plaats van borsten heeft ze metalen schilden, en ze heeft armen waarmee ze zonder touw een berg zou kunnen beklimmen. Ze ziet er net zo afschrikwekkend uit als hij vroeger was.

'Er is iemand voor je,' zeg ik glimlachend. Ik open de tuindeuren en loop weg.

Dat wordt mijn favoriete droom.

Ik begrijp vrouwen die een man neerknallen en doden om zichzelf en hun kinderen te redden. Ik keur het natuurlijk niet goed, maar ik begrijp hoe ze ertoe komen. Want uiteindelijk weten die vrouwen maar één ding zeker en dat is dat die man hen liever kapotmaakt dan hen laat leven. De ironie daarvan is dat zulke mannen – zwakke, maar gewelddadige types – het niet kunnen verdragen dat iemand hen verlaat, dus hen verlaten kan de toestand erger maken. In mijn geval heeft het ertoe geleid dat ik word gestalkt. Zelfs nu er wetten tegen stalken zijn aangenomen, wordt die misdaad vaak pas serieus genomen wanneer de vrouw is overleden – tenzij het om een bekende figuur gaat.

Dankzij Paul ben ik een van die vrouwen geworden over wie je leest. 'Ik wist niet dat hij zo was. Ik wist het echt niet,' zeggen we. En vaak is dat waar, al is dat naderhand soms moeilijk te geloven. Een bepaald soort mannen verandert nadat ze een vrouw voor zich hebben gewonnen. Dat weten we later, maar niet in het begin.

'Is het ooit bij je opgekomen dat je het steeds leuker maakt voor hem?' vraagt een van de rechercheurs. Het is een zonnige middag en de eerste warme voorjaarsdag, maar in dit raamloze vertrek in het souterrain merk je niets van de seizoenen.

'Leuker voor hem?' herhaal ik verbijsterd. Ik voel me dom, wat ik haat.

Doordat je zo moeilijk te bereiken bent, doordat je steeds zo snel reageert, legt hij uit. Paul zou dat een des te grotere uitdaging kunnen vinden. 'Hij beschouwt het als een spel,' vervolgt hij, 'en jij maakt het steeds spannender. Hoe moeilijker je te vinden bent, hoe meer plezier hij eraan beleeft.'

Ik weet dat hij gelijk heeft. Het was nog niet bij me opgekomen, maar ik hoef me alleen maar te herinneren hoe ík me voel als hij me niet heeft kunnen vinden. Naast opluchting heb ik het tevreden gevoel dat ik in elk geval een deel van de tijd slim en snel genoeg ben om hem te zien aankomen en opzij te stappen, zodat zijn woede afketst op mijn schaduw.

Maar voor mij is het geen spel, dus als ík al voldoening voel omdat ik hem voor blijf, moet hij er intens van genieten wanneer hij raak heeft geschoten.

De rechercheurs weten meer dan ik over seksmisdrijven en stalkers, maar ze zeggen vaak tegen me dat ik mijn stalker beter ken dan zij en dat ik wat zijn bezigheden betreft meestal gelijk heb. Mijn geestelijke gezondheid hangt af van een delicaat evenwicht tussen luisteren naar hun raad en mijn eigen intuïtie. Er blijft niet veel ruimte over voor een normaal leven, en ik neem aan dat dát juist Pauls bedoeling is.

Wat hun raad om eens een poosje op dezelfde plek te blijven wonen betreft, geef ik toe. Ik wil niet dat Paul plezier aan het spel beleeft, maar ik wil het hem ook niet te gemakkelijk maken. Ik besluit om de komende zomer heen en weer te reizen tussen het huis van mijn broer in een voorstad en dat van mijn moeder een paar uur rijden ervandaan.

Bij mijn moeder voel ik me het veiligst, maar ik weet dat het een vals gevoel van veiligheid is. En ik kan er niet de hele tijd blijven, want ik moet ook naar de stad om te werken. Bij mijn broer bestaat mijn veiligheid uit de voortdurende drukte die het leven met tieners met zich mee brengt.

Pat is er niet van overtuigd dat het stalken net zo erg is als ik zeg en dat begrijp ik best, want de ergste dingen gebeuren wanneer ik alleen ben. Niemand is er rechtstreeks getuige van. Het doet me verdriet dat mijn broer aan de ernst van de zaak twijfelt, maar ik zeg er niets van. Tenslotte gedraagt hij zich als een broer. Ik ben me bewust van het gevaar dat zij en vooral hun kinderen lopen, maar dat wuiven ze weg en ze zijn alleen maar aardig voor me.

De eerste avond die ik bij hen doorbreng, zijn alle kinderen thuis, dus slaap ik op de bank. Voordat mijn broer gaat slapen, komt hij de huiskamer binnen met Keisha, hun lieve akita, die meestal naast het bed van hun jongste slaapt. 'Keisha,' zegt mijn broer tegen de hond, die meteen voor hem gaat staan en hem aankijkt, 'nu is Kate degene die je moet beschermen, dus wanneer zij bij ons is, moet je naast haar slapen.' Dan loopt Pat de kamer uit en kijkt Keisha naar mij, en even later gaat ze naast de bank op de grond liggen.

Ik begin aan een roman van John Sanford om me eraan te herinneren dat het leven nog veel erger kan zijn. Ik laat één arm naast de bank hangen om Keisha's dikke zwart met witte vacht te strelen. Vanaf die nacht weet Keisha me wanneer ik daar logeer en waar ik ook slaap, al was de vorige keer nog zo lang geleden, zodra de lichten uitgaan te vinden.

57

Sinds ik word gestalkt is wat mijn vrienden betreft het kaf van het koren gescheiden. Gek genoeg heeft het me, vergeleken met de verhalen van anderen, minder moeite gekost om de politie van mijn situatie te overtuigen dan sommige van mijn vrienden en familieleden. Er zijn er zelfs een paar die me gewoon niet geloven of nog erger, die me tegenover anderen belachelijk proberen te maken.

Een van mijn vriendinnen wil alles precies weten, maar weigert er naar anderen haar mond over te houden, hoewel ik haar dat heb gevraagd. Haar beste vriendin kent Paul en wanneer ik hoor dat ze haar mijn verhaal heeft doorverteld, beëindig ik de vriendschap. Zonder pardon. Ik krijg ervaring met het meedogenloos beëindigen van een relatie. Hoewel dat onder normale omstandigheden erg onaardig kan zijn, beschouw ik het nu als levensreddend.

De mensen die weten waar ik op een bepaald moment ben, zijn gemakkelijk te tellen. Het zijn er maar een paar en ik heb ze zorgvuldig uitgekozen. Enkele vrienden willen het liever niet weten. Greg, een stoere vent van bijna twee meter lang, zei lachend: 'Vertel het me maar niet, want als iemand me zou martelen, zou ik het zo verklappen.' Ik lach er ook om, maar ik begrijp best dat ik heel wat vraag van de mensen die mijn geheim moeten bewaren. Gek genoeg voel ik me nu minder eenzaam dan toen ik meer vrienden had.

Enkele loyale vrienden doen precies wat ik zeg. Ze spreken met me af op plaatsen waar ik me veilig voel en houden naar anderen hun mond over alles wat ze van me te horen krijgen. Ze hebben een scenario bedacht waarbij een van hen bij Paul mag aanbellen en zeggen: 'Ze heeft het eindelijk door. Vroeger wilde ze geen geld van je aannemen en jij wilt dat je vrouwen dat wél doen. Dus hoeveel geld moet ze van je aannemen om ervoor te zorgen dat je haar voortaan met rust laat?' De afgevaardigde steekt vervolgens zijn hand uit om de cheque in ontvangst te nemen.

'Je kunt het bedrag aan een liefdadige instelling schenken,' zeggen ze tegen mij.

Wanneer ik op een dag een lunchafspraak heb met mijn vriend Phil, zegt hij opeens kalm: 'Je bent verbazingwekkend.'

Ik vraag waarom en hij antwoordt: 'Je hebt je haat voor die man niet overgebracht op je andere vrienden.'

'Maar hij staat alleen,' leg ik uit. 'Terwijl alle andere mannen die ik ken, mannen zoals jij, heel lief en zorgzaam zijn. Ik zou een grote fout maken als ik jullie zou straffen voor Pauls waanzin.'

'Maar we zouden het wel begrijpen,' zegt hij lachend. 'Bovendien hebben we allemaal onze slechte eigenschappen.'

'Dat is zo, maar wij erkennen die en proberen ze zo goed mogelijk bij te schaven.'

Want daar gaat het om. We hebben allemaal onze slechte eigenschappen. En we hebben allemaal de keus of we er anderen mee willen schaden of niet. Ik houd mezelf niet voor de gek. Ik weet dat ik te maken heb met een man die zwaar beschadigd is, maar die te lui is om aan zichzelf te werken en te proberen weer geestelijk gezond te worden. Ik weet ook dat hij een op zichzelf staand geval is.

Ik heb een bijzonder trouwe cliënt zonder wie ik het hoofd niet boven water zou kunnen houden. Sinds Paul zich in elk deel van mijn leven heeft binnengedrongen, is het niet veilig nieuwe, onbekende cliënten aan te nemen. Ik heb al één keer bijna een opdracht aangenomen van iemand die door Paul werd betaald. Gelukkig kreeg ik dat door en kon ik op tijd weigeren.

Maar hoe voorzichtig ik ook ben, wat ik ook doe, het wordt niet beter. Ik word vanuit geparkeerde auto's bespied. Ik word gevolgd. Ik word vaker dan normaal gebeld door iemand die meteen ophangt. Koeriers proberen pakjes aan de deur of op mijn postbusadres af te geven van mensen die ik niet ken. Ik neem ze nooit aan.

Al een tijdje geleden heeft de politie me voorgesteld een privédetective in de arm te nemen, omdat die me misschien beter kan helpen dan zij. Ik vraag of ze iemand kunnen aanbevelen en na lang aandringen doen ze dat, onofficieel. Maar ik heb het nog niet gedaan vanwege het geld. Het leven van een vluchteling kost veel tijd en energie, en ik ben zo moe van de stress dat ik lang niet zo hard kan werken als vroeger.

Dus verdien ik minder, terwijl mijn leven duurder is geworden. Als hij het wist, zou hij dat geweldig vinden.

58

We ontmoeten elkaar voor het eerst op een hete middag in augustus. We hebben wel een tijd afgesproken, maar nog geen plaats. Zodra ik ergens ben waar ik me veilig voel en terwijl ik zeker weet dat ik niet ben gevolgd, moet ik hem bellen. Niet met je mobiel, zei hij. Niet met een mobiele telefoon, voegde hij eraan toe, alsof Engels niet mijn moedertaal is. Niemand is me gevolgd. Hij zal meteen komen. Ik vraag hoe ik hem zal herkennen. 'Dat is geen probleem,' antwoordt hij. Hij weet dat ik hem in het archief van de krant heb opgezocht.

Wanneer hij in het restaurantje van mijn keus binnenkomt, herken ik hem in de eerste plaats aan zijn manier van lopen, alsof zijn ene been steeds iets te laat reageert voor de volgende stap. Daarna herken ik hem aan zijn gezicht, dat aan de linkerkant is ingedeukt, met een opgetrokken wenkbrauw die in een eeuwig vragende positie is gehecht. Hij maakte een intelligente, verstandige indruk. Hij is politieagent geweest en ergens langs de kant van de weg neergeschoten en voor dood achtergelaten. Hij had een wegpiraat aangehouden die met drugs op weg bleek te zijn naar Canada. Hij heeft zijn partner meegebracht, een indiaanse, die een zelfverzekerde, krachtdadige indruk maakt. Maar ze heeft een vriendelijk gezicht. Al voordat we kennis hebben gemaakt, kom ik tot de conclusie dat ik het een sympathiek stel vind.

Een verschoten groen zonnescherm aan het lage bakstenen gebouw biedt een beschutte plek waar we kunnen praten. Hij vraagt of ik bij het begin wil beginnen en alle feiten op een rij wil zetten. 'Maar vertel ons eerst iets over jezelf en over die man, en dan pas wat er allemaal is gebeurd,' zegt hij.

Wanneer ik een half uur later mijn verhaal heb gedaan, zeg ik: 'Ik geloof dat ik alle feiten heb genoemd,' hoewel ik weet dat ik er mijn eigen mening doorheen heb gevlochten. Ik haal diep adem en voeg eraan toe: 'Ik denk dat ik, doordat onze relatie begon vlak nadat zijn vader was vermoord en diens geheimen bekend waren geworden, zo veel dingen over Paul te weten ben gekomen dat hij me als gevaarlijk beschouwt. En ik kan hem die dingen niet teruggeven, al zou ik dat nog zo graag willen. Kennen jullie dat Berber-spreekwoord over iets tussen een nagel en de huid?' vraag ik. 'Zoiets ben ik denk ik voor Paul.'

'Ik heb je verkeerd begrepen,' zegt de privédetective. 'Ik dacht dat je schrijfster was.'

'Dat ben ik ook,' zeg ik.

'En psycholoog,' zegt hij, en het is geen vraag.

'Nee, alleen schrijfster.'

Hij lacht. 'Nou ja, je klinkt als een psycholoog. Je hebt die man goed door en je psychologische beschrijving van de situatie klopt precies.'

'Ik lees veel,' zeg ik.

'Dat geloof ik ook,' zegt de partner van de ex-agent.

'Als ik alles zo goed mogelijk begrijp, helpt dat om er beter mee om te kunnen gaan,' leg ik uit. 'Zo ben ik nu eenmaal. Ik wil er zo veel mogelijk van weten.'

We lachen en dat verbreekt de spanning na het vertellen van mijn verhaal, wat ik ervoer als een last die ik stukje bij beetje aan hen moest overdragen.

'Dus als je weet hoe die man in elkaar steekt, kun je er beter tegen,' zegt hij.

'Dat denk ik,' zeg ik en ik hoop dat ik gelijk heb. Ze zullen de zaak ook nog met mijn rechercheurs bespreken, zeggen ze, zodra ik hun daar toestemming voor heb gegeven. 'En dan vertellen we je wat je volgens ons moet doen,' zegt de ex-agent.

Een van de eerste dingen die ze willen doen, is in Pauls vuilnisbakken snuffelen om iets van zijn manier van leven aan de weet te komen. Ik schrik bij het idee, maar dan dringt het tot me door dat het een goed idee is en dat ik daar best voor wil betalen.

Een paar dagen later hoor ik van hen. Ze hebben de rechercheurs gesproken, Pauls huis bekeken en de inhoud doorzocht van de vuilnisbak die hij de dag daarvoor buiten had gezet. 'Het zal je verbazen wat je over iemand te weten kunt komen als je ziet wat hij weggooit, zelfs als die persoon zo'n stiekemerd is als hij,' zegt de detective. 'Nu je naar de politie bent gegaan, is hij waarschijnlijk nog kwader dan eerst. Hij is niet bang. Met de bangeriken hebben we geen moeite. Die kunnen de druk van politietoezicht niet aan. Maar die man van jou is niet gauw bang.' Hij zwijgt, maar ik zeg niets. 'Mannen zoals hij zijn eigenlijk lafaards,' gaat hij door, 'maar die vent van jou is te arrogant om bang te zijn. Als hij echt slim was, zou hij bang zijn. Want het leven dat hij leidt, zal hem uiteindelijk duur komen te staan.'

Ik onderbreek hem. 'Noem hem nooit meer "die vent van mij"!' Het was niet mijn bedoeling het zo fel te zeggen en ik heb er meteen spijt van, en zeg dat ook. Ik wil dat déze vent aan mijn kant staat. Ik zit metersdiep in de problemen en ik kan er alleen uit komen als ik de regie overdraag aan iemand zoals hij. Ik hoop dat dit stel goed is in wat ze doen en dat ze gelijk hebben, denk ik.

En ze zíjn goed, merk ik in de weken daarna, wanneer ze me dingen over Paul vertellen die ik nog niet wist. Ze vinden het bewijs dat hij al voor de vierde keer is getrouwd. Hij blijkt nog minstens één ander huis te hebben, waar niemand iets van weet. Pauls leven is gebaseerd op meer lagen leugens dan ik me had kunnen voorstellen. De term 'aartsbedrieger' is bedacht voor mensen zoals hij.

De privédetectives zijn bijzonder behulpzaam. Ze komen erachter dat Paul van plan was het huis tegenover me dat hij huurde te kopen, tot hij ontdekte dat ik ging verhuizen – wat bevestigt dat hij inderdaad alleen maar bij me in de straat kwam wonen om me angst aan te jagen. 'Het is een griezelige rotzak,' zegt de vrouw. Doordat ze in zijn leven graven en zijn vrienden en kennissen uithoren, komen die te weten dat hij ergens van wordt verdacht en komt hij te weten dat ik de hulp van allerlei deskundigen heb ingeroepen.

Ze vragen niet veel geld voor hun diensten. 'We willen je graag helpen,' zegt de man. Toch kan ik het me niet veroorloven hen voor langere tijd in dienst te nemen, al zou ik dat nog zo graag willen.

Het enige wat ik zeker weet, is dat ik hem altijd één stap voor moet blijven.

59

Nu ik al een jaar van hot naar haar trek, ben ik bereid om een andere methode te proberen: ergens gaan wonen onder een andere naam. Via een vriend die onroerend goed bezit in verschillende staten, onderteken ik een huurcontract voor korte tijd onder een valse naam. Hij krijgt voor elkaar wat ik zelf niet voor elkaar zou kunnen krijgen: de manager van het huizencomplex, het elektriciteitsbedrijf en de vuilnisophaaldienst kennen me onder een andere naam. Alleen mijn vriend en zijn assistent weten wie de echte huurder is. Het huis ligt verstopt achter bomen en er loopt maar één weg en een oprit naartoe. Als je het in de gaten wilt houden, moet je je op privéterrein wagen.

Wanneer ik het huis betrek, haal ik een paar dingen uit de opslagloods: een schommelstoel, een paar lampen, mijn bureaustoel, de teakhouten klaptafel die ik als bureau gebruik en een futon. En de doos met mijn donzen dekbed, kussens en linnen lakens, en ook die met keukenbenodigdheden zoals een elektrische waterketel, theepot, sinaasappelpers, omeletpan en een paar schalen, mokken en borden. Het belangrijkste wat ik meebreng, is Keisha. Mijn broer en schoonzus hebben gezegd dat ik haar net zo lang mag houden als nodig is.

Ik verlang ernaar weer in mijn eigen huis te wonen, maar voor het eerst ben ik bang om alleen te zijn.

Ik word aangedreven door angst, vooral de angst van het niet weten. Mijn therapeut bekent dat de meeste psychologen geen idee hebben hoe het is om te worden gestalkt. Daarom ga ik naar een door een beroepsvereniging georganiseerd congres over stalken. Aan het eind van de morgen vertel ik de leider dat ik word gestalkt en graag de grootste deskundige van het land wil raadplegen.

'Ik wil me hierin specialiseren,' zegt ze, 'dus hoewel ik pas een beginner ben, wil ik graag met je praten.'

'Nee, dank u,' zeg ik beleefd. 'Ik heb er niets aan iemands studie-object te zijn. Wie is op dit moment de expert?' Ik blijf glimlachen, al zou ik het liefst de vloer met haar aanvegen omdat ze het zo luchtig opvat.

Ze geeft me de naam en het telefoonnummer van een forensisch psycholoog in Californië. Ik bel haar op en maak een afspraak voor februari.

Maar eerst verhuis ik naar een ander huis van de firma van mijn vriend. Het ligt nog meer verscholen dan het huis waarin ik inmiddels vier maanden heb gewoond en daardoor vallen onbekenden er nog beter op. Ik teken een huurcontract voor een jaar.

Ik heb het appartement zorgvuldig gekozen. Het ligt op de eerste verdieping en heeft aan de voorkant geen ramen. De achterkant bestaat bijna alleen uit ramen en biedt uizicht op een klein bos met ahornen, olmen en eiken. De linnen gordijnen laten het licht door en verhinderen dat iemand naar binnen kijkt. En iemand die aan de achterkant naar mijn huis staat te kijken, kan zich nergens verstoppen.

Bovendien zou het niet bij Paul opkomen dat hij me ergens aan de rand van de stad moet zoeken. Hij weet dat ik liever in de stad of op het platteland woon. Maar zelfs hier, en onder een andere naam, installeer ik me aarzelend, omdat ik verwacht dat hij me uiteindelijk weer zal vinden. Ik denk aan de woorden van Anne Brontë in *Wildfell Hall.* Wanneer Helen haar man heeft verlaten en in haar schuilplaats aankomt, zegt ze: 'Afgezien van een knagende bezorgdheid, de nooit aflatende angst dat ik zal worden gevonden, heb ik me comfortabel in mijn nieuwe huis geïnstalleerd.'

Zo voel ik me ook. Dit is een stuk beter dan de tijd dat ik van het ene naar het andere huis trok en net lang genoeg ergens bleef om mijn volgende stap voor te bereiden, toen ik me voortdurend verplaatste omdat ik te nerveus was om ergens wat langer te blijven.

Sinds de dag in november waarop ik mijn appartement verliet en naar een hotel ging, is dit de zestiende verhuizing in even zo veel maanden.

60

Zonnig Californië: mijn eerste bezoek aan de zonnige staat en het regent wanneer ik er aankom. Eerlijk gezegd ben ik daar blij om, want nu voel ik me in het land van de blote, gebruinde huid niet zo'n vreemde eend. Ik ben er op zaterdag naartoe gereisd, zodat ik een beetje aan de stad kan wennen voordat ik maandag naar de forensisch psycholoog ga. Ik heb deze afspraak gemaakt omdat ik een antwoord wil op de vraag die me altijd bezighoudt: hoe gevaarlijk is Paul?

Onder mijn valse naam en met een creditcard die me geloofwaardig maakt neem ik een kamer in een klein hotel in het Lamplight District in San Diego, een wijk die weer bijna hip is. Daarna neem ik de tram om op zoek te gaan naar kunst.

In een klein museum in Balboa Park hangt een Pisarro: een besneeuwde dorpsstraat, twee vage figuren op de achtergrond en een vrouw met een sjaal om op de voorgrond. Het winterse tafereel roept vragen op: woont die vrouw daar of is ze een passant? Is ze, hoe dan ook, veilig? Die mannen die naar haar toe lopen, willen die haar kwaad doen? Het schilderij doet me denken aan een Monet die ik ruim een jaar geleden zag, van een vrouw met een rode sjaal om en een gezicht dat nog droeviger was dan de grauwe winterlucht boven haar hoofd.

Al doe ik nog zo mijn best, ik kan de gedachte aan Paul niet van me af zetten. Ik projecteer zijn sinistere gedrag zelfs op deze koele Pisarro. Ik ben boos. Wie moet er verdomme door het halve land reizen om een risico te laten inschatten? Ik ken niemand anders die dat ooit heeft moeten doen. Ik spendeer mijn leven, tijd en geld aan dingen die ik vroeger bizar zou hebben gevonden en die nu mijn dagelijkse kost zijn.

Ik bereid me erop voor dat de forensisch psycholoog tegen me zegt dat ik niet hoef te denken dat Paul gevaarlijk is. Weliswaar bezorgt hij me veel last, maar gevaarlijk is hij niet, zal ze zeggen. Dus ontspan je en ga door met je leven.

Maar ze zegt iets heel anders. De eerste twee keer luistert ze naar mijn verhaal en tussendoor praat ze met mijn rechercheurs. Bij het derde gesprek wil ze weten welke voorzorgsmaatregelen ik heb genomen. Die zijn allemaal terecht, gezien het soort man om wie het gaat, zegt ze, maar het is niet genoeg. Vervolgens vertelt ze me wat zij van de situatie denkt: mijn stalker is een vasthoudende, geduldige, meedogenloze man. Een stalker die het niet opgeeft. Hij heeft genoeg geld om zelf buiten de gevarenzone te blijven en de persoonlijke consequenties van zijn obsessie niet te hoeven ondervinden. Zolang er iets is wat in zijn behoefte voorziet, zolang dat zijn beeld van zichzelf als vervolgde en miskende man bevestigt, denkt hij dat zijn gedrag juist is. Mensen zoals hij hebben een andere opvatting van goed en fout dan algemeen wordt aangenomen. Ze voert aan dat de meeste stalkers nooit worden opgepakt, laat staan veroordeeld en gevangengezet. Ze vermoedt dat ik zijn doelwit zal blijven tot hij doet wat veel andere stalkers doen: zijn obsessie botvieren op iemand anders.

'Maar ik wil niet dat hij mij met rust laat omdat hij een ander doelwit heeft gevonden,' zeg ik.

'Dat is jouw zaak niet,' zegt ze. Bij ons laatste gesprek beschrijft ze maatregelen die nog strenger zijn dan ikzelf heb bedacht. Ze vindt dat ik het soort leven van een geheim agent moet gaan leiden, zoals je dat alleen in films ziet. 'Als mensen om je heen zeggen dat je best wat minder waakzaam mag zijn en wat minder veiligheidsmaatregelen kunt nemen, moet je niet luisteren,' raadt ze me aan. 'Dit zal waarschijnlijk nog een paar jaar zo doorgaan. Hij is het type dat je een tijdje met rust zal laten, lang genoeg om je te laten denken dat je niet meer zo bang hoeft te zijn en niet meer zo goed hoeft op te letten, en dan begint hij opnieuw. Dat doet hij waarschijnlijk een paar keer. Het is het spel dat hij speelt.'

Ik vertel haar wat me het kwaadst maakt: 'Vroeger was ik nergens bang voor en die eigenschap heeft hij me ontnomen. Ik geloof niet dat ik die ooit terugkrijg.' Ik heb in haar bijzijn niet gehuild, maar nu komen de tranen.

Ze glimlacht, wat me van mijn stuk brengt, tot wat ze dan zegt tot me doordringt. Ze denkt dat ik nooit heb beschikt over een gezonde portie angst. Iedereen moet daarover beschikken en nu ik dat ook doe, moet dat zo blijven. Want angst draagt bij aan mijn veiligheid.

Wanneer ik opsta om weg te gaan, zegt ze: 'Doe je best om je leven voort te zetten.'

Het komt op me over alsof ze heeft gezegd dat ik midden op de snelweg moet gaan staan en een boek lezen. Moet ik op deze manier een rustig leventje leiden? Ik zou niet weten hoe en dat zeg ik.

'Je moet altijd op je hoede zijn,' zegt ze. 'Je mag je aandacht nooit laten verslappen. Het is verstandig bijna niemand te vertrouwen. Maar,' voegt ze eraan toe, 'je mag niet toestaan dat hij je leven verwoest of dat hij je belet nog ergens van te genieten of iemand lief te hebben.'

Ik weet niet hoe ik dat moet doen, zeg ik.

'Daar kom je nog wel achter,' zegt ze. 'Je bent sterk, intelligent en dapper. En je hebt geleerd om hulp te vragen. Je vindt wel een manier.'

Tot op dat moment had ik gedacht dat ik de eigenschappen die ik bij mezelf het meest waardeerde, kwijt was geraakt, maar opeens begrijp ik dat ik dacht dat angst hetzelfde was als lafheid en dat om hulp vragen een teken van zwakheid was. Ik heb het gevoel dat ik me alsmaar heb vastgeklampt aan het idee dat ik moedig moest zijn en nu pas zie dat er een portie moed in mijn hand ligt.

Ik vlieg naar huis om te leren hoe ik zowel waakzaam als vrij moet zijn, en ik denk dat dit het moeilijkste is wat ik ooit heb moeten leren.

61

'Kreng', meer staat er niet. Het handschrift op het briefje onder mijn ruitenwisser is natuurlijk niet van hem, maar de hoofdletters zijn zo geschreven dat ze op zich ook al een boodschap overbrengen. Ik heb boodschappen gedaan in een groot winkelcentrum aan de andere kant van de stad. Zoals de politie me heeft aangeraden, neem ik zelden dezelfde weg. Toch vind ik dit briefje op mijn auto.

Twee dagen later rijd ik naar een cliënt met wie ik een afspraak heb. Ik heb er mijn eigen kantoor en voicemail. Wanneer ik mijn berichten afluister, hoor ik als eerste de verdraaide stem van een man – natuurlijk niet Paul – die zegt: 'Kreng, ik weet dat je er bent. En ik zal je krijgen.' Of wurgen, dat kan ik niet goed horen. Maar ik herken de stem van de lachende vrouw op de achtergrond. Ze is jong en goedgelovig en ze heeft een lief gezicht, maar ze is kwaadaardig en komt altijd geld tekort, precies het soort vrouw dat zich door Paul zou laten gebruiken. Ik weet dat ik niet kan bewijzen dat zij het is, maar ik zal het onthouden. Ik vertel de directeur van het bedrijf wat er op mijn voicemail staat, we overleggen met de personeelschef en de bedrijfsjurist en ze staan erop dat ik de politie bel.

Ik bel het bureau in die regio, maar de agent die daarna met me komt praten, neemt de boodschap vrij luchtig op. Hij kan ook niet precies horen wat het laatste woord is, zegt hij, nadat hij een paar keer heeft geluisterd.

Ik leg hem uit dat hij de afdeling Seksuele Misdrijven in de stad moet bellen, zodat de rechercheurs daar de andere, bij mijn zaak betrokken afdelingen kunnen inlichten.

Dat is niet nodig, zegt hij.

'Dit duurt al een paar jaar en ze zijn volkomen op de hoogte,' zeg ik.

'Ik hoef alleen te weten wat er nu aan de hand is,' zegt hij. 'De rest gaat me niet aan.'

'Dan kan ik kort zijn,' zeg ik. 'Het gaat nu alleen om deze boodschap, maar hij maakt deel uit van een patroon.'

'Vertel me eens iets over de relatie van u met die man,' zegt hij.

'Hoor eens, ik heb met hem samengewoond en ben weggegaan, en nu valt hij me al jaren lastig en volgt me overal,' zeg ik.

'Hij moet wel erg veel van u houden om daar zo lang mee door te gaan,' zegt hij.

'Klinkt die boodschap alsof hij van me houdt?' vraag ik.

Voor sommige mannen wel, zegt hij.

Ik blijf kalm, maar kan het er niet bij laten. 'Ik ga ervan uit dat u een opleiding tot rechercheur hebt genoten, maar ik geloof niet dat u iets van stalken weet.'

Genoeg, zegt hij.

'Niet genoeg,' zeg ik, 'om te beseffen wat een domme opmerking dat van u was. Dit gaat nooit om liefde,' zeg ik nadrukkelijk, 'maar altijd alleen om macht en controle.'

'Dat weet ik niet,' zegt hij, 'maar volgens mij houdt die vent echt van u.'

'Dan kunt u mij niet helpen,' zeg ik.

Het komt bij me op dat ik geweldig bof met alle hulp die het team van de afdeling Seksuele Misdrijven me geeft en ik houd mezelf voor dat de reactie van deze agent een uitzondering is. Maar ik begin de moed te verliezen.

Nog weken na deze boodschap rijst er wanneer ik alleen in de auto zit, als een plotselinge vloed na een hevige regenbui, een angstaanjagend beeld voor me op: van een passerende auto gaat het raampje open, er steekt een arm naar buiten, er wordt een pistool op me gericht en de kogel dringt mijn hoofd binnen.

Misschien laat hij het op die manier gebeuren. Dan zou het opeens voorbij zijn, op een heel gewoon moment van mijn leven.

Ik wil even weg, even niet werken en de belachelijke manier waarop ik moet leven vergeten. Ik kan me geen verre reis veroorloven, dus bel ik mijn moeder en vraag of ze mee wil voor een rit langs de Mississippi. Op mijn achtenveertigste verjaardag vertrekken we voor een uitstapje van twaalf dagen.

Ik heb bij de bron gestaan, heb met een kano een deel ervan bevaren en ben naar de kust van Louisiana gevlogen om daar mijn hand in het water te steken dat even later in de Golf van Mexico stroomt. Onze reis gaat door vijf staten met deze rivier.

We boeken geen hotels en ik heb boeken gekocht die ons zullen vertellen wat we moeten zien en waar we moeten overnachten. Wel heb ik de route uitgestippeld, zo dicht mogelijk langs de oever, wat betekent dat we soms wel een paar keer per dag de rivier moeten oversteken, van de ene naar de andere staat. We kunnen goed samen reizen, want we hebben allebei graag zo veel mogelijk informatie en geen vast plan.

Bijna twee weken lang leef ik zonder angst.

62

Als ik niet hoefde te werken, zou ik best kluizenaar kunnen zijn. Soms breng ik een hele dag door op mijn beschutte balkon, in een witte rieten schommelstoel achter hoge planten. Dan hoop ik alleen maar dat niemand zich binnen mijn begrensde gezichtsveld waagt. Ik heb een blocnote op schoot en een pen in mijn hand, en ik schrijf een gedicht over platgereden kraaien waarvan de gestolde hersens door gulzige aasvliegen en laagvliegende aasgieren worden verorberd. Het is geen goed gedicht, maar het helpt wel.

Ik ben zo kwaad dat het geen wonder is dat ik me alleen thuis op mijn gemak voel. Ik word het liefst met rust gelaten, met mijn boeken, mijn pen en mezelf, om opdrachten uit te voeren en boze verzen te schrijven.

Aan het eind van een van die dagen sta ik in mijn keuken een pastasaus te maken. Langzaam en zorgvuldig snijd ik rauwe groenten, en ergens tussen de uien en de paprika's ga ik me beter voelen. Hak, hak, hak. Het ritme werkt kalmerend. Ik fruit de groente in olie en zie ze van kleur en vorm veranderen. Ik knijp Italiaanse tomatenpuree uit een tube, scheur basilicumblaadjes en doe er nog wat oregano bij. Dan laat ik de saus sudderen.

Terwijl de pasta gaar wordt, lees ik de krant. Hoewel ik verslaafd ben aan het nieuws, ben ik eraan gewend geraakt kranten van een dag of zelfs een week oud te lezen. Ik laat thuis geen post of kranten bezorgen, want dat maakt het iemand gemakkelijker me te vinden. Ik vraag me af of ik ooit weer het soort leven zal leiden waarin ik wakker word, naar de voordeur loop en de krant van die dag opraap van de mat.

Ik voel me rusteloos, dus ga ik in de weer met een vergiet, een schaal en een spaghettitang. Ik pak twee glazen: een voor water, een voor wijn. Communie. Ik sta voor het altaar van de honger te wachten.

De keuken is in een hoek van de grote kamer. Bijna alles is in de kalmerende tinten roomwit en taupe: de bank, het vloerkleed, de muren, het aanrecht. Schalen, boeken en natuurlijk schilderijen zorgen voor kleur. Boven de haard zetten mijn zwanen koers naar het bos. Ik zet een cd op van Mary Black, die met het lied 'Paper Friends' (dat speel ik steeds opnieuw) en steek de gashaard aan. Met een kom pasta op schoot kijk ik naar buiten, waar de avond valt.

Een uur later ruim ik de keuken op, schakel de haard uit en sluit alle ramen. Daarna controleer ik of de deuren op slot zitten en het alarmsysteem aanstaat. Ik doe het licht uit en ga naar de slaapkamer. Terwijl ik in het donker in bed lig, doen de schaduwen in de kamer me denken aan een zin uit een film waarvan ik de titel ben vergeten: 'Alle monsters zien er normaal uit tot ze worden gevangen.'

Dan weet ik niet meer zeker of ik echt elke deur heb gecontroleerd, dus sta ik op en loop de gang in. Ik kan pas slapen als ik het zeker weet en check de voordeur, de deur naar de garage en die naar het balkon. Ik open het kastje van het alarmsysteem om te zien of alles aanstaat.

Zoals altijd ligt mijn mobiel onder het extra kussen op mijn bed. Ernaast ligt een ijsstamper: een ronde schijf van roestvrij staal aan een lange, flexibele steel van wit plastic. Als ik daar iemand mee tussen zijn ogen raak, valt hij bewusteloos op de grond.

63

Ik kijk naar de garagedeur terwijl die dichtgaat. Ik wacht altijd in de auto tot de onderkant het beton raakt en dan nog even tot ik zeker weet dat hij niet weer opengaat. Dan pas rijd ik weg.

Op de gemeenschappelijke oprit wuif ik naar de buren, die hun auto staan te wassen. We maken af en toe een praatje of drinken soms een glas wijn bij elkaar, maar ik probeer afstand te houden. Ik voel me niet op mijn gemak omdat ik niet eerlijk kan zijn: ze kennen alleen mijn valse naam en mijn valse achtergrond. Dat is noodzakelijk voor mijn veiligheid, maar ik vind het niet prettig dat ik zulke aardige mensen moet voorliegen.

Het is zaterdagmiddag en ik heb een afspraak met mijn therapeut. Ik vertel haar dat ik me schaam voor mijn angst, en dat het donker me overweldigt zodra ik mijn ogen sluit. Het ene moment gaat het prima met me, functioneer ik goed en denk ik er nauwelijks meer aan. Dan komen de herinneringen naar boven en schakelt mijn hele lichaam over op de alarmtoestand: mijn gehoor en zicht vervagen en de verbinding met alles buiten mezelf begint te falen. Terwijl ik me van nature juist erg goed kan concentreren, kan ik me dan opeens nauwelijks meer concentreren, laat staan dat ik nog kan functioneren. Deze toestand kan minutenlang duren, maar daarna ben ik nog uren of zelfs dagen hyperalert. Dan kan ik scherper horen en ruiken, en voelt zelfs mijn huid extra gespannen. En dan ben ik er nog meer dan anders op voorbereid dat ik moet vluchten. Ik beweeg me te snel en bots zo hard tegen meubels aan dat ik er blauwe plekken aan overhoud.

Ik vind het vreselijk dat ik altijd klaar ben voor de strijd en omdat het een onzichtbare strijd is, heb ik vaak het gevoel dat ik me aanstel. Wanneer ik tegen mijn therapeut zeg dat ik bang ben dat ik nooit meer zo goed zal kunnen functioneren als vroeger, zegt ze glimlachend: 'Vroeger functioneerde je buitengewoon goed en nu

ben je gezakt naar een niveau dat de meeste mensen als normaal be-
schouwen. Maar dit zal niet eeuwig duren,' voegt ze eraan toe. 'Uiteindelijk zal alles weer goed komen.'

Bij mijn thuiskomst zie ik dat de garagedeur openstaat, en de voordeur staat op een kier. Mijn buren komen aanlopen zodra ze mijn
auto zien.

'We hebben naar je uitgekeken,' zegt de buurvrouw.

Ze hadden ongeveer een uur nadat ik was weggereden bij mij het
alarm horen afgaan. Ze waren naar de voordeur gelopen, die een
stukje open stond, en hadden me geroepen. Omdat niemand antwoordde, hadden ze besloten buiten op me te wachten.

Ze bieden aan om mee naar binnen te gaan en te zien of er
iemand is.

Dan vertel ik hun dat ik word gestalkt, en ik zeg erbij dat ik niet
verwacht dat ze me helpen.

Toch willen ze mee naar binnen, en samen lopen we door het
huis. Alles is in orde, behalve de open deuren. Het is het patroon
waaraan ik gewend ben geraakt: niets in het bijzonder, geen bewijs.
Maar mijn gevoel van veiligheid is verdwenen.

Ik kan het niet meer opbrengen weer andere rechercheurs van
mijn geval te overtuigen. Want hier val ik onder een ander bureau
met andere mensen. Ik word doodmoe van al die uitleg. Ik begrijp
dat elke volgende agent weer het hele verhaal moet horen, maar het
is alsof ik het dan steeds opnieuw beleef.

De hele toestand heeft me uitgeput. Ik weet niet meer hoe vaak ik
al thuis ben gekomen en dan zie dat deuren die ik op slot heb gedaan, openstaan. Wel vijf, zes of tien keer. Minstens drie keer is de
elektriciteit naar mijn huis afgesneden. Ik houd allang niet meer bij
hoe vaak mijn telefoon het niet meer doet. Vaker dan ik voor mogelijk had gehouden.

Wat alles nog erger maakt, is dat ik onlangs heb gehoord dat een
vriend van Paul is benoemd tot hoofd van de openbare veiligheid
van onze staat. Dat betekent dat hij zeggenschap heeft over de ge-
rechtelijke afdeling die toestemming geeft om criminelen op te pakken, de staatspolitie en wie weet welke instanties nog meer. Voor het

eerst komt het bij me op dat het riskant kan zijn naar een onbekend politiebureau te gaan. Paul zou er geen moeite mee hebben om agenten in een voorstad ervan te overtuigen dat ík gevaarlijk ben en in de gaten moet worden gehouden. Hij lijkt overal over handen en ogen te kunnen beschikken om me te bespieden, in te breken in mijn huis en in allerlei computers. Ik vraag me af tot hoe ver zijn macht reikt en of er ook zakken zijn die zich niet door hem laten vullen.

Ook al zijn de rechercheurs in het centrum nog zo behulpzaam, ze kunnen me alleen helpen als er iets gebeurt in hun district. En ze kunnen me niet helpen als Paul een wetsdienaar vindt die me eerder kwaad zal doen dan bijstaan.

Opnieuw dringt het in volle omvang tot me door dat ik er helemaal alleen voor sta. Niemand kan hem tegenhouden.

64

Ik vind mezelf een slapjanus. Na al die keren dat ik ben verhuisd, dacht ik dat ik wel had geleerd dat 'thuis' iets is wat je vanbinnen met je mee draagt. Maar elke keer dat ik moet verkassen, heb ik zelfs al voordat ik ga inpakken heimwee, en niet alleen vanwege de mensen. Deze keer betreur ik het gemis van de blauwe gaaien die door de bomen achter mijn huis flitsen, de bladeren van de ahorn die bij elk briesje fladderen als duizenden waaiertjes en de maan als je er vanuit een bepaalde hoek naar kijkt. En ik verlang nu al terug naar het bed dat de vorm van mijn lichaam kent en de versleten linnen lakens die me koesteren wanneer ik slaap.

Ik mis vooral de bomen, waarop ik jaloers ben geworden omdat ze doen wat bomen horen te doen: blijven staan, heen en weer zwaaien, maar zich niet verplaatsen. Ik dwing mezelf om op reis te gaan, om te voorkomen dat ik me door mijn angst laat meeslepen. Het is de enige manier om niet het gevoel te hebben dat mijn hele levenswijze me is ontstolen. Mijn moeder en ik gaan samen naar Europa. Eerst gaan we een week naar Londen en dan naar mijn vrienden in Yorkshire.

Het is gedeeltelijk een onderzoek naar haar familie, vooral de grootouders die elkaar in de buurt van Durham (de een kwam uit Ierland, de ander uit Schotland) hebben ontmoet en daar zijn getrouwd. Tussen het gezoek in archieven in Londen en op het platteland bezoeken we de dorpen waar haar grootouders hebben gewoond en gewerkt voordat ze naar Amerika zijn geëmigreerd.

Halverwege neemt onze reis een onverwachte wending. Mama dacht dat ze bronchitis had, maar het blijkt haar hart te zijn en ze wordt opgenomen in het Royal Infirmary ziekenhuis in Edinburgh. In plaats van twee weken in Frankrijk brengen we nog vier weken in Schotland door. Mama heeft lekke hartkleppen en moet in staat zijn om naar huis te vliegen om daar te worden geopereerd. Op de dagen dat ze nerveus is en doodmoe van alle onderzoeken, breng ik alle kranten mee die in Londen en Edinburgh verschijnen. We zijn er urenlang zoet mee. En met de verhalen die we verzinnen over haar zaalgenoten, vooral een patiënt die ze 'Sparky' noemt. Om de paar uur trekt deze pezige vrouw met piekerig rood haar een jasje aan en gaat buiten op de brandtrap staan om te roken. We vinden haar mateloos boeiend.

Op dagen dat mama zich goed voelt, ga ik een paar uur wandelen. Soms in het park van het kasteel, soms naar Waverly Place, maar meestal ga ik naar een museum of een galerie. Op een middag loop ik naar de National Gallery, een eeuwenoud gebouw in een heel oude wijk. Ik ben niet op zoek naar bepaalde dingen en blijf staan voor een klein schilderij dat me boeit: een portret van een vrouw op een stoel, in een eenvoudige grijze jurk met witte accenten – een borststukje, manchetten bij haar ellebogen en een muts. Dat ze naast een portret van Madame de Pompadour hangt, die getooid is in blauw en lavendel met parels, maakt haar nog eenvoudiger. Er is niet veel over haar te vinden, maar ze blijkt Sarah Malcolm te zijn, die ruim tweehonderd jaar geleden op een avond naar bed ging en de volgende morgen haar meesteres, Lydia Duncombe, en twee andere bedienden vermoordde. Na haar bloedige daad poseerde ze in de Newgate gevangenis in Londen voor William Hogarth en ze werd daarna ter dood gebracht. Ze was vijfentwintig. Haar hals is gespannen en ze heeft rode wangen. Ze heeft haar rechterwenkbrauw iets opgetrokken, alsof ze de kijkers uitdagend waarschuwt dat ze geen medelijden met haar hoeven te hebben. Voor haar zedige boezem ligt de rozenkrans die ze in haar handen houdt als een opgekrulde kralenslang op tafel. Ze ziet er niet uit als een schuldige vrouw voor wie de strop al klaarhangt. Tja, moordenaars kunnen er net zo normaal uitzien als wij.

Wanneer ik terug ben in het ziekenhuis, zie ik dat mama ergens mee zit. Ik vraag of er iets is gebeurd en ze antwoordt ontkennend, maar dan zegt ze dat ze me iets wil vertellen en dat ik goed moet luisteren: 'Als me hier iets overkomt, mag je je niet schuldig voelen. Niemand had beter voor me kunnen zorgen dan jij.'

'Maar er overkomt je niets,' zeg ik.

'Nee, maar als dat wel zo is, denk dan aan wat ik net heb gezegd. Ik heb een goed leven gehad en ik vind het niet erg om te gaan.'

Weer ben ík degene die haar tranen niet kan binnenhouden.

'Dat meen ik,' zegt ze.

'Je wordt bedankt,' zeg ik en dan begin ik te lachen. Plotseling zie ik mijn zeven broers en zussen plus aanhang voor me als ze me bij mijn thuiskomst staan op te wachten en zien dat mama ontbreekt.

'Wat is daar zo grappig aan?' vraagt ze.

Ik vertel haar waaraan ik moest denken. 'Ik zal je vertellen wat ik dan doe,' zeg ik. 'Als je hier overlijdt, laat ik je cremeren en neem ik je mee. Want ook al haal jij het niet, ik ga nog niet naar huis.'

'Neem me dan ook mee naar Zwitserland,' zegt ze lachend. 'Daar hebben je vader en ik een heerlijke tijd gehad en ik heb er altijd nog een keer naar terug willen gaan.'

Wanneer ik die avond terug ben in mijn hotel, een georgiaans huis dat uitkijkt over Dean Village, heb ik voor het eerst sinds mama naar het ziekenhuis is gegaan geen puf om alle telefonische boodschappen van mijn broers en zussen te checken. Ik heb mijn oudste broer al eerder op de dag gebeld en gevraagd of hij mijn nieuws wil doorgeven. Ze doen alsof ik iets voor hen verzwijg, maar ze weten niet meer dan ik: dat mama in elk geval vandaag nog leeft.

65

Begin november vliegen we naar huis en de eerste avond thuis besef ik dat ik helemaal niet blij ben dat ik terug ben. Ik ben verwend doordat ik me zo lang vrij heb gevoeld. Maar ik blijf niet lang thuis, want een paar weken later wordt mama aan haar hart geopereerd en daarna logeer ik bijna een maand in de hotelvleugel van het ziekenhuis. Vlak voor haar operatie gaat ze bijna dood en daarna ligt ze ruim twee weken op de intensive care. Eerst is het lang niet zeker dat ze het zal overleven. We gaan om beurten naar haar toe en zorgen ervoor dat er altijd iemand naast haar bed of in de wachtkamer naast haar kamer zit. Meestal zijn het meerdere van haar kinderen met man of vrouw en kleinkinderen.

Een maand later brengen Liz en ik mama naar huis. We spreken af dat we samen voor haar zullen zorgen zolang ze ons nodig heeft. Ik betrek de logeerkamer thuis en Liz, die een paar kilometer bij mama vandaan woont, past haar huishouding bij de verzorging van mama aan. We houden haar gezelschap, controleren medische symptomen, onderhouden contact met artsen, geven haar haar medicijnen, helpen haar bij het baden en zien erop toe dat ze gezond eet. Ze herstelt van de operatie, maar een van haar hartkleppen blijkt opnieuw te lekken, dus zullen we boffen als ze nog een jaar of twee blijft leven. Mama wil dat niet weten, dus verzwijgen we het voor haar.

Elke morgen zet ik een kop koffie voor mezelf en een kop Schotse ontbijtthee voor haar. We gaan tegenover elkaar aan de ontbijttafel zitten en ik leg de pillen voor die dag klaar. Terwijl ze haar medicijnen inneemt, lees ik haar een gedicht voor. Soms van Dickinson, soms van Grennan of Auden. Ik laat haar kennismaken met Mary Oliver en ze vraagt vaak om haar 'Morning Poem' – haar ochtendgedicht.

Later op de dag, wanneer mama in haar stoel in de woonkamer

een dutje doet, pak ik mijn dagboek en ga ermee op de bank tegenover haar zitten. Zelfs als ze slaapt ligt er een opengeslagen boek op haar schoot, alsof ze een kind is dat een favoriet speeltje niet wil wegleggen. Ik denk dat ik me beter zal voelen als ik iets over het stalken schrijf, maar algauw steken posttraumatische stresssymptomen de kop op. Zo zwak als ze is, merkt mama meteen dat ik het moeilijk heb en vraagt wat er is.

Ik leg uit dat het lijkt alsof iemand plotseling het licht dempt en de verwarming laag zet. Dat het me vreselijk veel moeite kost in verbinding te blijven met de dingen om me heen. Zelfs opstaan en door de kamer lopen is een enorme inspanning. Ik weet niet hoe dit wat mijn lichaam betreft in zijn werk gaat, ik begrijp alleen de psychologische werking, wat me geen troost biedt. Ik kan het nauwelijks opbrengen de weinige opdrachten die ik nog heb af te maken, en op sommige dagen kost de verzorging van mijn moeder me alle energie die ik heb.

Nadat mama dit een paar keer heeft meegemaakt, zegt ze: 'Misschien is het te vroeg om erover te schrijven. Later zal dat gemakkelijker voor je zijn.' Dan stelt ze voor om samen naar een film te kijken en dat doen we: *Pride and Prejudice*, met Jennifer Ehle en Colin Firth, een van onze lievelingsfilms.

Dit klassieke verhaal over gewone mensen met al hun zwakheden en grillen is als balsem voor de ziel. Urenlang vergeten we onze eigen problemen en worden meegesleept door Austens sympathieke karakters.

Wanneer Liz en ik op een middag in het ziekenhuis zitten te wachten terwijl mama haar inmiddels maandelijkse bloedtransfusie krijgt, vraagt Liz of ik ooit nog iets hoor over Paul. Ik antwoord dat dat soms uit een heel onverwachte hoek komt. De vrouw van een van zijn neven, die ik een keer in een boekwinkel tegenkwam, liet zich ontvallen dat hij opnieuw is gescheiden. Op net zo'n manier kwam ik erachter dat hij zijn studie geneeskunde heeft afgemaakt. Op een dag was een vriendin van me haar achtertuin aan het besproeien en kwam er een buurvrouw naar haar toe voor een praatje. De buurvrouw had net het afstuderen van haar kleindochter aan de medische faculteit bijgewoond en liet mijn vriendin enthousiast haar naam op het programma zien. Mijn vriendin nam het programma vol bewondering van haar aan en liet vlug haar ogen over de rij andere namen gaan. En ja hoor, Paul had met twee jaar vertraging toch zijn medische studie voltooid.

66

Ik ben inmiddels bijna de hele tijd bij mijn moeder. Ze wordt zwakker, wat zij eerder als een belemmering dan als een teken ziet. Ik wil bij haar blijven zodat ze zo lang mogelijk van haar leven en haar huis kan genieten.

Op een avond kijken we naar een televisiefilm over een man die door een vrouw wordt gestalkt. Ons gesprek in de reclamepauzes is beter dan de gesprekken in de film. We stellen vast dat het minder vaak voorkomt dat het slachtoffer een man is. Het slachtoffer in de film, een intelligente, hoogopgeleide man, raakt al na één dreigend telefoontje de kluts kwijt. In de volgende pauze zegt mama op minachtende toon: 'Wat een slappeling. Wat hij meemaakt, stelt met jou vergeleken niets voor.'

Wanneer de film is afgelopen, rinkelt mijn mobieltje. De manager van mijn appartementencomplex vertelt me dat mijn voordeur openstaat, gewoon open, er is niet ingebroken. Ze weet dat ik word gestalkt en dat ik bij mijn moeder ben.

Ik zie er vreselijk tegen op om drieënhalf uur te moeten rijden om te gaan kijken of er iets is gestolen en mijn moeder vindt het zo erg dat ze aanbiedt met me mee te gaan. Maar ze kan bijna niet meer lopen, ze eet nog maar heel weinig en krijgt inmiddels om de paar dagen een bloedtransfusie, dus weet ik dat zo'n rit met de auto te veel voor haar is. Maar ze probeert me ervan te overtuigen dat dat niet zo is, ze denkt dat wilskracht genoeg is om het te volbrengen. Ze was al een kleine vrouw en ze krimpt elke dag een stukje verder, maar haar liefde is groot. We spreken af dat ik de volgende morgen vertrek en een nacht wegblijf, en dat zij dan bij Liz gaat logeren.

'Ga in een mooi hotel overnachten,' zegt ze terwijl ik een tas inpak. 'En bestel vanavond iets te eten op je kamer. Ik trakteer.' Dat is haar manier om het minder erg te maken.

Mijn nicht Maggie staat voor het appartement op me te wachten, zodat ik niet alleen naar binnen hoef. Zoals gewoonlijk is er nergens een bewijs te vinden dat er een misdrijf is gepleegd en kan ik de politie niets vertellen. De voordeur staat open en dat is dat. Op de terugweg naar mijn moeder probeer ik me voor te stellen hoe het zou zijn als ik naar haar woonplaats zou verhuizen. Ergens wonen waar veel mensen me kennen, is de enige beschermende maatregel die ik nog niet heb genomen. Maar ik kan niet beslissen. Het stadje ligt precies tussen de noordgrens van ons land en de toegangsweg naar een grote luchthaven, en ik heb het gevoel dat het te dicht bij het einde van de beschaafde wereld ligt. Alsof die, als ze niet oppassen, over de rand zal vallen.

Een paar dagen later zit ik aan een hoektafel in een restaurantje. Ik wil even alleen zijn en ik ga altijd in een hoek zitten waar ik de ingang in de gaten kan houden. Ik heb vragen waarop ik het antwoord wil weten. Kan ik hier wonen en schrijven en de kinderen van mijn zus zien opgroeien?

Ik logeer hier al anderhalf jaar om voor mijn moeder te zorgen, dus misschien moet ik proberen hier te gaan wonen. Ik vind het wel ironisch dat als ik dat zou doen, mijn moeder niet lang genoeg zal leven om er baat bij te hebben. Op een avond raadt ze mijn gedachten. We zitten in de woonkamer. Ze heeft zich gehuld in kasjmier en fleece om haar krimpende lichaam zo warm mogelijk te houden.

'Kom hier,' zegt ze en ze steekt een hand uit, die ik moet vastpakken. Ik ga op het krukje voor haar stoel zitten. 'Nu moet je goed naar me luisteren.' Ze legt haar handen om mijn gezicht en kijkt me recht aan. 'Ik zal altijd bij je zijn, waar je ook bent.' Ze geeft me een kus op mijn voorhoofd. Ik leg mijn hoofd in haar schoot en ze streelt mijn haar, zoals ik haar duizenden keren bij haar kleinkinderen en vroeger haar andere kinderen heb zien doen.

De liefde achter haar woorden is bijna tastbaar, een bevestiging en de geruststelling dat als iemand van je houdt, je die persoon voorgoed bij je hebt. Als iemand heel veel van je houdt, verliezen die woorden nooit hun kracht. Sommige mensen, misschien wel de meeste mensen, weten niet wat zo veel liefde is, dus weet ik hoe ik

bof dat ik me de rest van mijn leven door die zacht maar vastberaden uitgesproken woorden kan laten troosten.

Ik ken ook de haat van woorden die erop lijken, die ik net zomin
zal vergeten. Ik weet nog precies hoe Paul zich naar me toe boog
toen ik in mijn auto zat, zijn hand uitstak naar mijn gezicht en zei:
'Je zult me nooit vergeten. Ik zal altijd bij je zijn.' De betekenis van
die woorden is met de jaren zwaarder gaan wegen. Hij wilde in ons
gezin een belangrijke rol spelen en hij heeft zijn zin gekregen, want
hij speelt de hoofdrol.

Die avond in bed besluit ik om vanuit de grote stad te verhuizen
naar dit stadje, waar vreemdelingen opvallen en zwervers wordt
verzocht ergens anders naartoe te gaan. Misschien is het veiliger ergens te wonen waar de mensen me kennen dan ergens waar ik ano-
niem ben. Dat laatste heb ik al zeven jaar geprobeerd, ik heb geprobeerd me onder een valse naam in een grote stad te verbergen door
steeds maar weer te verhuizen. Het heeft een poosje gewerkt. Maar
misschien werkt niets voorgoed.

Een paar dagen later vraagt mijn moeder of ik haar de plek wil laten zien waar ik misschien een huis wil laten bouwen. Wanneer we
eromheen rijden, zegt ze: 'Ja, dit is een goede plek voor je. Dat voel
ik.' Ik heb al bedacht hoe de benedenverdieping moet worden ingedeeld zodat zij er kan wonen en dat vertel ik haar, maar ik weid er
niet over uit. Ze wil denken dat ze ooit weer in staat zal zijn om zelf-
standig te wonen en wie ben ik om haar die hoop te ontnemen?

Nog geen maand later, vlak voordat er op die morgen aan het eind
van april een dikke laag sneeuw valt, overlijdt mijn moeder. Ik wist
dat het niet lang meer zou duren. Toen de bloedtransfusies elkaar
steeds sneller opvolgden, besefte ik dat we haar dagen konden tellen. Maar toen het moment aanbrak, schrok ik ervan. Enkele van
haar kinderen staan naast haar ziekenhuisbed terwijl ze langzaam
uit deze wereld vertrekt. Vlak voordat ze voor het laatst ademhaalt,
rimpelt ze haar voorhoofd, alsof zijzelf ook verbaasd is dat dit het
einde is. Een voor een nemen we afscheid van haar. Wanneer het
mijn beurt is, streel ik haar handen, dezelfde handen als die van
haar moeder, en van mij. Ik buig me over haar heen, zoals ze zo vaak

bij mij heeft gedaan, en leg mijn handen om haar gezicht alsof dat het mooiste geschenk is dat ik ooit heb gekregen. En dat is het ook.

Want behalve haar woorden, die me verankeren aan het gevoel dat er van me wordt gehouden, heeft ze me de allerbelangrijkste les geleerd: hoe je je thuis moet voelen in jezelf. Dat is eigenlijk heel eenvoudig. Denk aan alle liefde die je hebt ontvangen en berg die op in je hart.

67

Zelfs in mijn bijna verlammende verdriet weet ik dat mijn besluit om te verhuizen juist is, dus laat ik op mijn stuk grond een huis bouwen. En ik koop een plek op de begraafplaats. Nu allebei mijn ouders zijn overleden, vind ik het onverantwoordelijk mijn eigen dood niet te regelen. Ik maak een testament op, onderteken instructies voor als ik ziek zou worden en kies een graf aan de voet van de graven van mijn ouders.

Het klinkt nogal koelbloedig, dat weet ik. Maar als je in aanmerking neemt wat ik de afgelopen zeven jaar heb meegemaakt, lijkt het me een goed idee om alles alvast te regelen. Dus doe ik dat en belet mezelf er te veel bij stil te staan. Natuurlijk moet mijn lichaam daarvoor boeten en mijn spieren gillen het af en toe uit.

Ik trek in mijn nieuwe huis, laat het beste veiligheidssysteem installeren dat ik kan vinden en huur een postbus in de buurt. Ik denk voortdurend aan het advies van alle mensen die ik om hulp heb gevraagd: blijf waakzaam. Als het stalken een tijdje ophoudt, wil dat niet zeggen dat het voorbij is. Het kan nog jaren zo doorgaan. Allerlei dingen kunnen een nieuwe golf van pesterijen in gang zetten, bijvoorbeeld iemand die mijn naam noemt, als hij me ergens ziet of als hij opeens aan me denkt. In een televisieprogramma over stalken zegt iemand: 'Het is niet eerlijk, maar vaak kan het slachtoffer alleen aan de stalker ontkomen door te verhuizen.' Ach, was het maar zo eenvoudig.

Voorlopig woon ik in een bos aan de rand van een meer en moet ik de rivier de Mississippi oversteken om naar de stad te gaan. Achter me ligt het waterreservoir. Opnieuw woon ik bij de rivier die de basis vormt van mijn leven.

68

Het is vlak na middernacht op nieuwjaarsdag. Ik heb rustig afscheid genomen van het oude jaar door thee te drinken met een vriendin en daarna te gaan eten met een andere vriendin. Mijn nieuwjaarswensen zijn onveranderd en nog even bescheiden: veiligheid, werk, tevredenheid. Ik val tegen één uur in slaap.

Het alarmsignaal in mijn huis, dat genoeg lawaai maakt om buren met een normaal gehoor wakker te maken, jaagt me mijn bed uit. Ik kijk op mijn digitale wekker: 1.33. Ik grijp de trui die op de stoel naast mijn bed ligt en trek schoenen aan. Dan pak ik de telefoon en wacht tot de bewakingsdienst belt. Even later identificeer ik me op de afgesproken manier. De bewaker die dienst heeft, zegt dat er aan de westkant van mijn huis een raam is gebroken en vraagt of alles met mij in orde is.

'Tot nu toe wel,' antwoord ik, terwijl ik gespannen luister of ik beneden ergens voetstappen hoor. De voordeur van mijn huis is boven, de buitendeur beneden leidt naar een veld en het meer. Ik blijf in de deuropening van de slaapkamer staan en probeer te bedenken of ik tussen de open trap en de voordeur zal gaan staan of zal blijven waar ik ben, in de buurt van het raam naar het balkon. Ik denk dat ik beter naar de voordeur kan lopen, waar mijn jack, met handschoenen in de ene en een muts in de andere zak, op een bank ligt.

'De bewegingsmonitor geeft geen beweging in huis aan,' zegt de man, 'alleen dat er beneden een raam kapot is. Zal ik de sheriff bellen?'

'Ja,' antwoord ik. 'Ik weet niet of er iemand binnen is, maar ik wil dat er iemand komt kijken.' Ik hang op en trek een warme broek en wollen sokken aan. Ik blijf in de slaapkamer wachten, met de telefoon in mijn ene en mijn tas met mijn mobiel, agenda en autosleutels in de andere hand.

Er komt een assistent van de sheriff en hij loopt het hele huis door en kijkt in alle kasten. Maar er is nergens een gebroken raam, zegt hij. Mijn alarmsysteem is zo gevoelig dat het zelfs als iemand een raam probeert te openen, in werking treedt. Toen ik hier kwam wonen, heb ik zowel de sheriff als de politie van mijn situatie op de hoogte gesteld, omdat ik zeker wilde weten dat ze, als ik hen belde, dat serieus zouden nemen. Dit is niet de eerste keer dat er een agent komt kijken omdat het alarm is afgegaan en ik vermoed dat het nog lang niet de laatste keer zal zijn.

Wanneer de assistent-sheriff zeker weet dat wij tweeën de enigen in huis zijn, gaat hij naar buiten om de tuin te verkennen. Even later komt hij weer binnen en zegt dat er voor het raam aan de westkant wel voetafdrukken staan, maar dat hij niet weet of ze vers zijn. Het is ijskoud maar windstil buiten en het heeft al een tijdje niet gesneeuwd. 'Ik hoopte dat ik binnen iemand zou betrappen,' zei hij.

'Buiten, bedoelt u zeker?' zei ik.

'Nee, binnen,' zegt hij. 'Het is rustig vanavond en ik hoopte dat er iets zou gebeuren.'

'Weet u dat ik word gestalkt?' vraag ik. 'Dat is op het bureau bekend.'

'Ja, dat weet ik,' zegt hij. Hij is net zo dom als hij eruitziet.

'Beseft u dan wel wat een domme opmerking dat was?' vraag ik verder, want ik vind dat ik hem daarop moet wijzen, al weet ik dat ik het hem niet duidelijk zal kunnen maken. Ik weet ook dat ik hierdoor de kans loop dat ik bij het volgende incident minder serieus word genomen, want dit zijn boerenkinkels die dit soort dingen aan elkaar doorgeven. Toch kan ik mijn mond niet houden. 'Het klinkt alsof het u niet kan schelen of u mij hier dood of levend aantreft, zolang u maar leuk op jacht mag gaan naar een inbreker.'

'Zo bedoelde ik het niet,' zegt hij.

'Nou, zo had u het wel kunnen bedoelen,' zeg ik.

Nu heb ik het gevoel dat er wél een vreemde in mijn huis is en ik stuur hem dan ook zo gauw mogelijk weg. 'Dank u wel voor uw komst,' dwing ik mezelf te zeggen, want misschien heb ik hem nog eens nodig.

Als hij weg is, doe ik de voordeur weer op slot. Ik doe alle lichten uit en ga in de keuken voor het raam staan. Ik kijk zijn auto na en zie de lichtbundels van de koplampen over bergen sneeuw glijden. Ik loop het hele huis door en controleer alle ramen en deuren, luister naar voetstappen en speur naar schaduwen. Ik heb geen idee of mijn alarm in werking is gesteld door een man, een hert of een poema.

Misschien heeft dit niets met Paul te maken gehad. Dat is best mogelijk, maar zoals altijd blijf ik achter met hetzelfde gevoel: ik kan niet meer vanzelfsprekend aannemen dat iets een onschuldig toeval is. Zijn laatste geschenk aan mij is een leven van niet weten, van nooit iets zeker weten.

69

Ik ben voor mijn werk in de stad. Ik ga tegenwoordig alleen terug naar de plek die ik jarenlang mijn thuis heb genoemd als ik er niet onderuit kan. Ik regel mijn werk zo dat ik niet ergens naartoe hoef waar ik me niet veilig voel. Maar als het moet, ongeveer eens per maand, rijd ik erheen. Het is een rit van maar een paar uur en toch geeft de stad me het gevoel dat ik er niets meer te zoeken heb.

Net als in de laatste paar jaar dat ik er woonde, vermijd ik bepaalde buurten en ben voortdurend op mijn hoede. Ik logeer niet tweemaal achter elkaar in hetzelfde hotel of bij dezelfde vrienden. Ik ga steeds naar een ander restaurant. Ik maak een omweg om naar een boekwinkel of een restaurant te gaan waar ik nooit eerder ben geweest.

Op een middag ga ik, tussen een afspraak met een cliënt en eten bij vrienden, naar een boekwinkel met een café in een voorstad wel een half uur rijden bij mijn hotel vandaan. Ik zeg het tegen niemand. Wanneer ik er aankom, controleer ik of alles er nog net zo uitziet als ik het me herinner en of er nog steeds twee in- en uitgangen zijn. Inderdaad. Ik kijk de winkel rond en zie geen bekende gezichten. Ik bestel een kop thee en loop tussen de rijen boeken door. Ongeveer een uur later voel ik me opeens minder op mijn gemak. Ik loop naar een deel van de winkel waar ik de hele zaak kan overzien en verschuil me achter een pilaar.

En dan zie ik hem staan, vlak bij de ingang. Hij lijkt niet meer op de man die ik me herinner: stevig gebouwd met brede schouders, dikke benen en een vierkant gezicht. Hij is dik geworden en ziet er onverzorgd uit, hij is niet meer de tot in de puntjes verzorgde man die ik twaalf jaar geleden leerde kennen. Ik had al van vrienden gehoord dat hij er slordig bij liep en er zelfs ziekelijk uitzag, en nu weet ik wat ze bedoelen.

Paul kijkt de winkel rond. Hij heeft me niet gezien, dat weet ik zeker. Ik ga achter een hoog boekenrek staan. Terwijl de paniek in me opstijgt, dwing ik mezelf om kalm te blijven en me te concentreren op een manier om de winkel te verlaten. Ik leg de boeken die ik vasthoud op een lege plank en bedenk een weg naar de zijdeur om ongezien te verdwijnen. Als ik buiten naar rechts ga en achter het gebouw langs loop, bestaat de kans dat hij me niet ziet wegrijden. Zo onopvallend mogelijk sluip ik naar buiten.

Pas wanneer ik kilometersver weg ben en voortdurend in mijn achteruitkijkspiegeltje kijk of hij me niet volgt, geeft mijn lichaam mijn brein weer de vrijheid om ergens anders aan te denken. Misschien was dit gewoon een afschuwelijke samenloop van omstandigheden, gewoon puur toeval. Als ik daar een uur eerder en hij een uur later was geweest, hadden we elkaar gemist. Maar dat doet er niet toe. Zelfs als hij me toevallig ergens ziet lopen, zou dat een nieuwe reeks pesterijen tot gevolg kunnen hebben.

Er is niets veranderd. Hij kan op elk moment iemand betalen om me te volgen. En als hij geluk heeft, kan hij me gratis ergens tegen het lijf lopen. Hoe dan ook, ik moet me altijd blijven afvragen wat hij nu weer voor me in petto heeft.

Het enige wat vaststaat is dat ik nooit meer een leven zal kunnen leiden zoals ik dat vroeger heb gekend, en dat ik nooit zal weten hoe mijn leven had kunnen zijn.

Epiloog

September 2007

De middagzon hangt laag in de lucht, loom, alsof hij nergens anders naartoe kan. Ik sta voor het keukenraam en ben bezig een pot thee te zetten wanneer de auto van de telefoonmaatschappij eindelijk de oprit op komt en stopt. Ik heb al sinds maandagmorgen vroeg geen telefoon meer en nu is het woensdagmiddag. Dat is natuurlijk vervelend, maar ik ben vast de enige van de honderden klanten zonder telefoonverbinding die blij is dat de storing te wijten is aan een kabelbreuk in een bouwput.

Ik zet het alarmsysteem uit en doe de voordeur open voor de monteur, die zegt dat hij even wil checken of mijn telefoon het weer doet. Dat was een half uur geleden nog niet het geval, en ik vraag hem te wachten terwijl ik het draagbare apparaat ga halen. Een paar tellen later ben ik terug. Ja, ik hoor een beltoon, zeg ik.

'Het was toch een doorgesneden kabel?' vraag ik.

'Ja,' antwoordt hij en hij voegt eraan toe dat er met mijn lijn nog iets anders mis was.

Ik voel een duizeling, maar die gaat voorbij. 'Iets anders?'

In de kast langs de grote weg was mijn lijn doorgesneden en verbonden met een andere lijn.

'Oké,' zeg ik langzaam. 'Hoe kan dat zijn gebeurd?'

Een knaagdier waarschijnlijk, zegt hij. Dat heeft de kabel doorgebeten. Maar die niet vastgemaakt aan een andere. Hoe dat is gebeurd, weet hij niet.

Ik vraag door en krijg te horen dat er in die kast ongeveer tweehonderd lijnen zijn samengebundeld en dat alleen de mijne was doorgesneden. Dat op zich is al vreemd, maar het is verdacht dat die bovendien was verbonden met een andere lijn.

'Kan iemand dat met opzet hebben gedaan?' vraag ik.

Dat kan, maar wie zou zoiets doen?

Alsof ik een draad die onder spanning staat heb aangeraakt, flitst er woede door me heen, maar die onderdruk ik snel. Ik leg uit dat ik word gestalkt en dat dit soort dingen wel vaker is gebeurd.

Hij vraagt of mijn stalker voor het elektriciteitsbedrijf werkt, omdat het anders heel moeilijk is erachter te komen wat mijn lijn is. Bovendien, herhaalt hij, wie zou zoiets doen?

Ik neem niet de moeite hem uit te leggen wat voor soort psychopaat zoiets zou doen of dat iemand geld kan hebben aangenomen om zoiets te doen. In plaats daarvan bedank ik hem, doe de deur weer op slot en zet het alarmsysteem weer aan.

Wanneer ik twee dagen later 's avonds met vrienden zit te eten, vertel ik hun dit verhaal. Ben, die ik al ken sinds de lagere school, zegt: 'Ja, ja, een knaagdier. Het moet wel een heel knappe eekhoorn zijn geweest om niet alleen jouw lijn door te knagen, maar die ook nog met een andere te verbinden. Natuurlijk, het was een knaagdier!'

'Juist,' beaam ik opgelucht. Een heel knappe eekhoorn.

Ik breng de rest van het weekend alleen thuis door. Ik slaap onrustig, met dichte ramen. Zelfs een kier naar de buitenwereld – iemand anders zien of met iemand een praatje maken – is me te veel. Ik trek me terug in de kalmte van mijn boeken, waar niets buiten de band me kan raken.

Op maandagmorgen voel ik me beter, maar nog steeds uit mijn evenwicht. Om mezelf gerust te stellen, bestel ik een nieuwe mobiele telefoon. Van leverancier wisselen heeft waarschijnlijk geen enkele zin en maakt me niet veiliger, maar het is het enige wat ik kan bedenken om het incident af te sluiten.

Op woensdag word ik gebeld door de klantendienst van het mobiele telefoonnet, die vraagt of mijn nieuwe mobiele telefoon inderdaad moet worden afgeleverd op een adres in een naburige staat. Ik bedank hem voor de moeite die hij neemt om dit te checken en geef hem mijn nieuwe adres. Hij zegt dat ze dat adres al hebben, maar dat iemand anders weer een ander adres heeft opgegeven. Ik vraag hoe dat kan en hij weet het niet. 'Maar we dachten dat we het beter even konden controleren, omdat u de rekening betaalt vanuit een andere staat.'

Ik ken niemand in de stad van het andere adres, maar ik geloof dat Paul daar in de buurt een paar jaar geleden een vakantiehuisje had.

Hoe duidelijk is dit?

Ook al neem ik me voor hier niet te lang bij stil te staan, ik ben er doodmoe van. Dat komt volgens mij vooral doordat het me zo veel energie kost mijn woede te onderdrukken. Misschien zou ik daarmee ophouden als het stalken zou ophouden, maar dat weet ik niet zeker. Ik weet wel dat ik bang ben om het gloeiende vuur binnen in me te laten oplaaien. Ik moet mijn hoofd koel houden, omdat mijn hele leven – elke minuut van elke dag – wordt overheerst door de vraag of ik veilig ben.

De enige keren dat ik mijn woede laat opwellen is wanneer ik denk aan alle andere dingen die ik met de energie die mijn inspanningen me kosten had kunnen doen. Elke keer dat ik verhuisde, had ik in plaats daarvan kunnen schrijven. Elke keer dat ik mijn weg in een andere omgeving moest leren vinden, had ik me bij een plaatselijke vereniging nuttig kunnen maken of een nieuwe minnaar kunnen ontmoeten. Dat heb ik allemaal moeten opgeven en die tijd krijg ik niet terug.

Niet dat ik geloof dat het allemaal verloren jaren waren, want ik heb mijn best gedaan om er iets van te maken. Ik heb geleerd troost te vinden in kleine dingen: de lavendelgeur van schone lakens, een liefhebbende stem aan de telefoon, een rustig verlopen dag, een sneeuwbui of het heerlijke geluid van een regenbui. De stapel boeken naast mijn bed herinnert me eraan dat alleen zijn niet hetzelfde is als eenzaam zijn. Foto's van familieleden en vrienden laten me weten dat ze niet in persoon bij me hoeven te zijn om bij me te zijn.

Ik zie mijn moeder en mijn grootmoeder in mijn vingers en de aderen op de rug van mijn handen, en ik weet dat ik hun talent voor vreugde heb, en voor overleven. Ik leg mijn handen om mijn gezicht en voel de jukbeenderen en de kaak van mijn vader, en ik weet dat ik zijn heldere inzicht en zijn moed heb.

En ik heb vooral geleerd de schade van me af te schudden en mijn innerlijke zelf te beschermen, waardoor ik wijzer ben geworden en opensta voor wat nog zou kunnen gebeuren.

Toch kan ik er niets aan doen dat ik wilde dat ik op een andere manier had kunnen groeien. Want als je voortdurend het doelwit van een maniak bent en moet leven zoals ik, en als je weet dat die maniak zelfs als hij zou worden opgepakt nog gevaarlijker zou kunnen worden, leid je zelf ook een krankzinnig leven. Dus doen alsof het prima met me gaat en het leven goed is, zou een leugen zijn.

Dit zijn de feiten: ik geloof dat Paul me zolang hij leeft zal stalken. Niet voortdurend, maar vaak genoeg om me te laten weten dat hij ertoe in staat is. Door hem heb ik alles wat op een normaal leven lijkt moeten opgeven. Ik heb meerdere keren mijn thuis, mijn buurt of mijn woonplaats moeten opgeven. Ik heb werk, vrienden en eventuele nieuwe geliefden moeten opgeven. Ik heb zelfs mijn naam opgegeven.

Soms geef ik bijna alle hoop op.

Maar dit is ook een feit: toen Paul mij als zijn doelwit koos, heeft hij een strategische fout gemaakt. Door mij uit te kiezen, heeft hij zijn grootste wens – zijn ware zelf verborgen houden – niet kunnen vervullen. Hoe langer hij met zijn vervolging van mij doorgaat, des te langer wordt de lijst van mensen die weten wat voor soort man hij werkelijk is. Hoe meer hij mijn leven verstoort, hoe meer hij zichzelf blootgeeft. En wat de rechercheurs tien jaar geleden zeiden, geldt nog steeds: als er iets met mij of met mijn familie zou gebeuren, waar dan ook ter wereld, is hij hun enige verdachte.

Stalkers zoals Paul voelen de behoefte om de geestkracht van een ander te vernietigen. Ik wil blijven geloven dat hem dat, wat hij ook doet, bij mij nooit zal lukken. Maar al zou het hem wél lukken, wat heeft hij daar dan mee gewonnen? Wat heb je eraan als je het leven verwoest van iemand die ooit zo dom was van je te houden?

Je kunt die persoon niet het zwijgen opleggen. Wat er verder ook met me gebeurt, ik heb mijn verhaal verteld. Het verhaal van een gewone vrouw die door iemand tot slachtoffer is gemaakt, maar die geen slachtoffer is geworden. Een vrouw die heeft geleden, maar niet is verslagen.

Al bevindt hij zich in de kantlijn van mijn leven, hij kan mijn woorden niet uitwissen.

Dankwoord

Zoals veel Ieren is me in mijn jeugd geleerd optimistisch te zijn, ongetwijfeld om onze van nature melancholieke instelling zo min mogelijk kans te geven. Het devies van de Kelten is niet alleen het stoïcijnse gebod om flink te zijn en stug door te gaan, maar ook het gebod om bij tegenslagen zelfs *dankbaar* te zijn. Het kan altijd erger. Het ís altijd erger. Voor iemand, ergens.

We moeten vinden dat we geluk hebben, zelfs als dat niet zo is. En wanneer we inderdaad geluk hebben, moeten we dat intens waarderen, vol grenzeloze dankbaarheid. Ik houd mezelf regelmatig voor dat ik enorm veel geluk heb omdat ik een man zoals Paul heb overleefd. Want ik héb het overleefd. Ik heb een litteken als bewijs. Op de zachte huid aan de binnenkant van mijn linkerarm, halverwege tussen mijn pols en mijn elleboog, ben ik gebrandmerkt met een litteken dat bestaat uit twee streepjes, zoals de letter M van het morsealfabet: streepje, spatie, streepje. De streepjes zijn wit en vormen een richeltje, de ruimte ertussen is mijn normale, roze huid. Als ik mezelf eraan wil herinneren, hoef ik alleen maar met de wijsvinger van mijn rechterhand over de twee richeltjes te glijden. De M is het brandmerk van de hiv-test die ik meteen nadat ik bij Paul was weggegaan heb laten doen. De M van gelukkig net Mis. De M van Mijnenveld – altijd uitkijken waar ik loop.

Meer dan ooit waardeer ik de vrienden en familieleden die van me houden. Zonder hen zou ik het niet hebben aangedurfd dit boek te schrijven. Ik dank hen voor hun gaven: genegenheid, eerlijkheid, trouw, bescherming, humor en ontelbare uren van normaal leven. Dat is liefde, en dat houdt me geestelijk gezond. Ik dank jullie voor elke minuut dat jullie me dat hebben gegeven. En degenen die versies van dit manuscript hebben gelezen, me hebben aangemoedigd en goede raad hebben gegeven, wil ik extra bedanken.

Mijn agent, Marly Rusoff, vond het manuscript veelbelovend en begreep dat ik geen sensatiezoeker ben. Ze gaf me wijze raad, deed waardevolle suggesties en stuurde me naar de juiste redacteur en uitgever. Zij en Michael Radulescu vergaten nooit aan mijn veiligheid te denken en ik zal hen altijd dankbaar zijn voor hun moeite, vriendelijkheid en geduld.

Auteurs boffen als ze een talentvolle redacteur treffen, iemand die het proces van schrijven en redigeren als een masterclass beschouwt. Mijn redacteur, Jennifer Barth, is zo iemand. Het was een pijnlijk verhaal om te schrijven en als Jennifer niet zo veel geduld met me had gehad en niet steeds op het juiste moment had ingegrepen, was het misschien ook wel gepubliceerd, maar in een inferieure vorm. Ze zorgde ervoor dat ik de moed niet verloor, terwijl ze me hielp de juiste vorm en toon te vinden. En natuurlijk lette ze erop dat ik nooit lui in mijn woordkeus of onoprecht was.

Ook bedank ik Christine Van Bree, Mark Jackson, Tina Andreadis, Leslie Cohen, Jeanette Zwart, Christine Boyd, Doreen Davidson, Brad Wetherell en iedereen van HarperCollins voor hun enthousiasme bij het uitgeven van dit boek.

Ten slotte wil ik mijn ouders bedanken, al leven ze niet meer. Mijn moeder leerde me van taal te houden en er mijn best voor te doen. Als mijn eerste fan en criticus leerde ze me waardering te hebben voor een lezer die even ferm frisse beeldspraak prijst als een zwakke passage onderstreept. Tot aan haar dood hield ze zich wat iemands gedrag betrof aan dezelfde regels. Mijn vader leerde me hoe ik een verhaal zonder omhaal moest vertellen. Hij zag in dat een verhaal dat alleen aandacht schenkt aan triomfen en niet aan verdriet slechts een half verhaal is.

Niet lang voor zijn dood zei hij: 'Uiteindelijk zul je over ons schrijven. Als ik dan nog leef, zou je dan de namen willen veranderen?'

Papa, je wens is vervuld.

Kate Brennan is (onder haar echte naam) al ruim dertig jaar werkzaam als freelance auteur, waarbij ze vooral aandacht schenkt aan vrouwenzaken. Ook heeft ze Engels en vrouwenstudies gedoceerd aan een aantal colleges in het Midden-Westen.